*Grana*

# ARISTÓTELES

## Ética

*Grandes Pensadores*

# ARISTÓTELES

## Ética

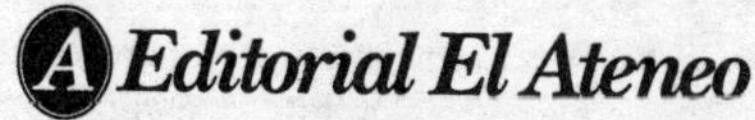

Edición especial para
EDITORIAL EL ATENEO

ISBN 950-02-8626-2

Queda hecho el depósito que establece la ley Nº 11.723.

Patagones 2463 Buenos Aires(C1282ACA)Argentina.
t.(54 11) 4942 9002 f. (54 11) 4308 4199
**e-mail:** editorial@elateneo.com


C/ San Rafael, 4
28108 Alcobendas (Madrid)
Tel.: (34) 91 657 25 80
Fax: (34) 91 657 25 83
e-mail: libsa@libsa.es
www.libsa.es

ISBN: 84-662-0175-0
Depósito Legal: M-46.466-00



Impreso en España/*Printed in Spain*

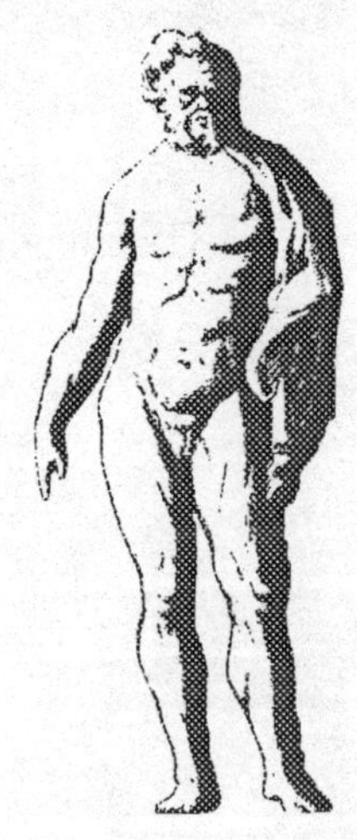

# Contenido

# Introducción

El filósofo griego Aristóteles (384-322 a. C.) está considerado uno de los pensadores más grandes de todos los tiempos. Discípulo de Platón ya a los diecisiete años de edad, estudió y enseñó en la Academia de Atenas hasta el fallecimiento de su maestro, ocurrido el año 347 a. C. En desacuerdo con el sucesor de Platón en la Academia, cuyo nombramiento dejaba a Aristóteles en segundo plano, el filósofo abandonó la capital helena y dedicó casi una década a viajar y a enseñar. Fue precisamente durante este periodo cuando ejerció de tutor de Alejandro Magno, quien al conquistar el reino de Macedonia llevó consigo a su maestro.

Una de las primeras iniciativas de Aristóteles fue la fundación de una escuela filosófica, con el nombre de Liceo, que dirigió hasta el año 323 a. C. Esta escuela recibió el sobrenombre de Peripatética porque las discusiones entre maestro y discípulos tenían lugar en una zona cubierta del jardín, mientras ellos daban cortos paseos bajo el peristilo. Los discípulos, pues, fueron conocidos como «peripatéticos».

Además de la docencia, en el Liceo desarrolló el pensador griego la mayor parte de sus trabajos, hasta el año 322 a. C, en que a causa de una revuelta antimacedónica Aristóteles se vio obligado a abandonar la escuela y huir a Calcis (Eubea), donde murió poco después.

La obra cumbre de Aristóteles está compendiada en el llamado *Organon*, conjunto de seis grandes tratados de lógica. El presente volumen de *Ética* —también conocido como *Ética a Nicómano* por ser este hijo del autor quien la divulgó tras el fallecimiento de su padre— consta de diez libros y, a juicio de los estudiosos, es la parte más importante de las tres que componen los tratados morales de Aristóteles. El autor parte de una crítica contra la concepción platónica del «bien en sí» y plantea la cuestión del bien supremo o felicidad como actividad racional del alma. Examina después qué se entiende por virtud ética, para a continuación definir la voluntariedad e involuntariedad de la acción, analizando sus propósitos. Más adelante se ocupa de la justicia y, después, estudia las virtudes dianoéticas y sus cinco variables: ciencia, prudencia, intelecto, arte y sabiduría. Sigue un sucinto tratado sobre la intemperancia y el placer, considerados ambos como vicios propios de seres negados para la ciencia. A continuación dedica dos amplios capítulos a la amistad y el amor, virtudes ligadas a la justicia y esencialmente a «ese animal político que es el hombre», en definición del propio Aristóteles. La última parte está dedicada a los problemas de relación entre placer y virtud, concluyendo que la felicidad suprema descansa en la pura contemplación de la eterna verdad: Dios.

Además de su aportación al pensamiento universal como filósofo, Aristóteles dejó constancia de sus conocimientos de biología, más exactos que sus deducciones astronómicas, así como de economía política. De hecho, su obra *La Política* constituye la mejor exposición sobre la economía griega de aquella época que ha llegado hasta nosotros. Los campos que abarcó dieron a su figura una proyección ingente a partir del siglo XIII, en que Aristóteles fue considerado la autoridad suprema en todas las áreas del saber. Su influencia fue considerable no sólo en filosofía, sino en el pensamiento social, en la ciencia e incluso en la crítica literaria. Así fue hasta la aparición de los racionalistas, encabezados por Francis Bacon y René Descartes, enfrentados más tarde al movimiento tomista.

# Ética

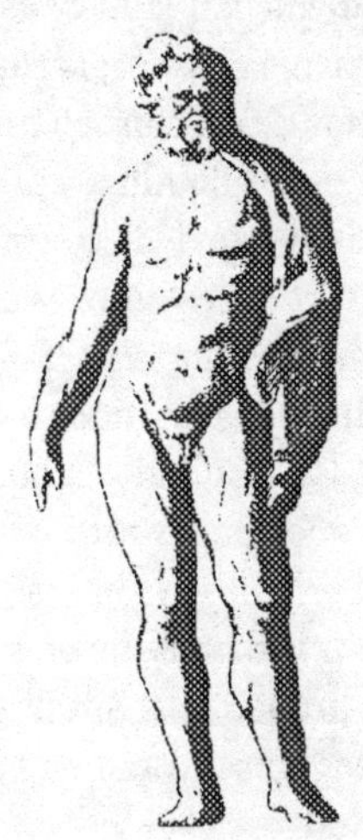

# Teoría del bien y de la felicidad

## El bien es el fin de todas las acciones del hombre

Todas las artes, todas las indagaciones metódicas del espíritu, lo mismo que todos nuestros actos y todas nuestras determinaciones morales, tienen al parecer siempre por mira algún bien que deseamos conseguir, y por esta razón ha sido exactamente definido el bien cuando se ha dicho que es el objeto de todas nuestras aspiraciones.

Pero téngase entendido que esto no impide que haya grandes diferencias entre los fines que uno se propone. A veces estos fines son simplemente los actos mismos que se producen; otras, además de los actos, son los resultados que nacen de ellos. En todas las cosas que tienen ciertos fines que trascienden de los actos, los resultados definitivos son naturalmente más importantes que aquellos que los producen. Por otra parte, como existe una multitud de actos, de artes y de ciencias diversas, hay otros tantos fines diferentes: por ejemplo, la salud es el fin de la medicina; la nave es el de la arquitectura naval; la victoria, el de la ciencia militar; la riqueza, el de la ciencia económica. Todos los hechos de cada orden están en general sometidos a una ciencia especial que los domina, y así a la ciencia de la equitación están subordinados el arte de la guarnicionería y todas las concernientes al caballo, así como estas artes a su vez y todos los demás hechos militares están sometidos a la ciencia general de la guerra. Otros actos están igualmente sometidos a otras ciencias, y respecto de todas sin excepción, los resultados a que aspira la ciencia fundamental son superiores a los de las artes subordinadas, porque únicamente a causa de los primeros se buscan los segundos.

Poco importa, por lo demás, que los actos mismos sean el objeto último que uno se proponga al obrar, o que se aspire a otro resultado más allá de estos actos, como en las ciencias que acabamos de citar. Si en todos nuestros actos hay un fin definitivo que quisiéramos conseguir por sí mismo, y en su vista aspirar a todo lo demás, y sí, por otra parte, en nuestras determinaciones no podemos remontarnos sin cesar a un nuevo motivo, lo cual equivaldría a perderse en el infinito y hacer todos nuestros deseos perfectamente estériles y vanos, es claro que el fin común de todas nuestras aspiraciones será el bien, el bien supremo. ¿No debemos creer que, con relación a la que ha de ser regla de la vida humana, el conocimiento de este fin último tiene que ser de la mayor importancia, y que, a la manera de los arqueros que apuntan a un blanco bien señalado, estaremos entonces en mejor situación para cumplir nuestro deber?

Si esto es cierto, debemos intentar definir el bien, aunque no sea más que haciendo de él un sencillo bosquejo, y hacer notar de qué ciencia y de qué arte forma parte.

Un primer punto, que puede tenerse por evidente, es que el bien se deriva de la ciencia soberana, de la ciencia más fundamental de todas, y ésta es precisamente la ciencia política. Ella es, en efecto, la que determina cuáles son las ciencias indispensables para la existencia de los estados, cuáles son las que los ciudadanos deben aprender, y hasta qué grado deban poseerlas. Además, es preciso observar que las ciencias más estimadas están subordinadas a la política; me refiero a la ciencia militar, a la ciencia administrativa, a la retórica. Como ella se sirve de todas las ciencias prácticas y prescribe también en nombre de la ley lo que se debe hacer y lo que se debe evitar, podría decirse que su fin abraza los fines diversos de todas las demás ciencias, y por consiguiente el de la política será el verdadero bien, el bien supremo del hombre. Es cierto, por otra parte, que el bien es idéntico para el individuo y para el estado. Sin embargo, procurar y garantizar el bien del estado, parece cosa más acabada y más grande, y si el bien es digno de ser amado, aunque se trate de un sólo ser, es, no obstante, más bello, más divino, cuando se aplica a toda una nación, cuando se aplica a estados enteros.

Por lo tanto, en el presente tratado estudiaremos todas estas cuestiones, que forman casi un tratado político.

Habremos dicho en esta materia todo cuanto es posible si logramos tratarla con toda la claridad que ella permite. Pero en todas las obras del espíritu no debe exigirse una precisión igual a la que se exige en las obras de mano, porque el bien y lo justo, objetos que estudia la ciencia política, dan lugar a opiniones de tal manera divergentes y de tal manera laxas, que se ha llegado hasta sostener que lo justo y el bien existen únicamente en virtud de la ley, y que no tienen ningún fundamento en la naturaleza. Por otra parte, si los bienes mismos suscitan tan gran diversidad de opiniones y tantos errores, es porque sucede con mucha frecuencia que los hombres sólo sacan mal de tales bienes, y se ha visto a menudo perecer algunos a causa de sus riquezas, como perecían otros por su valor. Así pues, cuando se trata de un asunto de este género y se parte de tales principios, es preciso saber contentarse con un bosquejo un poco grosero de la verdad, y además, como se razona sobre hechos generales y ordinarios, sólo deben sacarse consecuencias del mismo orden y también generales. De aquí que deba acogerse con indulgente reserva todo lo que habremos de decir. Un espíritu ilustrado no debe exigir en cada género de objetos más precisión que la que permita la naturaleza misma de la cosa de que se trate, y tan irracional sería exigir de un matemático una mera probabilidad, como exigir de un orador demostraciones formales.

Siempre hay razón para juzgar aquello que se conoce, y respecto de ello es uno un buen juez. Mas para juzgar un objeto especial, es preciso conocer especialmente este objeto, y para juzgar bien de una manera general, es preciso conocer el conjunto de las cosas. He aquí por qué la juventud es poco a propósito para hacer un estudio serio de la política, puesto que no tiene experiencia de las cosas de la vida, y precisamente de estas cosas es de las que se ocupa la política y de las que deduce sus teorías. Debe añadirse que la juventud, que sólo escucha la voz de sus pasiones, en vano oiría tales lecciones y ningún provecho sacaría de ellas, puesto que el fin que se propone la ciencia política no es el simple conocimiento de las cosas, sino que es ante todo un fin práctico. Cuando digo juventud, quiero decir lo mismo la juventud del espíritu que la juventud de la edad, sin que bajo esta relación haya diferencia, porque el defecto que yo señalo no tiene que ver con el tiempo que se ha vivido, sino que se refiere únicamente al que se vive bajo el imperio de la pasión, sin dejarse nunca guiar sino por ella en la prosecución de sus deseos. Para los espíritus de este género, el conocimiento de las cosas es completamente infecundo, tanto como lo es en los que a consecuencia de un exceso pierden la posesión de sí mismos. Por lo contrario, los que arreglan sus deseos y sus actos solamente según la razón, pueden aprovechar mucho en el estudio de la política.

Pero limitémonos a estas ideas preliminares por lo que hace al carácter de los que quieren cultivar esta ciencia, a la manera de recibir sus lecciones y al fin que aquí nos proponemos.

## El fin supremo del hombre es la felicidad

Volvamos ahora a nuestra primera afirmación, y puesto que todo conocimiento y toda resolución de nuestro espíritu tienen necesariamente en cuenta un bien de cierta especie, expliquemos cuál es el bien que en nuestra opinión es objeto de la política, y por consiguiente el bien supremo que podemos proseguir en todos los actos de nuestra vida. La palabra que lo designa es aceptada por todo el mundo; el vulgo, como las personas ilustradas, llaman a este bien supremo felicidad, y, según esta opinión común, vivir bien, obrar bien, es sinónimo de ser dichoso. Pero en lo que se dividen las opiniones es sobre la naturaleza y la esencia de la felicidad, y en este punto el vulgo está muy lejos de estar de acuerdo con los sabios. Unos la colocan en las cosas visibles y que resaltan a los ojos, como el placer, la riqueza, los honores, mientras que otros la colocan en otra parte. Añadid a esto que la opinión de un mismo individuo varía muchas veces sobre este punto; enfermo, cree que la felicidad es la salud; pobre, que es la riqueza; o bien, cuando uno tiene conciencia de su ignorancia, se limita a admirar a los que hablan de la felicidad en términos pomposos y trazan de ella una imagen superior a la que aquel se había formado. A veces se ha creído que por encima de todos estos bienes particulares existe otro bien en sí, que es la causa única de que todas estas cosas secundarias sean igualmente bienes.

Indagar todas las opiniones sobre esta materia sería un trabajo bastante inútil, y así nos limitaremos a las más conocidas y divulgadas, es decir, a las que al parecer tienen alguna verdad y alguna razón.

Por lo demás, no perdamos de vista que hay mucha diferencia entre las teorías que parten de los principios y las que se elevan a los mismos. Platón tuvo mucha razón para preguntar y para indagar si el verdadero método consiste en partir desde los principios o en subir hasta ellos, a la manera que en el estadio se puede ir de los jueces a la meta, o a la inversa, de la meta a los jueces. Pero siempre es preciso comenzar por cosas muy notorias y muy claras. Las cosas pueden ser notorias de dos maneras: o con relación a nosotros o de una manera absoluta. Quizá deberemos comenzar por las que son notorias a nosotros, y he aquí por qué las costumbres y los sentimientos honrosos son una preparación necesaria para todo el que quiera hacer un estudio fecundo de los principios de la virtud, de la justicia, en una palabra, de los principios de la política.

El verdadero principio de todas las cosas es el hecho, y si el hecho mismo fuese siempre conocido con suficiente claridad, no habría nunca necesidad de remontarse a su causa. Una vez que se tiene un conocimiento completo del hecho, ya se está en posesión de los principios del mismo, o por lo menos se pueden fácilmente adquirir. Pero cuando uno no está en posición de conocer ni el hecho ni la causa, debe aplicarse esta máxima de Hesiodo:

> «Lo primero es poderse dirigir a sí mismo,
> sabiendo lo que se hace en vista del fin.
> También es bueno seguir el sabio consejo de otro;
> pero no poder pensar y no escuchar a nadie
> es una acción propia de un tonto de todos abandonado».

Pero volvamos al punto de que nos hemos separado. No es, en nuestra opinión, un error completo formarse una idea del bien y de la felicidad en vista de lo que pasa a cada uno en su vida propia. Y así las naturalezas vulgares y groseras creen que la felicidad es el placer, y he aquí por qué sólo aman la vida de los goces materiales. Efectivamente no hay más que tres géneros de vida que se puedan particularmente distinguir: la vida de que acabamos de hablar; después la vida política o pública; y por último, la vida contemplativa e intelectual. La mayoría de los hombres, si hemos de juzgarlos tales como se muestran, son verdaderos esclavos, que escogen por gusto una vida propia de brutos, y lo que les da alguna razón y parece justificarles es que los más de los que están en el poder sólo se aprovechan de éste para entregarse a excesos dignos de un Sardanápalo. Por el contrario, los espíritus distinguidos y verdaderamente activos ponen la felicidad en la gloria, porque es el fin más habitual de la vida política. Pero la felicidad comprendida de esta manera es una cosa más superficial y menos sólida que la que pretendemos buscar aquí. La gloria y los honores pertenecen más bien a los que los dispensan que al que los recibe, mientras que el bien, tal como nosotros lo proclamamos, es una cosa por completo personal y que muy difícilmente se puede arrancar al hombre que lo posee. Y además, muchas veces no busca uno la gloria sino para confirmarse en la idea que tiene de su propia virtud, y procura granjearse la estimación de los sabios y del mundo, de que es uno conocido, porque se considera a aquélla como un justo homenaje al mérito que se atribuye. De aquí concluyo que la virtud, a los ojos mismos de los que se guían por estos motivos, tiene la preeminencia sobre la gloria que ellos buscan. Fácilmente podría por tanto creerse, como consecuencia de lo que va dicho, que la virtud es el verdadero fin del hombre más bien que la vida política. Pero la virtud misma es evidentemente incompleta cuando va sola, porque no sería imposible que la vida de un hombre, lleno de virtudes, fuese un largo sueño y una perpetua inacción. Hasta podría suceder que un hombre semejante sintiese los más vivos dolores y los mayores infortunios, y a no ser en interés de una opinión personal, nadie puede sostener que el hombre entregado a tales infortunios sea feliz.

El tercer género de vida, después de los dos de que acabamos de hablar, es la vida contemplativa e intelectual, que estudiaremos luego. En cuanto a la vida que sólo tiene por fin el enriquecerse, es una especie de violencia y de lucha continuas, pero evidentemente no es la riqueza el bien que nosotros buscamos; la riqueza no es más que una cosa útil a que aspiramos con la mira de otras cosas que no son ella. Y así los diversos géneros de vida de que anteriormente hemos hablado, deberían considerarse con más razón que la riqueza como los verdaderos fines de la vida humana, porque sólo se los quiere por sí mismos absolutamente, y, sin embargo, estos fines no son los verdaderos, a pesar de todas las discusiones a que han dado lugar. Pero dejemos todo esto a un lado.

## De la idea general de la felicidad

Quizá sea más conveniente estudiar el bien en su acepción universal y darnos de esta manera cuenta del sentido exacto de esta palabra. No quiero, sin embargo, disimular que una indagación de este género puede ser para nosotros bastante delicada, habiendo sido el sistema de las ideas presentado por personas que nos son queridas. Pero debe parecer bien y mirarse como un verdadero deber de nuestra parte el que, en obsequio de la verdad, hagamos la crítica de nuestras propias opiniones, sobre todo cuando nos preciamos de ser filósofos, y así entre la amistad y la verdad, que ambas nos son caras, es una obligación sagrada dar la preferencia a la verdad.

Los que han sostenido esta opinión, no han hecho ni admitido ideas para las cosas en que distinguían un orden de prioridad y de posterioridad, y esto mismo les impedía, dicho sea de paso, suponer ideas para los números. El bien aparece igualmente en la categoría de la sustancia, en la de la cualidad y en la de la relación. Pero lo que es en sí, es decir, la sustancia, es por su naturaleza misma anterior a la relación, puesto que la relación es como una superfetación y un accidente del ser, y al parecer no se puede afirmar para todos estos bienes una idea común. Añadamos que el bien puede presentarse bajo tantas acepciones diversas como el ser mismo, y, así el bien en la categoría de la sustancia es Dios y la inteligencia, en la categoría de la cualidad es la virtud; en la de la cuantidad, es la medida; en la de la relación, es lo útil; en la del tiempo, es la ocasión, y en la de lugar, es la posición regular, y lo mismo sucede con todas las demás categorías. Por lo tanto el bien, evidentemente, no es una especie de universal común a todas; no es uno, porque si lo fuese, no se lo encontraría en todas las categorías, y estaría exclusivamente en una. Pero más aún, como no hay más que una sola ciencia de las cosas que están comprendidas en una sola idea, sería preciso que no hubiese igualmente más que una sola ciencia de todos los bienes, cualesquiera que ellos fuesen. Pero lejos de esto, hay muchas ciencias hasta para los bienes de una misma categoría. Y así la ciencia de la oportunidad es en la guerra la ciencia estratégica, es en la enfermedad la ciencia médica. La ciencia de la medida es también la ciencia médica en lo que concierne a los alimentos, así como es la ciencia gimnástica en lo que concierne a los ejercicios.

Podría preguntarse igualmente lo que es la cosa en sí, y lo que se quiere decir cuando se aplica esta expresión *en sí* a cada cosa. Para el hombre en sí y para el hombre, la definición es una sola y misma definición, que es la del hombre simplemente, en tanto que es hombre. No hay ni de una ni de otra parte diferencia alguna, y si en este caso es así, no puede tampoco haber diferencia entre el bien en sí y el bien, en tanto que son bienes uno y otro.

Tampoco podría decirse que el bien en sí es más un bien que cualquier otro bien porque sea eterno, puesto que, en otro género, una blancura que dure largos años no es por esto más blanca que la que dura un sólo día. El sistema de los pitagóricos sobre la naturaleza del bien me parece aún más aceptable cuando colocan la unidad en la serie coordenada en que ponen igualmente los bienes, opinión en que Espeusipo parece haberles seguido.

Pero dejemos la discusión de estos últimos puntos, que tendrá lugar en otra parte.

A la refutación que acabamos de presentar parece que podrá oponerse una objeción, y decir que las ideas atacadas por nosotros no se aplican a los bienes de toda especie, y que sólo conciernen a una especie de bienes, a saber, a aquellos que se buscan y se aman por sí mismos únicamente, mientras que las cosas que producen estos bienes o que contribuyen a conservarlos de cualquier manera que sea, o que previenen lo que les es contrario y los destruye, no son llamados bienes sino a causa de aquéllos y bajo otro punto de vista. Y así, esta expresión de bienes puede evidentemente tomarse en un doble sentido; de una parte, los bienes que son bienes por sí mismos; después, los otros bienes que no lo son sino a la sombra de los primeros, y entonces podemos separar y distinguir los bienes en sí de los bienes que sirven mutuamente para procurarse los primeros, e indagar si los bienes en sí, comprendidos de esta manera, están realmente expresados y comprendidos bajo una sola idea.

Ante todo, ¿cuáles son precisamente los bienes que deben ser reconocidos como bienes en sí? ¿Son los bienes que se buscarían aun cuando estuviesen aislados, por ejemplo, pensar, ver, o también tal o cual placer, tal o cual honor en particular? Todas estas cosas pueden buscarse también en vista de otra, pero sin embargo, pueden muy justamente pasar por bienes en sí. ¿O bien no debe reconocerse absolutamente por un bien más que la idea, y la idea sola? La idea entonces vendrá a ser completamente vana e inútil. Pero si las cosas que acabamos de enumerar son bienes en sí, será preciso que la definición del bien sea manifiestamente la misma en todos estos casos diversos, como la definición de la blancura es evidentemente idéntica para la nieve y para la cera. Ahora bien, las definiciones de los honores, del pensamiento, del placer, son muy distintas y muy diferentes, en tanto que todas estas cosas son bienes. Concluyamos, pues, que el bien no es una cosa común que se pueda comprender bajo una sola y única idea.

¿Pero cómo es que a todas estas cosas llamamos bienes? No son ciertamente homónimos y equívocos que crea el azar. ¿Están comprendidas bajo un nombre semejante, porque proceden todas de un mismo origen, o porque tienden todas a un mismo fin? ¿O es más bien por una simple analogía? Así, por ejemplo, la vista del cuerpo tiene analogía con el entendimiento del alma, y una cosa tiene analogía con tal otra. Pero es conveniente dejar a un lado por el momento todas estas cuestiones para tratarlas con la debida precisión en otra parte de la filosofía, que es en donde corresponde, y lo mismo poco más o menos podría decirse de la idea, porque si el bien que se atribuye a tantas cosas y que se hace común a todas es uno, como se pretende, o si es una cosa separada que existe en sí, es perfectamente claro que no podría entonces ser poseído ni practicado por el hombre. Y lo que precisamente buscamos es un bien de esta última especie accesible al hombre.

Pero puede suceder que acaso sea una gran ventaja conocer el bien en su relación con los bienes que el hombre puede adquirir y practicar, porque conocido el bien de esta manera y sirviéndonos en cierto modo de modelo, podríamos descubrir mejor los bienes especiales que nos convienen, y una vez ilustrados sobre este punto, llegaríamos más fácilmente a conseguirlos.

Sin dejar de confesar que esta opinión tiene algo de plausible, debo decir, sin embargo, que está en desacuerdo con los ejemplos que nos presentan todas las ciencias. Aunque todas tengan por fin un bien, y aunque tiendan a satisfacer nuestras necesidades, no por eso desprecian menos el estudio del bien en sí mismo. Y no puede suponerse que todos los prácticos y todos los artistas desconociesen un auxilio tan poderoso y no le buscasen. Ni será fácil ver de qué serviría al tejedor y al albañil para su arte especial conocer el bien en sí, ni cómo podría ser uno mejor médico o mejor general del ejército por haber contemplado la idea misma del bien. No es bajo este punto de vista como el médico considera ordinariamente la salud, porque la que él considera es la del hombre, o por mejor decir, considera especialmente la salud de tal individuo, puesto que sólo ejerce la medicina con relación a casos particulares. Pero, repito, no hablemos más de esta materia.

## El bien en cada genero de cosas es el fin en vista del cual se hace todo lo demás

Volvamos otra vez a tratar del bien que buscamos, y veamos lo que puede ser.

Por lo pronto, el bien aparece muy diferente según los diferentes géneros de actividad y según las diferentes artes. Y así es uno en la medicina, otro en la estrategia, y lo mismo sucede en todas las artes sin distinción. ¿Y qué es el bien en cada una de ellas? ¿No es la cosa en cuya vista se hace todo lo demás? En la medicina, por ejemplo, es la salud; en la estrategia es la victoria, como es la casa en el arte de la arquitectura, y como es cualquier otro objeto en cualquier otro arte. Pero en toda acción, en toda determinación moral, el bien es el fin mismo que se busca, y siempre, en vista de este fin, se hace constantemente todo lo demás. Es, por lo tanto, una consecuencia evidente que, si para todo lo que el hombre puede hacer en general existe un fin común al cual tienden todos sus actos, este fin único es el bien, tal como el hombre puede practicarlo, y si hay muchos fines de este género, ellos son entonces los que constituyen el bien.

Después de este largo rodeo, la discusión ha venido a parar a nuestro punto de partida, pero nos es forzoso ilustrar más aún esta materia.

Como, a lo que parece, hay muchos fines, y podemos buscar algunos en vista de otros: por ejemplo, la riqueza, la música, el arte de la flauta y, en general, todos estos fines que pueden llamarse instrumentos, es evidente que todos estos fines indistintamente no son perfectos y definitivos por sí mismos. Pero el bien supremo debe ser una cosa perfecta y definitiva. Por consiguiente, si existe una sola y única cosa que sea definitiva y perfecta, precisamente es el bien que buscamos, y si hay muchas cosas de este género, la más definitiva entre ellas será el bien. Mas en nuestro concepto, el bien, que debe buscarse sólo por sí mismo, es más definitivo que el que se busca en vista de otro bien, y el bien que no debe buscarse nunca en vista de otro bien, es más definitivo que estos bienes que se buscan a la vez por sí mismos y a causa de este bien superior; en una palabra, lo perfecto, lo definitivo, lo completo, es lo que es eternamente apetecible en sí, y que no lo es jamás en vista de un objeto distinto que él. He aquí precisamente el carácter que parece tener la felicidad; la buscamos siempre por ella y sólo por ella, y nunca con la mira de otra cosa. Por contra, cuando buscamos los honores, el placer, la ciencia, la virtud, bajo cualquier forma que sea, deseamos sin duda todas estas ventajas por sí mismas, puesto que, independientemente de toda otra consecuencia, desearíamos realmente cada una de ellas; sin embargo, nosotros las deseamos también con la mira de la felicidad, porque creemos que todas estas diversas ventajas nos la pueden asegurar, mientras que nadie puede desear la felicidad, ni con la mira de estas ventajas ni de una manera general en vista de algo, sea lo que sea, distinto de la felicidad misma.

Por lo demás, esta conclusión a que acabamos de llegar parece proceder igualmente de la idea de independencia que atribuimos al bien perfecto, al bien supremo. Evidentemente lo creemos independiente de todo. Y cuando hablamos de independencias no nos limitamos en manera alguna al hombre que pasa una vida solitaria, porque no pertenece menos al que vive para sus padres, para sus hijos, para su mujer, y en general para sus amigos y sus conciudadanos, puesto que el hombre es naturalmente sociable y político. Sin duda en esto debe procederse con cierta mesura, porque si estas relaciones se extendiesen a los padres primero, después a los descendientes de todos grados y, por último, a los amigos de los amigos, sería llevar las cosas al infinito. Pero ya examinaremos otra vez estas cuestiones. Por el momento, entendemos por independencia aquello que, considerado aisladamente, basta para hacer la vida aceptable, sin que tenga necesidad de ninguna otra cosa, y esto es precisamente lo que en nuestra opinión constituye la felicidad. Digamos además que la felicidad, para ser la cosa más digna de nuestro deseo, no tiene necesidad de sumarse con ninguna otra. Si se añadiese una cosa cualquiera, es claro que bastan a la adición más pequeña de bienes para hacerla más deseable aún, porque en tal caso lo que se añade forma una suma de bienes superior e incomparable, puesto que un bien más grande es siempre más deseable que un bien menor. Por consiguiente, la felicidad es ciertamente una cosa definitiva, perfecta y que se basta a sí misma, puesto que es el fin de todos los actos posibles del hombre.

Pero quizás aun conviniendo con nosotros en que la felicidad es sin contradicción el mayor de los bienes, el bien supremo, habrá quien desee conocer mejor su naturaleza.

El medio más seguro de alcanzar esta completa noción es saber cuál es la obra propia del hombre. Así como para el músico, para el estatuario, para todo artista, y en general para todos los que producen alguna obra y funcionan de una manera cualquiera, el bien y la perfección están, al parecer, en la obra especial que realizan; en igual forma, el hombre debe encontrar el bien en su obra propia, si es que hay una obra especial que el hombre deba realizar. Y si el albañil, el zapatero, etc., tienen una obra especial y actos propios que ejecutar, ¿será posible que el hombre solo no los tenga? ¿Estará condenado por la naturaleza a la inacción? O más bien, así como el ojo, la mano, el pie, y en general toda parte del cuerpo, llevan evidentemente una función especial, ¿debemos creer que el hombre, independientemente de todas estas diversas funciones, tiene una que le sea propia? ¿Pero cuál puede ser esta función característica? Vivir es una función común al hombre y a las plantas, y aquí sólo se busca lo que es exclusivamente especial al hombre, siendo preciso, por tanto, poner aparte la vida de nutrición y de desenvolvimiento. Enseguida viene la vida de la sensibilidad, pero ésta a su vez se muestra igualmente en otros seres, el caballo, el buey y, en general, en todo animal, lo mismo que el hombre. Resta, pues, la vida activa del ser dotado de razón. Pero en este ser debe distinguirse la parte que no hace más que obedecer a la razón, y la parte que posee directamente la razón y se sirve de ella para pensar. Además, como esta misma facultad de la razón puede comprenderse en un doble sentido, es preciso fijarse en que de lo que se trata sobre todo es de la facultad en acción, la cual merece más particularmente el nombre que llevan ambas. Y así, lo propio del hombre será el acto del alma conforme a la razón, o por lo menos el acto del alma que no puede realizarse sin la razón. Por otra parte, cuando decimos que tal función es genéricamente la de tal ser, entendemos que es también la función del mismo ser completamente desarrollado, así como la obra del músico se confunde igualmente con la obra del buen músico. De igual modo en todos los casos, sin excepción, se añade siempre a la idea simple de la obra la idea de la perfección suprema que esta obra puede alcanzar; por ejemplo, si la obra del músico consiste en componer música, la obra del buen músico consistirá en componerla buena. Si todo esto es exacto, podemos admitir que la obra propia del hombre en general es una vida de cierto género, y que esta vida particular es la actividad del alma y una continuidad de acciones a que acompaña la razón, y podemos admitir que en el hombre bien desarrollado todas estas funciones se realizan bien y regularmente. Pero el bien, la perfección para cada cosa, varía según la virtud especial de esta cosa. Por consiguiente, el bien propio del hombre es la actividad del alma dirigida por la virtud, y si hay muchas virtudes, dirigida por la más alta y la más perfecta de todas. Añádase también que estas condiciones deben ser realizadas durante una vida entera y completa, porque una sola golondrina no hace verano, como no lo hace un solo día hermoso, y no puede decirse tampoco que un solo día de felicidad, ni aun una temporada, baste para hacer a un hombre dichoso y afortunado.

## Imperfección inevitable de esta indagación de la felicidad

Contentémonos por el momento con este bosquejo imperfecto del bien. Es una necesidad, quizás útil, comenzar desde luego por trazar este incompleto cuadro, sin perjuicio de volver después sobre estos primeros trazos. Una vez bien hecho el bosquejo, todo el mundo al parecer es capaz de continuar la obra y precisar todos sus detalles; el tiempo es el que procura todos estos progresos, por lo menos, es un poderoso auxiliar para hacerlos descubrir. Él es el origen de todos los perfeccionamientos en las artes, porque una vez creado un arte, no hay nadie que no pueda contribuir a llenar sucesivamente sus vacíos.

Importa no olvidar tampoco lo que acaba de decirse. Repitamos que no es justo exigir en todas las cosas un mismo grado de exactitud, y que en cada caso sólo debe pedirse una precisión relativa a la materia de que se trata. Es preciso al mismo tiempo resignarse a no obtenerla sino en la medida compatible con los procedimientos y el método que se aplique. De este modo el operario y el geómetra buscan por muy diferente camino la línea recta. El uno no se ocupa de ella, sino en cuanto puede servir para la obra que hace; el otro la estudia en lo que es en sí misma y en sus propiedades, porque sólo busca y contempla lo verdadero. De este modo debemos conducirnos en todas las cosas, no sea que las malas obras se hagan más numerosas que las obras mismas.

Un motivo semejante debe obligarnos a no querer en todas las cosas remontarnos hasta la causa. En muchos casos basta mostrar claramente la existencia de la cosa, como se hace con los principios, porque la existencia de la cosa es un principio y un punto de partida. Por otra parte, entre los principios, unos son descubiertos y conocidos por la inducción; otros, lo son por la sensibilidad; otros lo son por una especie de hábito; otros, en fin, vienen de otro origen. Es preciso aprender a tratar cada uno de esos principios según el método que corresponde a su naturaleza, y es poco cuanto cuidado se ponga para determinarlos bien. Tienen una gran importancia para las deducciones y las consecuencias que de ellas se sacan, porque con razón se dice que principiar es hacer más de la mitad en todas las cosas, y que basta por sí solo para aclarar muchos puntos en las cuestiones que se discuten.

## Justificación de la definición de la felicidad dada anteriormente

Para comprender bien el principio sentado aquí, no debemos atenernos sólo a la conclusión a que fuimos a parar, ni a los elementos que componen la definición de felicidad dada por nosotros, sino que hay que aclarar más, considerando los atributos que se conceden ordinariamente a la felicidad, porque las realidades están siempre de acuerdo con una definición verdadera, mientras que la verdad se pone bien pronto en desacuerdo con el error.

Divididos los bienes en tres clases: bienes exteriores, bienes del alma y bienes del cuerpo, los del alma son a nuestros ojos los que llamamos más especial y excelentemente bienes. Al alma es a la que nuestra definición atribuye las facultades y los actos que el alma sola dirige, y podemos decir que esta definición es buena, puesto que conforma con una opinión muy antigua y admitida unánimemente por todos los que se ocupan de filosofía. También hemos dicho, con razón, que ciertas aplicaciones de nuestras facultades y ciertos actos son el verdadero fin de la vida, porque entonces este fin se pone en los bienes del alma y no en los bienes exteriores. Lo que confirma nuestra definición es que se confunde ordinariamente al hombre feliz con el que se conduce bien y logra sus propósitos, y lo que entonces se llama felicidad, es una especie de fortuna y de honradez. Y así, todas las condiciones requeridas habitualmente como constituyentes de la felicidad, se reúnen en la definición que hemos dado; porque para unos la felicidad es la virtud; para otros es la prudencia; para éstos es la sabiduría; para aquéllos es todo esto junto o algo de esto a que se une el placer, o por lo menos que no está privado de él. Lo mismo sucede con los que quieren comprender en este círculo tan extenso la abundancia de los bienes exteriores.

De estas opiniones, unas han sido sostenidas y de antiguo por numerosos partidarios, y otras lo han sido por algunos, pocos en número, pero personas de crédito. Es razonable suponer que, los unos lo mismo que los otros, no han incurrido en error sobre todos los puntos, y que han visto en claro algunos, y, si se quiere, casi todos.

Por lo pronto, nuestra definición es aceptada por los que pretenden que la felicidad es la virtud, o por lo menos, una cierta virtud, porque la actividad del alma conforme a la virtud forma también parte de la virtud, pero no es del todo indiferente colocar el bien supremo en la posesión o en el uso de ciertas cualidades, en la simple aptitud o en el acto mismo. La aptitud puede existir realmente sin producir ningún bien como, por ejemplo, en un hombre que duerme o en uno que por cualquiera otra causa permanezca inactivo. El acto, por el contrario, no puede encontrarse nunca en este caso: puesto que obra necesariamente, y además obra bien. En esto sucede como en los juegos olímpicos; allí no son los más hermosos ni los más fuertes los que alcanzan el premio, y sí los concurrentes que han tomado parte en la lucha, porque sólo entre ellos pueden encontrarse los vencedores. Lo mismo acontece en este caso: los que obran bien son los únicos que pueden aspirar en la vida a la gloria y a la felicidad. Por lo demás, la existencia de estos hombres que obran bien está naturalmente llena de encantos. Sentirse encantado es un fenómeno que se refiere exclusivamente al alma, y un objeto tiene para nosotros encantos cuando decimos de él que lo amamos: el caballo, por ejemplo, encanta al que ama los caballos; el teatro encanta al que ama las representaciones, como las cosas justas encantan al que ama la justicia, y, en general, los actos virtuosos encantan al que ama la virtud. Si los placeres del vulgo son tan diferentes y tan opuestos entre sí, es porque no son por su naturaleza verdaderos placeres. Las almas cultas, que aman lo bello, sólo gustan de los placeres que por su naturaleza son placeres verdaderos, y lo son tales todas las acciones conformes a la virtud que agradan a estos corazones bien nacidos, y les agradan únicamente por sí mismas. Además, la vida de estos hombres generosos no tiene necesidad, absolutamente hablando, de que el placer se una a ella como una especie de apéndice y de complemento, puesto que lleva el placer en sí misma; porque independientemente de todo lo que acabamos de decir, puede añadirse que el que no encuentra placer en las acciones virtuosas, no es verdaderamente virtuoso, lo mismo que no se puede llamar justo al que no se complace en practicar la justicia, ni liberal al que no se complace en actos de liberalidad, y así de todos los demás.

Si todo esto es cierto, los verdaderos placeres del hombre son las acciones conformes a la virtud. No son sólo agradables, sino que además son buenas y bellas, y lo son sobre todas las cosas, cada una sobre las de su género, si el hombre virtuoso sabe estimar su justo valor, como de hecho lo estima en el acto mismo de ser virtuoso, como ya hemos dicho. Por consiguiente, la felicidad es a la vez lo mejor, más bello y más dulce que existe, porque no deben separarse ninguna de estas cualidades de las demás, como lo hace la inscripción de Delos:

«Lo justo es lo más bello; la salud, lo mejor;
obtener lo que se ama, es lo más dulce
para el corazón».

Todas estas ventajas se encuentran reunidas en las buenas acciones, en las acciones mejores del hombre, y el conjunto de estos actos, o por lo menos, el acto único, que es el mejor y el más perfecto entre todos los demás, es lo que llamamos felicidad.

Sin embargo, parece que la felicidad no puede ser completa sin los bienes exteriores, según hemos hecho ya observar. Es imposible, o por lo menos no es fácil, hacer el bien cuando está uno privado de todo, puesto que para una multitud de cosas son instrumentos indispensables los amigos, la riqueza, la influencia política. Hay también otras cosas cuya privación altera la felicidad de los hombres que de ellas carecen: la nobleza, una familia feliz, la belleza. No puede decirse que sea feliz un hombre cuando es de una deformidad repugnante, pertenece a una mala familia o se encuentra aislado y sin hijos, y menos aún puede decirse que sea feliz el que tiene hijos o amigos completamente perversos, o si la muerte le ha arrebatado los amigos y los hijos virtuosos que tenía.

Por lo tanto, repitamos que al parecer son indispensables estos útiles accesorios para la felicidad, y he aquí por qué se confunde muchas veces la fortuna con la felicidad, como otras se confunde con la virtud.

## La felicidad no es un efecto del azar; es a la vez un don de los dioses y el resultado de nuestros esfuerzos

Todo esto ha dado ocasión a que se pregunte si es posible aprender a ser dichoso, si se adquiere la felicidad por medio de ciertos hábitos, y si se consigue por cualquier otro procedimiento análogo, o si es más bien efecto de algún favor divino, y, si se quiere, el resultado del azar. Realmente, si hay en el mundo algún don que los dioses hayan concedido a los hombres, deberá creerse seguramente que la felicidad es un beneficio que nos viene de ellos, y tanto más motivo hay para creerlo así cuanto que no hay nada que deba el hombre estimar sobre esto. Por lo demás, no quiero profundizar en esta cuestión, que pertenece quizá más especialmente a otro orden de estudios. Pero digo que si la felicidad no nos la envían exclusivamente los dioses, sino que la obtenemos por la práctica de la virtud, mediante un largo aprendizaje o una lucha constante, no por eso deja de ser una de las cosas más divinas de nuestro mundo, puesto que el precio y término de la virtud es evidentemente una cosa excelente y divina y una verdadera felicidad. Y añado que la felicidad es en cierta manera accesible a todos, porque no hay hombre a quien no sea posible alcanzar la felicidad mediante cierto estudio y los debidos cuidados, a menos que la naturaleza le haya hecho completamente incapaz de toda virtud.

Como vale más conquistar la felicidad a este precio que deberla al simple azar, la razón nos obliga a suponer que así es realmente como el hombre puede llegar a ser dichoso, puesto que las cosas que siguen las leyes de la naturaleza son siempre naturalmente tan bellas como es posible. La misma regla se aplica a todas las artes, a toda las causas, y sobre todo a la causa más perfecta, porque sería un absurdo inconcebible imaginar que lo más grande y lo más bello que hay en el mundo esté entregado al azar. La solución del problema que sentamos aquí, surge con completa claridad de la misma definición que hemos dado de la felicidad. La felicidad, hemos dicho, es cierta actividad del alma conforme a la virtud, y, por lo que hace a los demás bienes, ¿están necesariamente comprendidos en la felicidad, o contribuyen a ella como auxiliares y como naturales y útiles instrumentos? Esto, por lo demás, resulta perfectamente de acuerdo con lo que dijimos al comenzar este tratado. El objeto de la política, tal como nosotros lo concebimos, es el más elevado de todos, y su cuidado principal es formar el alma de los ciudadanos, y enseñarles, mejorándolos, la práctica de todas las virtudes. Y así no podemos llamar dichosos ni a un caballo, ni a un buey, ni a cualquier otro animal, porque ninguno de ellos es capaz de la doble actividad que asignamos al hombre. Por la misma razón debe decirse que el niño no es dichoso, porque su edad no le consiente aún llevar a cabo las acciones que constituyen la felicidad, y los niños, a quienes se aplica algunas veces esta expresión, sólo puede llamárseles dichosos a costa de la esperanza que inspiran, puesto que para la verdadera felicidad se necesitan, como dijimos antes, dos condiciones: una virtud completa y una vida completamente desarrollada.

Acaecen en el curso de la vida muchas vicisitudes y cambios diversos, y puede suceder que después de mucho tiempo de prosperidad ocurran a uno en la ancianidad grandes desgracias, como cuenta la fábula de Príamo en los poemas heróicos, y nadie puede llamar dichoso al hombre que tuvo tan gran fortuna y que concluyó tan miserablemente. ¿Quiere esto decir que nunca debe afirmarse de un hombre que es dichoso mientras tenga vida, y que, según la máxima de Solón, se debe esperar siempre a ver el fin? Si se acepta esta teoría, el hombre no será dichoso hasta después de la muerte. Pero esto es un absurdo patente, sobre todo cuando se sostiene, como hacemos nosotros, que la felicidad es cierta aplicación de la actividad. Si no podemos admitir que el hombre no pueda decirse dichoso hasta después de la muerte, ni tampoco Solón lo pretende, y si sólo queremos decir que no se puede llamar con seguridad dichoso un hombre, sino cuando está fuera del alcance de todos los males y de todos los infortunios, esta opinión, así limitada, no deja de prestar materia para la controversia. Al parecer, en este sistema subsisten después de la muerte bienes y males, que deberán experimentarse entonces, como se experimentan durante la vida, sin sentirlos por otra parte personalmente, como, por ejemplo, los honores y las afrentas, o de una manera más general, los sucesos prósperos y los reveses de nuestros hijos y de nuestra posteridad. Esto, como se ve, es bastante embarazoso, puesto que ha podido ser uno dichoso durante su vida, incluyendo la ancianidad, y haber muerto en la prosperidad y al mismo tiempo haber experimentado una multitud de contratiempos en las personas de sus descendientes. Puede suceder que, entre éstos, unos hayan sido virtuosos y gozado de la suerte que merecían y, otros, hayan tenido una suerte del todo contraria, porque es claro que bajo mil conceptos los hijos pueden diferir completamente de sus padres. Es una insensatez admitir que un hombre, después de la muerte, pueda experimentar a la par de sus descendientes todas estas alternativas diversas, y que junto a ellos sea tan pronto dichoso como desgraciado. Es cierto que, por otra parte, no es menos absurdo suponer que algo de lo que toca al hijo deje de llegar ni por un solo instante hasta sus padres.

## La virtud es la verdadera felicidad

Volvamos a la primera cuestión que hemos sentado anteriormente; ella puede muy fácilmente contribuir a resolver la que ahora nos proponemos.

Si es preciso siempre esperar y ver el fin, y si sólo entonces se pueden tener por dichosos a los hombres, no porque lo sean en aquel momento, sino porque lo fueron en otro tiempo, ¿no sería un absurdo, cuando uno es actualmente dichoso, el reconocer, respecto de él, una verdad que es incontestable? Es vano pretexto decir que no se quiere proclamar dichosas a las personas que viven por temor a los reveses que puedan sobrevenirles, y alegar que la idea de la felicidad nos la representamos como una cosa inmutable y que no cambia fácilmente, y en fin, que la fortuna causa muchas veces las perturbaciones más diversas en un mismo individuo. Conforme a este razonamiento, es claro que si quisiéramos seguir todas las mudanzas de la fortuna de un hombre, sucedería muchas veces que llamaríamos a un mismo individuo dichoso y desgraciado, haciendo del hombre dichoso una especie de camaleón y de una naturaleza medianamente mudable y pobre. ¡Pero qué!, ¿es prudente dar tanta importancia a los cambios de la fortuna de los hombres? No es en la fortuna donde se encuentran la felicidad o la desgracia, estando la vida humana expuesta a estas vicisitudes inevitables, como ya hemos dicho, sino que son los actos de virtud los únicos que deciden soberanamente de la felicidad, como son los actos contrarios los que deciden del estado contrario. La cuestión misma que dilucidamos en este momento es un testimonio más en favor de nuestra definición de la felicidad. No, no hay nada en las cosas humanas que sea constante y segura hasta el punto que lo son los actos y la práctica de la virtud; estos actos nos aparecen más estables que la ciencia misma.

Además, entre todos los hábitos virtuosos, los que hacen más honor al hombre son también los más durables, precisamente porque en vivir con ellos se complacen con más constancia las personas verdaderamente afortunadas, y he aquí, evidentemente, la causa de que no olviden jamás el practicarlos.

Así pues, la perseverancia que buscamos es la del hombre dichoso; él la conservará durante toda su vida y sólo practicará y tomará en cuenta lo que conforma con la virtud, o por lo menos, se sentirá ligado a ello más que a todas las demás cosas, y soportará los azares de la fortuna con admirable sangre fría. El que dotado de una virtud sin tacha es, si así puede decirse, cuadrado por su base, sabrá resignarse siempre con dignidad a todas las pruebas.

Siendo los accidentes de la fortuna muy numerosos y teniendo una importancia muy diversa, ya grande, ya pequeña, los sucesos poco importantes, lo mismo que las ligeras desgracias, apenas ejercen influjo en el curso de la vida. Pero los acontecimientos grandes y repetidos, si son favorables, hacen la vida más dichosa, porque contribuyen naturalmente a embellecerla, y el uso que se hace de ellos da nuevo lustre a la virtud. Si, por el contrario, no son favorables, interrumpen y empañan la felicidad, porque nos traen consigo disgustos, y en muchos casos sirven de obstáculo a nuestra actividad. Pero en medio de estas pruebas mismas, la virtud brilla con todo su resplandor cuando un hombre con ánimo sereno soporta grandes y numerosos infortunios, no por insensibilidad, sino por generosidad y por grandeza de alma. Si los actos virtuosos deciden soberanamente de la vida del hombre, como acabamos de decir, jamás el hombre de bien, que sólo reclama la felicidad de la virtud, puede hacerse miserable, puesto que nunca cometerá acciones reprensibles y malas. A nuestro parecer, el hombre verdaderamente sabio, el hombre verdaderamente virtuoso, sabe sufrir todos los azares de la fortuna sin perder nada de su dignidad; sabe sacar siempre de las circunstancias el mejor partido posible, como un buen general sabe emplear de la manera más conveniente para el combate el ejército que tiene a sus órdenes; como el zapatero sabe hacer el más precioso calzado con el cuero que se le da; como hacen en su profesión todos los demás artistas. Si esto es cierto, el hombre dichoso, porque es hombre de bien, nunca será desgraciado, aunque no será dichoso, lo confieso, si por acaso caen sobre él desgracias iguales a las de Príamo. Pero por lo menos siempre resulta que no es un hombre de mil colores, ni cambia de un instante a otro. No se le arrancará fácilmente su felicidad; no bastarán para hacérsela perder infortunios ordinarios, sino que será preciso para esto que caigan sobre él los más grandes y repetidos dasastres. Recíprocamente, cuando salga de semejantes pruebas, no recobrará su dicha en poco tiempo y de repente después de haberlas sufrido, sino que si vuelve a ser dichoso, será después de un largo y debido intervalo, durante el cual habrá podido gozar sucesivamente grandes y brillantes prosperidades.

¿Por qué, pues, no hemos de declarar que el hombre dichoso es el que obra siempre según lo exige la virtud perfecta, estando además suficientemente provisto de bienes exteriores, no durante un tiempo cualquiera, sino durante toda su vida? ¿O bien habrá de añadirse como condición precisa que deberá vivir constantemente en esta prosperidad y morir en una situación no menos favorable, ya que el porvenir nos es desconocido, y que la felicidad, tal como nosotros la comprendemos, es un bien y un cierto perfeccionamiento definitivo en todos los conceptos? Si todas estas consideraciones son exactas, llamaremos dichosos entre los vivos a los que poseen o puedan poseer todos los bienes que acabamos de indicar.

Téngase entendido por otra parte que, cuando digo dichosos, quiero decir hasta donde los hombres pueden serlo. Pero no insisto más sobre esta materia.

## Influjo del destino de nuestros hijos y de nuestros amigos sobre nosotros

Sostener que la suerte de nuestros hijos y de nuestros amigos no pueda influir ni poco ni mucho en nuestra felicidad, es una teoría excesivamente austera y que además tiene el inconveniente de ser contraria a las opiniones recibidas. Pero como los hechos de la vida son muy numerosos y presentan los más diversos matices, tocándonos los unos de cerca y apenas tocándonos los otros, sería un trabajo largo y sin fin distinguir cada uno en particular, así que nos limitaremos a hablar aquí de ellos de una manera general, presentando un ligero bosquejo de los mismos.

Si es cierto que, entre las desgracias que nos afectan personalmente, unas pesan gravemente sobre nuestra vida mientras que otras apenas nos conmueven, lo mismo debe acontecer absolutamente con los sucesos que afectan a las personas que amamos. Pero, respecto de cada una de estas impresiones que experimentamos, hay tan gran diferencia entre experimentarlas durante la vida o después de la muerte, como la hay entre los crímenes y las catástrofes imaginarias que aparecen en las tragedias y la realidad de estos horribles sucesos. Esta comparación puede servir ya para comprender esta diferencia. Pero aún se puede avanzar más y preguntar si los muertos pueden conservar alguna idea de prosperidad o de desgracia. Estas diversas consideraciones hacen ver claramente que, si es posible que alguna impresión, buena o mala, pueda extenderse hasta los muertos, esta impresión debe ser ciertamente muy débil y oscura, si no en sí misma absolutamente, por lo menos con relación a ellos. En todo caso, no es bastante fuerte ni de tal naturaleza que pueda hacerlos felices, si no lo son, o privarles de su felicidad si lo son. Y así puede bien creerse que a los muertos causan aún alguna impresión las prosperidades y los reveses de sus amigos, pero sin que esta influencia pueda llegar a hacerles desgraciados, si son dichosos, ni ejercer sobre su destino ningún cambio de este género.

## La felicidad no merece nuestras alabanzas: merecería más bien nuestro respeto

Después de las aclaraciones que preceden, examinemos si conviene colocar la felicidad entre las cosas que merecen nuestras alabanzas, o si deberá clasificársela entre las que merecen nuestro respeto. Lo cierto es que no hay en el hombre una facultad de que pueda disponer a su gusto. Toda cosa simplemente laudable no parece deber ser alabada, si no porque tiene cierta naturaleza y mantiene cierta relación con alguna otra cosa. Así se alaba al hombre justo, al hombre valiente y, en general, al hombre de bien y a la virtud, a causa de sus actos y de los resultados que ellos producen; así se alaba al hombre vigoroso, al hombre ligero en la carrera, y a cada uno en su género, porque tienen cierta disposición natural y están en cierta relación respecto de alguna cualidad o disposición. Demuéstrase esto con toda evidencia con las mismas alabanzas que se dirigen a los dioses, a quienes se pone en completo ridículo cuando se los asimila a los hombres, lo cual nace de que las alabanzas implican siempre una cierta relación, como acabamos de decir.

Si son estas las cosas a que se aplica la alabanza, es claro que no se aplica a las más perfectas, puesto que para éstas se necesita una cosa que sea más grande y mejor que la alabanza. La prueba es que admiramos la dicha y la felicidad de los dioses, lo mismo que admiramos la dicha de esos hombres que, entre nosotros, se aproximan más a la divinidad. Otro tanto hacemos respecto a los bienes, y a nadie se le ocurre alabar la felicidad como se alaba la justicia; se la admira como cosa más divina y mejor.

Esto es lo que Eudoxio ha sabido hacer valer perfectamente para justificar la preferencia que concedía al placer. Después de observar que no se alaba el placer, aunque el placer sea un bien, Eudoxio creyó que de aquí podía deducir que el placer está por encima de estas cosas que se pueden alabar, como, por ejemplo, Dios y la perfección, que son los dos fines superiores a que se liga todo lo demás. Pero la alabanza puede aplicarse a la virtud, porque ella es la que enseña a los hombres a hacer el bien, y nuestros elogios públicos pueden dirigirse igualmente a los actos del alma que a los del cuerpo. Por lo demás, la discusión precisa sobre este punto corresponde quizá más especialmente a los escritores, que se han ocupado de esta materia de elogios. En cuanto a nosotros, resulta evidentemente de lo que acabamos de decir que, la felicidad, es una de estas cosas que merecen nuestro respeto y que son perfectas. Para concluir, añadiremos que lo que le da aún este carácter es que es un principio, porque sólo en vista de la felicidad hacemos todo lo que hacemos, y lo que para nosotros es principio y causa de los bienes que buscamos, debe ser a nuestros ojos algo profundamente respetable y divino.

## Para darse cuenta de la felicidad es preciso estudiar la virtud que la produce

Puesto que la felicidad, según nuestra definición, es cierta actividad del alma dirigida por la virtud perfecta, debemos estudiar la virtud. Éste será un medio rápido de comprender mejor la felicidad misma.

La virtud parece ser, antes que nada, el objeto de los trabajos del verdadero político, puesto que lo que éste quiere es hacer a los ciudadanos virtuosos y obedientes a las leyes. Tenemos ejemplos de esta solicitud en los legisladores de los cretenses y de los lacedemonios, y en algunos otros que se han mostrado tan sabios como ellos. Si este estudio pertenece especialmente a la ciencia política, es claro que la indagación que vamos a hacer satisfará precisamente al plan que nos hemos propuesto desde el principio de este tratado.

Por lo tanto, estudiemos la virtud, pero la virtud puramente humana, porque sólo buscamos el bien humano y una felicidad humana. Cuando decimos la virtud humana, entendemos la virtud del alma, y no la del cuerpo, porque para nosotros, como queda dicho, la felicidad es una actividad del alma. Una consecuencia evidente de esto es que el hombre de estado, el político, debe conocer, hasta cierto punto, las cosas del alma, a la manera que el médico que, por ejemplo, tiene que curar los ojos, debe conocer igualmente la organización del cuerpo entero. El hombre de estado debe tanto más imponerse en este estudio, cuanto que la política es una ciencia mucho más elevada y mucho más átil que la medicina, y ya los médicos distinguidos están haciendo los mayores esfuerzos para adquirir el exacto conocimiento de todo el cuerpo humano. Es preciso, por consiguiente, que el hombre de estado haga un estudio del alma, pero el que vamos a hacer nosotros ahora sólo tiene por objeto la política, y sólo lo llevaremos hasta donde sea puramente necesario para hacer conocer bien el objeto actual de nuestras indagaciones. Un examen más profundo y completamente exacto nos obligaría a un trabajo mayor que el que exige el asunto que en este momento discutimos.

Por lo demás, la teoría del alma ha sido suficientemente desenvuelta en algunos puntos, hasta en nuestras obras exotéricas; tomaremos de ellas lo que nos convenga, como, por ejemplo, lo haremos desde luego con la distinción de las dos partes del alma: la una que está dotada de razón y la otra que está privada de ella. En cuanto a saber si estas partes son separables, como lo son las del cuerpo, y como lo es todo objeto divisible, o bien si sólo son dos bajo un punto de vista racional, siendo inseparables por su naturaleza, como lo son la parte cóncava y la parte convexa en la circunferencia; éstas son cuestiones que en este momento nada nos importan. En la parte no racional del alma hemos reconocido cierta facultad que parece que es común a todos los seres vivos, que es la facultad vegetativa; en otros términos, es la causa que hace que el ser pueda alimentarse y desenvolverse. Esta facultad del alma debe reconocerse en todos los seres que se alimentan, y hasta en los gérmenes y los embriones, así como se la debe encontrar idénticamente la misma en los seres completamente formados, porque la razón quiere que en esta materia haya identidad más bien que una diferencia. Ya tenemos aquí un poder del alma que es general y común, y que no parece pertenecer como una especialidad al hombre. Añado que esta parte del alma y este poder obran sobre todo durante el sueño. Pero nada hay durante el sueño que distinga al hombre de bien del hombre malo, y he aquí lo que ha dado ocasión a decir que durante una mitad de la vida los hombres dichosos en nada se diferencian de los hombres desgraciados. Y la verdad es que así sucede, porque el sueño es para el alma una completa inercia de las facultades que motivan el que se la llame buena y mala, a menos que no se suponga que en este mismo estado tienen lugar algunos ligeros movimientos que lleguen hasta ella, y que, por consiguiente, los sueños de los hombres de una naturaleza distinguida deban ser mejores que los del vulgo.

Pero no quiero llevar más adelante el examen de esta primera parte del alma, y dejo a un lado la facultad nutritiva, puesto que no puede ser partícipe de la virtud especialmente humana que nosotros buscamos.

Al lado de esta primera facultad aparece igualmente en el alma otra naturaleza, que es igualmente irracional pero que, sin embargo, puede participar hasta cierto punto de la razón. Reconocemos, en efecto, y alabamos en el hombre sobrio que se domina, y hasta en el hombre intemperante que no sabe dominarse, la parte del alma que está dotada de razón y que invita sin cesar a uno y a otro al bien por medio de los mejores consejos. Reconocemos igualmente en ellos otro principio que por su naturaleza va contra la razón, la combate y se mantiene frente a frente de ella. Sucede como con los miembros del cuerpo que después de un accidente han sido mal curados y que se marchan por la izquierda cuando se les quiere mover hacia la derecha. Lo mismo absolutamente sucede con el alma, y las pasiones de los intemperantes se dirigen siempre en sentido opuesto al que pide su razón. La única diferencia consiste en que, respecto al cuerpo, podemos ver la parte cuyos movimientos son irregulares, mientras que no la vemos en el alma. Pero no por eso dejamos de creer que existe en el alma algo que es contra la razón, que se opone a ella y que marcha fuera de su debida dirección. El cómo esta parte del alma es tan diferente, es una cuestión que en este momento no nos importa, pero esta porción misma tiene también su parte de razón, como acabamos de decir. En el hombre que sabe ser sobrio y dominarse, ella obedece a la razón, y aún más dócilmente se somete en el hombre sabio y valiente, porque en él nada hay que no esté de acuerdo con la razón más ilustrada.

Así la parte irracional del alma parece que es también doble. En efecto, mientras que la facultad vegetativa no participa nada de la razón, la parte apasionada, y más generalmente la parte instintiva, participa de ella hasta cierto punto, en el sentido de que puede escuchar la razón y obedecerla, a la manera que nosotros nos adherimos a la razón de un padre, a la de nuestros amigos, sin que por eso nos sometamos en este caso del modo que nos sometemos a las demostraciones matemáticas. Lo que prueba también que esta parte irracional puede dejarse conducir por la razón es que se dan consejos a las gentes, y que en muchas ocasiones se les dirige indistintamente reprendiéndolos o animándolos. Pero si puede decirse también que esta parte secundaria está dotada de razón, será preciso reconocer que la parte racional del alma es igualmente doble, y deberá distinguirse la parte que posee la razón en propiedad y por sí misma y la parte que escucha la razón, como se escucha la voz de un padre benévolo.

La virtud en el hombre nos presenta asimismo distinciones fundadas en esta diferencia, y, así entre las virtudes, llamamos a unas virtudes intelectuales y a otras virtudes morales. La sabiduría o la ciencia, el ingenio, la prudencia, son virtudes intelectuales; la generosidad y la templanza son virtudes morales. Hablando de la moralidad y del carácter de un hombre, no decimos que es sabio o ingenioso, mientras que podemos decir que es dulce o que es moderado. Bajo este punto de vista alabamos al sabio en vista de las facultades que posee, y entre las diversas facultades calificamos de virtudes las que nos parecen dignas de nuestra alabanza.

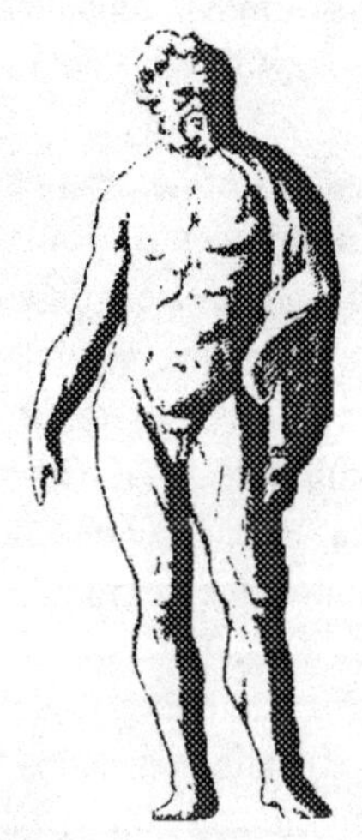

# Teoría de la virtud

## De la distinción de las virtudes en intelectuales y morales. La virtud y el hábito

Siendo la virtud de dos especies, una intelectual y otra moral, aquélla resulta casi siempre de una enseñanza a la que debe su origen y su desenvolvimiento, y de aquí nace que tiene necesidad de experiencia y de tiempo. En cuanto a la virtud moral, nace más particularmente del hábito y de las costumbres, y de la palabra misma hábito, mediante un ligero cambio, procede el nombre de moral que hoy tiene.

Basta esto para probar claramente que no hay una sola de las virtudes morales que exista en nosotros naturalmente. Jamás las cosas de la naturaleza pueden por efecto del hábito hacerse distintas de lo que ellas son: por ejemplo, la piedra, que naturalmente se precipita hacia el suelo, nunca podrá adquirir el hábito de ascender hacia arriba, aunque un millón de veces se la lance en este sentido; el fuego no irá hacia abajo, y no hay un sólo cuerpo que pueda perder la propiedad que tiene por naturaleza para contraer un hábito diferente.

Así pues, las virtudes no existen en nosotros por la sola acción de la naturaleza, ni tampoco contra las leyes de la misma, sino que la naturaleza nos ha hecho susceptibles de unas, y el hábito es el que las desenvuelve y las perfecciona en nosotros. Además, con respecto a todas las facultades que poseemos naturalmente, lo que llevamos desde luego en nosotros es el simple poder de servirnos de ellas, y más tarde es cuando producimos los actos que de las mismas emanan. Tenemos un patente ejemplo de esto en nuestros sentidos. No es a fuerza de ver ni a fuerza de oír como adquirimos los sentidos de la vista y del oído, sino que, por el contrario, nos hemos servido de ellos porque los teníamos, y no los tenemos en modo ninguno porque nos hemos servido de ellos. Lejos de esto, no adquirimos las virtudes sino después de haberlas previamente practicado. Con ellas sucede lo que con todas las demás artes, porque en las cosas que no se pueden hacer sino después de haberlas aprendido, no las aprendemos sino practicándolas; y así, uno se hace arquitecto construyendo; se hace músico componiendo música. De igual modo, se hace uno justo practicando la justicia; sabio, cultivando la sabiduría; valiente, ejercitando el valor.

Lo que pasa en el gobierno de los estados lo prueba bien: los legisladores sólo hacen virtuosos a los ciudadanos habituándolos a serlo. Tal es ciertamente el deseo fijo de todo legislador. Los que no desempeñan como deben esta tarea, faltan al objeto que se proponen, y ésta es precisamente la diferencia que separa un gobierno bueno de uno malo.

Toda virtud, cualquiera que ella sea, se forma y se destruye absolutamente por los mismos medios y por las mismas causas que uno se forma y desmerece en todas las artes. Tocando la cítara, hemos dicho, se forman los buenos y malos artistas; mediante trabajos análogos se forman los arquitectos, y sin excepción todos los que ejercen un arte cualquiera. Si el arquitecto construye bien, es un buen arquitecto; es malo si construye mal. Si no fuese así, nunca habría necesidad de maestro que enseñara a obrar bien, y todos los artistas serían siempre y de primer golpe buenos o malos. Lo mismo absolutamente sucede respecto a las virtudes. A causa de nuestra conducta en las transacciones de todos los géneros que intervienen entre los hombres, aparecemos unos justos y otros inicuos. A causa de nuestra conducta en las circunstancias peligrosas, y después que contraemos en unos hábitos de flojedad o de firmeza, nos hacemos unos valientes, otros cobardes. Lo mismo sucede también con los resultados de nuestras pasiones o de nuestros arrebatos entre los hombres; los unos son moderados y dulces, los otros son intemperantes y dados a excesos, según que éstos se conducen de tal manera en determinadas circunstancias, y que aquéllos se conducen de una manera contraria; en una palabra, las cualidades sólo provienen de la repetición frecuente de los mismos actos. He aquí cómo es preciso dedicarse escrupulosamente a practicar solamente actos de cierto género, porque las cualidades se forman según las diferencias mismas de estos actos y siguen su naturaleza. No es pues de poca importancia contraer desde la infancia y lo más pronto posible tales o cuales hábitos; por el contrario, es éste un punto de muchísimo interés, o por mejor decir, es el todo.

## UN TRATADO DE MORAL NO DEBE SER UNA PURA TEORÍA, SINO ANTE TODO UN TRATADO PRÁCTICO

No debe perderse de vista que el presente tratado no es una pura teoría como pueden serlo otros muchos. No nos consagramos a estas indagaciones para saber lo que es la virtud, sino para aprender a hacernos virtuosos y buenos, porque de otra manera este estudio sería completamente inútil. Es por lo tanto necesario que consideremos todo lo que se refiere a las acciones para aprender a realizarlas, porque ellas son las que deciden soberanamente de nuestro carácter, y de ellas depende la adquisición de nuestras cualidades, como acabamos de decir.

Es un principio comúnmente admitido que es preciso obrar conforme a la recta razón. Aceptamos también este principio, reservándonos explicar más tarde lo que es la recta razón y cuál es la relación que guarda con las demás virtudes.

Convengamos desde luego en este punto; a saber, que toda discusión que tiene por objeto los actos del hombre, no puede ser más que un bosquejo vago y sin precisión, como ya hicimos notar al principio, porque no puede exigirse rigor en los razonamientos, sino en cuanto lo permite la materia a que se aplican. Las acciones y los intereses de los hombres no pueden someterse a ninguna prescripción inmutable y precisa, como no puede hacerse tampoco con las condiciones diversas de la salud. Y si el estudio general de las acciones humanas presenta estos inconvenientes, con mucha más razón el estudio especial de cada una de ellas en particular presentará mucha menos precisión aún, porque no cae en el dominio de un arte regular ni, lo que es más, en el de ningún precepto formal. Pero cuando se obra, es una necesidad constante guiarse en vista de las circunstancias en que uno se encuentra, absolutamente del mismo modo que se practica en el arte de la medicina y en el de la navegación.

Por lo demás, por positiva que sea la dificultad que presenta el estudio que intentamos llevar a cabo, no por eso dejaremos de hacer un esfuerzo para prestar este servicio realizándolo.

Por lo pronto, conviene decir que las cosas del orden de las que nos ocupamos corren el riesgo de ver comprometida su existencia a causa de todo exceso, sea en un sentido, sea en otro, y para servirnos de ejemplos visibles, mediante los cuales puedan hacerse comprender bien cosas oscuras y ocultas, veámoslo con respecto a la fuerza del cuerpo y a la salud. La violencia desmedida de los ejercicios o la falta de ejercicio destruyen igualmente la fuerza. Lo mismo sucede respecto al comer y el beber: los alimentos en grande o en pequeña cantidad destruyen la salud, mientras que, por el contrario, tomados en debida proporción, la dan, la sostienen y la aumentan. Lo mismo absolutamente sucede con la templanza, el calor y todas las demás virtudes. El hombre que a todo teme, que huye y que no sabe soportar ninguna contrariedad, es un cobarde; el que no teme nunca nada y arrostra todos los peligros, es un temerario. En igual forma, el que goza de todos los placeres y no se priva de ninguno, es intemperante, y el que huye de todos sin excepción, como los salvajes que habitan en los campos, es en cierta manera un ser insensible. Y esto es así porque la templanza y el valor se pierden igualmente por exceso que por defecto, y no subsisten sino mediante la moderación. No sólo el origen, el desenvolvimiento y la pérdida de estas cualidades proceden de las mismas causas y están sometidos a las mismas influencias, sino que además, las acciones que estas cualidades inspiran, han de ser hechas por los mismos individuos que tienen estas cualidades. Aclaremos esto con el ejemplo de cosas más palpables y más visibles, y citemos de nuevo la fuerza del cuerpo. Procede ésta de la abundancia del alimento que se toma y de las fatigas repetidas que se sufren, y recíprocamente, el hombre fortificado de tal manera soporta mucho mejor todas estas pruebas. El mismo fenómeno se repite respecto a las virtudes: sólo a condición de abstenernos de los placeres es como podemos hacernos templados y, una vez que lo somos, podemos abstenernos de los placeres con más facilidad que antes. La misma observación puede hacerse respecto al valor: habituándonos a despreciar todos los peligros y a arrostrarlos, nos hacemos valientes y, una vez que lo somos, podemos soportar mejor los peligros sin el menor temor.

## Inmenso lujo del placer y de la pena en el destino humano y en la virtud

Un signo manifiesto de las cualidades que adquirimos es el placer o el dolor que se unen a nuestras acciones y que las siguen. El hombre que se abstiene de los placeres del cuerpo y hasta se complace en esta reserva misma, es templado, y el que con pesar soporta esta situación, es intemperante. El hombre que arrostra los peligros y en ello tiene un placer, o que por lo menos no le turban, es un hombre valiente; el que se turba, es un cobarde. Y es que realmente la virtud moral se relaciona con los dolores y con los placeres, puesto que la persecución del placer es la que nos arrastra al mal, y el temor del dolor es el que nos impide hacer el bien. He aquí por qué desde la primera infancia, como dice muy bien Platón, es preciso que se nos conduzca de manera que coloquemos nuestros goces y nuestros dolores en las cosas que convenga colocarlas, y en esto es en lo que consiste una buena educación. Además, las virtudes nunca se manifiestan sino por actos y afecciones, y como no hay acto ni afección que no tenga por consecuencia el placer o el dolor, ésta es una nueva prueba de que la virtud se refiere únicamente a nuestros dolores y a nuestros placeres. Esto mismo lo atestiguan también los castigos que algunas veces siguen a nuestras acciones. Estos castigos son en cierta manera remedios, y los remedios, ordinariamente y según el curso natural de las cosas, sólo obran por medio de los contrarios.

Podemos repetir además lo que acabamos de decir: toda cualidad del alma a causa de su verdadera naturaleza está en relación con las cosas, y sólo a las cosas corresponde hacerla naturalmente mejor o peor. Ahora bien, las cualidades del alma sólo se pervierten por el placer o el dolor, cuando se persigue al uno y se huye del otro en el momento en que no debe hacerse y sin apreciar ni la ocasión en que se hace, ni la manera en que puede hacerlo o cometiendo otras faltas análogas que la razón puede muy fácilmente imaginar. He aquí cómo han podido definirse las virtudes: estados del alma en que el alma misma se encuentra extraña a toda afección y en un completo reposo. Definición que no es muy exacta, porque tiene un carácter demasiado absoluto, y se dejan de añadir ciertas condiciones como éstas: «qué es preciso hacer o qué no es preciso» o bien «cuándo es preciso», y otras modificaciones que se pueden concebir fácilmente.

Por lo tanto, debe sentarse en principio que la virtud es aquello que debe prepararnos respecto de los dolores y de los placeres de tal manera que nuestra conducta sea la mejor posible, y que el vicio es precisamente todo lo contrario.

He aquí ahora una observación que nos hará comprender más fácilmente todas las que preceden. Hay tres cosas que se deben buscar; hay igualmente tres de que debemos huir. Debe buscarse el bien, lo útil, lo agradable; debe huirse de sus tres contrarios, el mal, lo dañoso y lo desagradable. Respecto de todas estas cosas, el hombre virtuoso sabe conducirse bien y seguir el camino recto; el malo no comete sino faltas. Sobre todo las comete respecto al placer, porque por lo pronto el placer es un sentimiento común a todos los seres animados, y además se lo encuentra como resultado de todos los actos dejados a nuestra libre elección, puesto que el bien mismo y el interés pueden revestir igualmente la apariencia del placer. Añádase a esto que desde nuestra más tierna infancia, cuando apenas empezamos a hablar, ya alimentamos en nuestro seno en cierta manera el placer, y ya se desenvuelve con nosotros. Así que sería muy difícil deshacernos de un sentimiento que tan profundamente ha penetrado en nuestra vida y que ha tomado todos los colores de la misma, si bien, según los individuos, así el placer y el dolor serán una regla que dirija más o menos completamente su conducta.

De aquí que necesariamente habrá de recaer sobre estas dos afecciones todo el tratado que signe, porque no es cosa de poco más o menos, en todo lo concerniente a nuestros actos, saber regocijarse o afligirse bien o mal con motivo de ellos.

Otra observación: es más difícil aún combatir el placer que combatir la cólera, como dice Heráclito, porque el arte y la virtud se aplican siempre con preferencia a lo que es más difícil, puesto que en las cosas que son más difíciles el bien adquiere un más alto precio, lo cual es una razón más para que la virtud y la política pongan cuanto esté de su parte para estudiar los placeres y los dolores, porque el que sabe usar bien de estos dos sentimientos, será bueno, y malo el que use mal de ellos.

Hemos probado, pues, que la virtud no se ocupa en el fondo más que de los placeres y de los dolores, que se acrecienta mediante las causas que la hacen nacer, que se destruye por estas mismas causas cuando su dirección cambia, y que obra y se ejercita sobre estos mismos sentimientos de donde procede. Tales son los principios que acabamos de afirmar.

## Explicación del principio según el cual se hace uno virtuoso ejecutando actos de virtud

Podría preguntarse qué es lo que entendemos cuando decimos que para ser justo es preciso practicar la virtud, y para ser templado practicar la templanza, porque si se hacen actos justos, actos de templanza, es porque ya es uno justo y templado, lo mismo que si se aplican las reglas de la gramática y de la música es porque ya era uno gramático o músico anteriormente.

¿Pero no es más exacto decir que no es así, ni aun respecto de las artes vulgares? ¿No es posible, por ejemplo, hacer una cosa muy correcta en gramática por casualidad o con auxilio extraño o por sugestiones de otro? Pero no será uno verdaderamente gramático si lo que hace en gramática no lo hace gramaticalmente, es decir, según las leyes de la gramática que sabe y que el mismo posee. Hay además una diferencia que conviene señalar entre las virtudes y las artes. Las cosas que producen las artes llevan la perfección que les es propia en sí mismas, y basta por consiguiente que aparezcan de una cierta manera. Pero los actos que producen las virtudes, no son justos ni moderados únicamente porque aparezcan de una cierta manera, sino que es preciso además que el que obra se halle en cierta disposición moral en el momento mismo de obrar. La primera condición es que sepa lo que hace; la segunda, que lo quiera así mediante una elección reflexiva y que quiera los actos que produce a causa de los actos mismos; por fin, es la tercera que al obrar lo haga con resolución inquebrantable de no obrar jamás de otra manera. En las otras artes no se tienen en cuenta todas estas condiciones hasta saber lo que se hace. Por el contrario, respecto de las virtudes, el saber es punto de poca importancia, y si se quiere, de ninguna, mientras que las otras dos condiciones son de una importancia absoluta, porque las virtudes sólo se conquistan mediante la constante repetición de actos de justicia, de templanza, etc. Y así, pueden llamarse justos y templados los actos cuando son de tal naturaleza que un hombre templado y justo pueda ejecutarlos. Pero el hombre templado y justo no es simplemente el que los ejecuta, sino el que los ejecuta como lo hacen los hombres verdaderamente justos y templados. Razón ha habido, pues, para decir que se hace justo el hombre ejecutando acciones justas, templado ejecutando acciones de templanza, y que si no se practican actos de este género, es imposible que nadie llegue nunca a ser virtuoso. Pero el común de las gentes no practican estas acciones, y pagándose de vanas palabras, creen crear una filosofía y se imaginan que por este método adquieren una verdadera virtud. Esto es poco más o menos lo mismo que hacen los enfermos que escuchan muy atentos a los médicos, pero que no hacen nada de lo que les ordenan, y así como los unos no pueden tener el cuerpo sano, cuidándose de esta manera, lo mismo los otros no tendrán jamás muy sana su alma, filosofando de esta suerte.

## Teoría general de la virtud

Una vez fijados todos estos puntos, indicaremos lo que es la virtud. Como en el alma no hay más que tres elementos: las pasiones o afecciones, las facultades y las cualidades adquiridas o hábitos, es preciso que la virtud sea una de estas tres cosas.

Llamo pasiones o afecciones al deseo, a la cólera, al temor, al atrevimiento, a la envidia, a la alegría, a la amistad, al odio, al pesar, a los celos, a la compasión; en una palabra, a todos los sentimientos que llevan consigo dolor o placer. Llamo facultades a las potencias que hacen que se diga de nosotros que somos capaces de experimentar estas pasiones, por ejemplo, de encolerizarnos, de afligirnos, de apiadarnos. En fin, entiendo por cualidad adquirida o hábito la disposición moral, buena o mala, en que estamos para sentir todas estas pasiones. Así, por ejemplo, en la pasión de la cólera, si la sentimos demasiado viva o demasiado muerta, es una disposición mala; si la sentimos en una debida proporción, es una disposición que se tiene por buena. La misma observación se puede hacer respecto a todas las demás pasiones.

De aquí se sigue que ni las virtudes ni los vicios, hablando propiamente, son pasiones. Por lo pronto, en realidad no se nos llama buenos o malos en vista de nuestras pasiones, sino teniendo en cuenta nuestras virtudes y nuestros vicios. En segundo lugar, al hombre no se le alaba ni se le censura a causa de las pasiones que tiene, así que no se alaba ni se censura al que en general tiene miedo o se encoleriza, sino que sólo es censurado el que experimenta estos sentimientos de cierta manera y, por el contrario, en razón de los vicios y virtudes que descubrimos, somos directamente alabados o censurados. Además, los sentimientos de cólera y de temor no dependen de nuestra elección y de nuestra voluntad, mientras que las virtudes son voliciones muy reflexivas o, por lo menos, no existen sin la acción de nuestra voluntad y siendo objeto de nuestra preferencia. Añadamos también que, respecto de las pasiones, debe decirse que somos por ellas conmovidos, mientras que respecto de las virtudes y de los vicios no se dice que experimentamos emoción alguna, y sí sólo que tenemos una cierta disposición moral.

Por estas mismas razones las virtudes no son tampoco simples facultades, porque no se dice de nosotros que seamos virtuosos o malos sólo porque tengamos la facultad de experimentar afecciones, así como no es este motivo suficiente para que se nos alabe o se nos censure. Además, la naturaleza es la que nos da la facultad, la posibilidad de ser buenos o viciosos, pero no es ella la causa de que nos hagamos lo uno o lo otro, como acabamos de ver.

Concluyamos, pues, diciendo, que si las virtudes no son pasiones, ni facultades, no pueden ser sino hábitos o cualidades, y todo esto nos prueba claramente lo que es la virtud, generalmente hablando.

## De la naturaleza de la virtud

Es preciso no contentarse con decir, como hemos hecho hasta ahora, que la virtud es un hábito o manera de ser, sino que es preciso decir también en forma específica cuál es esta manera de ser.

Comencemos por sentar que la virtud es, respecto a la cosa sobre que recae, lo que completa la buena disposición de la misma y le asegura la ejecución perfecta de la obra que le es propia; así, por ejemplo, la virtud del ojo hace que el ojo sea bueno y que realice como debe su función, porque gracias a la virtud del ojo se ve bien. La misma observación, si se quiere, tiene lugar con la virtud del caballo; ella es la que le hace buen caballo a propósito para la carrera, para conducir al jinete y para sostener el choque de los enemigos. Si sucede así en todas las cosas, la virtud en el hombre será esta manera de ser moral, que hace de él un hombre bueno, un hombre de bien, y gracias a la cual sabrá realizar la obra que le es propia.

Ya hemos dicho cómo el hombre puede conseguir esto, pero nuestro pensamiento se hará más evidente aún cuando hayamos visto cuál es la verdadera naturaleza de la virtud.

En toda cantidad continua y divisible pueden distinguirse tres cosas: primero el más, después el menos, y, por fin, lo igual, y estas distinciones pueden hacerse o con relación al objeto mismo o con relación a nosotros. Lo igual es una especie de término intermedio entre el exceso y el defecto, entre lo más y lo menos. El medio, cuando se trata de una cosa, es el punto que se encuentra a igual distancia de las dos extremidades, el cual es uno y el mismo en todos los casos. Pero cuando se trata del hombre, cuando se trata de nosotros, el medio es lo que no peca, ni por exceso, ni por defecto, y esta medida igual está muy distante de ser una ni la misma para todos los hombres.

Veamos un ejemplo: suponiendo que el número diez represente una cantidad grande y el número dos una muy pequeña, el seis será el término medio con relación a lo que se mide, porque el seis excede al dos en una suma igual a la que le exceda el número diez. Éste es el verdadero medio según la proporción que demuestra la aritmética, es decir, el número. Pero no es éste ciertamente el camino que debe tomarse para buscar el medio tratándose de nosotros. En efecto, porque para tal hombre diez libras de alimento sean demasiado y dos libras muy poco, no es razón para que un médico prescriba a todo el mundo seis libras de alimento, porque seis libras para el que haya de tomarlas pueden ser una alimentación enorme o una alimentación insuficiente. Para Milón es demasiado poco; por el contrario, es mucho para el que empieza a trabajar en la gimnástica. Lo que aquí se dice de alimentos puede decirse igualmente de las fatigas de la carrera y de la lucha. Y así, todo hombre instruido y racional se esforzará en evitar los excesos de todo género, sean en más, sean en menos; sólo debe buscar el justo medio y preferirlo a los extremos. Pero aquél no es simplemente el medio de la cosa misma, es el medio con relación a nosotros.

Gracias a esta prudente moderación, toda ciencia llena perfectamente su objeto propio, no perdiendo jamás de vista este medio y reduciendo todas sus obras a este punto único. He aquí por qué se dice muchas veces cuando se habla de las obras bien hechas y se las quiere alabar, que nada se les puede añadir ni quitar, como dando a entender que así como el exceso y el defecto destruirían la perfección, sólo el justo medio puede asegurarla. Éste es el fin, lo repetimos, a que se dirigen siempre los esfuerzos de los buenos artistas en sus obras, y la virtud, que es mil veces más precisa y mil veces mejor que ningún arte, se fija constantemente como la naturaleza misma en este medio perfecto.

Hablo aquí de la virtud moral, porque ella es la que concierne a las pasiones y a los actos del hombre, y en nuestros actos y en nuestras pasiones es donde se dan ya el exceso, ya el defecto, ya el justo medio. Así, por ejemplo, en los sentimientos de miedo y de audacia, de deseo y de aversión, de cólera y de compasión, en una palabra, en los sentimientos de placer y dolor, se dan el más y el menos, y ninguno de estos sentimientos opuestos son buenos. Pero saber ponerlos a prueba como conviene, según las circunstancias, según las cosas, según las personas, según la causa, y saber conservar en ellas la verdadera medida, éste es el medio, ésta es la perfección que sólo se encuentra en la virtud.

Con los actos sucede absolutamente lo mismo que con las pasiones: pueden pecar por exceso o por defecto, o encontrar un justo medio. Ahora bien, la virtud se manifiesta en las pasiones y en los actos, y para las pasiones y los actos el exceso en más es una falta; el exceso en menos es igualmente reprensible; el medio únicamente es digno de alabanza, porque él sólo está en la exacta y debida medida, y estas dos condiciones constituyen el privilegio de la virtud. Y así, la virtud es una especie de medio, puesto que el medio es el fin que ella busca sin cesar.

Además, puede uno conducirse mal de mil maneras diferentes, porque el mal pertenece a lo infinito, como oportunamente lo han representado los pitagóricos, pero el bien pertenece a lo finito, puesto que no puede uno conducirse bien sino de una sola manera. He aquí cómo el mal es tan fácil y el bien, por el contrario, tan difícil; porque, en efecto, es fácil no lograr una cosa y difícil conseguirla. He aquí también por qué el exceso y el defecto pertenecen juntos al vicio, mientras que sólo el medio pertenece a la virtud:

«Es uno bueno por un sólo camino; malo, por mil».

Por lo tanto, la virtud es un hábito, una cualidad que depende de nuestra voluntad, consistiendo en este medio que hace relación a nosotros y que está regulado por la razón en la forma que lo regularía el hombre verdaderamente sabio. La virtud es un medio entre dos vicios que pecan, uno por exceso, otro por defecto, y como los vicios consisten en que los unos traspasan la medida que es preciso guardar y los otros permanecen por bajo de esta medida, ya respecto de nuestras acciones, ya respecto de nuestros sentimientos, la virtud consiste, por el contrario, en encontrar el medio para los unos y para los otros, y mantenerse en el dándole la preferencia.

He aquí por qué la virtud, tomada en su esencia y bajo el punto de vista de la definición que expresa lo que ella es, debe mirársela como un medio. Pero con relación a la perfección y al bien, la virtud es un extremo y una cúspide.

Por lo demás, es preciso decir que ni todas las acciones ni todas las pasiones son indistintamente susceptibles de este medio. Hay tal acción, tal pasión, que con sólo pronunciar su nombre aparece la idea de mal y de vicio, como por ejemplo, la malevolencia o tendencia a regocijarse del mal de otro, la impudencia, la envidia, y en punto a acciones, el adulterio, el robo, el asesinato, porque todas estas cosas y las parecidas a ellas son declaradas malas y criminales únicamente a causa del carácter horrible que ofrecen, y no por su exceso ni por su defecto. Respecto de estas cosas, por tanto, nunca hay medio de obrar bien; sólo es posible la falta. En los casos de este género, indagar lo que es bien y lo que no es bien es cosa inconcebible; como, por ejemplo, en el adulterio, averiguar si ha sido cometido con tal mujer, en tales circunstancias, de tal manera, porque hacer cualquiera de estas cosas es, absolutamente hablando, cometer un crimen. Es como si uno imaginara que en la iniquidad, en la cobardía, en la embriaguez, podía haber un medio, un exceso y un defecto, porque entonces sería preciso que hubiese un medio de exceso y de defecto, y un exceso de exceso, y un defecto de defecto. Pero así como no hay exceso ni defecto para el valor y para la templanza, porque en ellos el medio es, en cierta manera, un extremo, en igual forma no hay para estos actos culpables ni medio, ni exceso, ni defecto, sino que de cualquier manera que se tome, siempre es criminal el que los cometa, porque no es posible que haya un medio ni para el exceso ni para el defecto, como no puede haber ni exceso ni defecto para el medio.

## Aplicación de las generalidades que preceden a los casos particulares

No basta en esta materia limitarse a generalidades. Es preciso además hacer ver cómo estas teorías están de acuerdo con los casos particulares. En efecto, cuando se razona sobre las acciones humanas, sirven de poco las generalidades y los análisis especiales son más conformes a la verdad, puesto que las acciones son siempre particulares y a ellas deben ajustarse las teorías. Se verá más en claro lo que queremos decir en el cuadro que vamos a trazar.

Obsérvase que el valor ocupa un término medio entre los dos sentimientos de temor y de resolución. En cuanto a los dos excesos, el uno, que se refiere a la falta de todo temor, no ha recibido nombre en nuestra lengua, porque hay muchas cosas que el uso ha dejado sin él; mas si nos fijamos en el exceso de resolución, encontramos que al hombre, que da pruebas de ello, se le llama temerario. El que adolece de un exceso de temor o de una falta de resolución, es un cobarde.

Para los placeres y para los dolores, no para todos sin excepción y menos aún para todos los dolores que para todos los placeres, el medio es la templanza, el exceso es la incontinencia. En cuanto a los quc pecan por defecto en materia de placeres, son bien contados, y así no se les ha dado nombre especial. Démosles, si se quiere, el de insensibles.

Con respecto a dar o recibir cosas o riquezas, el medio es la liberalidad; el exceso y el defecto son la prodigalidad y la avaricia. Estas últimas cualidades por otra parte, exceso o defecto, son contrarias completamente la una a la otra. Y así el pródigo peca de exceso cuando se trata de dar, y de defecto cuando se trata de recibir; el avaro, por lo contrario, por exceso cuando toma, por defecto cuando da.

Nótese que aquí no hacemos más que trazar un ligero bosquejo y presentar como un sumario. Por el momento debemos darnos por satisfechos con esto, sin perjuicio de que más tarde tratemos todos estos puntos con más exactitud y extensión.

Pero volviendo a la riqueza, hay también otras disposiciones además de las que hemos indicado. En este concepto, el medio puede ser igualmente la magnificencia, porque puede establecerse una diferencia entre el hombre magnífico y el hombre liberal. El uno posee grandes riquezas, el otro escasas. El exceso en el hombre magnífico consiste en la profusión con mal gusto y en el fausto grosero, y el defecto consiste en la mezquindad mostrada en pequeñeces. Estos matices extremos difieren de los que presenta la liberalidad; cómo difieren unos de otros se dirá más adelante.

En punto a honores o a gloria y a la oscuridad, el medio es la grandeza de alma; el exceso en este género puede llamarse insolencia; el defecto, bajeza de alma. Pero así como reconocimos que la liberalidad tiene cierta relación con la magnificencia, difiriendo la primera de la segunda sólo en que se aplica a cosas de poco valor, en igual forma, al lado de la grandeza de alma, que aspira a los altos honores, hay otro sentimiento que nos arrastra a ir en busca de los que tienen poca importancia. Se pueden, en efecto, desear los honores y la gloria hasta un punto regular, pero también se les puede desear demasiado, o no desearlos nada. Al que los desea excesivamente se le llama ambicioso; el que no los desea es un hombre sin ambición, pero el que en este orden de sentimientos sabe mantenerse en un justo medio, no ha recibido nombre especial. Las disposiciones morales que corresponden a estos caracteres tampoco tienen nombre particular, a no ser el del ambicioso, que se llama ambición. Esto hace precisamente que los extremos se disputen el puesto del medio, y a nosotros mismos nos sucede que a veces calificamos de ambicioso al que ocupa el término medio, y otras, por el contrario, le declaramos sin ambición, alabando así indistintamente al hombre que es ambicioso y al que no lo es.

Más adelante trataremos de explicar la causa de esta contradicción; por ahora continuemos el estudio de las demás pasiones conforme al método anteriormente adoptado.

Para la cólera se pueden distinguir, como acabamos de hacer para la liberalidad, los tres términos: exceso, defecto y medio. Pero como ninguno de estos matices, o casi ninguno, tiene nombre especial, nos limitaremos a decir que el hombre que en este género ocupa el medio entre los dos extremos se le llama hombre dulce, y la cualidad intermedia, dulzura. De los dos caracteres extremos, el que peca por exceso se llama carácter irascible, y al vicio que muestra se llama irascibilidad. El que peca por defecto podemos decir que es el carácter flemático, que jamás siente la cólera, y el defecto se llamará flema, que no permite nunca el encolerizarse.

Aquí cuadra hablar de otros tres medios que no dejan de tener semejanza entre sí, pero que sin embargo difieren en ciertos conceptos. Los tres se refieren igualmente a las relaciones sociales y comunes que crean entre los hombres sus palabras y sus actos, pero los tres difieren en que el uno se refiere a la verdad, tal como se muestra habitualmente en las conversaciones de los hombres, mientras que los otros dos medios se refieren al placer que producen las relaciones sociales, aplicándose uno de ellos al placer que nos causa la buena y festiva sociedad, y extendiéndose el otro a todas las cosas de la vida ordinaria. Necesitamos estudiar también estas tres especies nuevas, para que veamos con más claridad aún que en todas las cosas el medio es digno solamente de alabanza mientras los extremos no son buenos ni laudables y no merezcan nuestra censura. Para la mayor parte de estos matices, lo mismo que para los precedentes, la lengua no tiene nombre particular, pero es imprescindible, como acabamos de hacerlo, forjar para las nuevas que representen estos diversos caracteres, y que dando más claridad a nuestras ideas permitan seguirlas más fácilmente.

Con respecto a la verdad, el hombre que guarda en esta relación el medio se llama hombre veraz o verídico, y el medio mismo se llama veracidad. La ficción, que altera la verdad, se llamará, si exagera las cosas, fanfarronería, y el que tenga este defecto será un fanfarrón; si, por el contrario, disminuye las cosas, se llamará disimulación, y el que lo haga, un hombre disimulado.

Paso a los otros dos medios, que se refieren al placer. El uno consiste en el gracejo, y el hombre que sabe guardar con mesura este medio delicado es un hombre gracioso, y la disposición moral que le distingue es la gracia. El exceso en este género se llama bufonería, y al hombre que tiene este carácter se le llama bufón. El que en punto a gracejo tiene menos del preciso es un rústico, y su manera de ser puede llamarse rusticidad. En cuanto al medio que se refiere a la vida ordinaria recreativa, el hombre que sabe hacerse aceptable a sus semejantes, como conviene serlo, es el amigo, y el medio que forma su carácter es la amistad. El que presta con exceso servicios a los demás puede llamársele hombre que tiene manía de complacer, siempre que lo haga sin ningún interés, pero si tales servicios nacen del cálculo y los presta en vista de su provecho personal, entonces es un adulador. El que en este concepto peca completamente por defecto y no sabe hacerse agradable a los demás, es un ser oscuro y excéntrico.

Pueden reconocerse igualmente medios en las emociones y en todo lo concerniente a ellas. Y así la modestia no es una virtud, y sin embargo es objeto de nuestras alabanzas, así como lo es el hombre modesto. Así es que en estas afecciones se puede distinguir igualmente el hombre que se mantiene en el verdadero medio. El que experimenta con exceso estas emociones, de todo se ruboriza, y en cierta manera se le advierte como embarazado. El hombre que, por el contrario, peca en esto por defecto y que por nada absolutamente se ruboriza, es un hombre impudente. El que sabe ocupar un punto medio entre estos excesos es un hombre modesto.

La justicia, que juzga imparcialmente la conducta de otro, ocupa el medio entre la envidia a la felicidad de los demás y el goce malévolo que provoca su sufrimiento. Estas tres afecciones, por otra parte, se refieren al placer y al dolor que nos puede causar todo lo que sucede a nuestros semejantes. El hombre imparcial y animado de cierto coraje se aflige y se indigna ante el espectáculo de una prosperidad no merecida. El envidioso que por exceso traspasa esta imparcialidad, se aflige de todos los bienes que adquieren los demás hombres. Por fin, el que tiene complacencia en el mal ajeno, está tan distante de afligirse en este caso que llega hasta regocijarse.

En otra parte habrá ocasión de hablar sobre esto con más oportunidad, y en cuanto a la justicia, como no se la designa por un nombre simple y absoluto, sino que en ella se distinguen dos matices diferentes, los analizaremos más adelante, y haremos ver los medios que en cada uno de ellos se dan. El mismo estudio haremos de las virtudes intelectuales.

## Oposición de los vicios extremos entre sí y con la virtud que ocupa el medio

Estas tres disposiciones morales entre las cuales hay dos vicios, uno por exceso, otro por defecto, y una sola virtud que ocupa el medio entre los extremos, son todas bajo cierto punto de vista opuestas las unas a las otras. Por lo pronto, los extremos son opuestos al medio, y lo son entre sí igualmente, luego el medio es opuesto a los dos extremos. A la manera que lo igual comparado con el término más pequeño es más grande que este término y menor que el término más grande en su relación con él, así las cualidades y disposiciones medias en relación con las disposiciones por defecto parecen excesos, y por el contrario, en relación con las disposiciones por exceso, se hacen ellas mismas en cierta manera defectos, lo mismo en las pasiones que en los actos. Así el hombre valiente parece temerario si se lo compara con el cobarde, y parece cobarde al lado del temerario. En igual forma el hombre templado parece desarreglado si se lo compara con el insensible a quien nada conmueve, y él parece a su vez insensible con relación al desarreglado. El liberal parece pródigo respecto del avaro, y avaro relativamente al pródigo. También a veces se supone que los medios son extremos. El cobarde llama al hombre de valor temerario, y el temerario lo llama cobarde, y lo mismo en todos los demás casos. En esta oposición de los tres términos, la que existe entre los extremos es de más consideración que la que hay entre ellos y el medio, porque, en efecto, los extremos están más distantes el uno del otro que lo están del medio, que los separa, a la manera que el término grande está más lejano del pequeño y el pequeño del grande, que ambos lo están del término igual.

Bajo otro punto de vista, hay extremos que tienen cierta semejanza con el medio. Así la temeridad no deja de parecerse al valor, y la prodigalidad a la liberalidad. Pero la desemejanza mayor aparece naturalmente en unos extremos relativamente a los otros. Las cosas que están entre sí lo más lejos posible se las llama contrarias, y lo son tanto más cuanto más lejanas están. En su relación con el medio, tan pronto es el defecto como exceso lo más opuesto. Y así el vicio más opuesto al valor no es la temeridad, la cual es un exceso, sino que es la cobardía, que peca por defecto. Por el contrario, en la templanza, el término que más se aleja no es la insensibilidad, que peca por defecto; es el desarreglo, que peca por exceso. Esto procede de dos causas distintas. La una nace de la naturaleza de la cosa misma, pues desde el momento en que uno de los extremos está más aproximado al medio y más se le parece, no es éste ya el que oponemos al medio, es más bien el término contrario; así, por ejemplo, como la audacia parece más cercana al valor y se le asemeja más, mientras que la cobardía es más desemejante, ésta es la que oponemos más particularmente al valor, teniendo por más contrarias las cosas que están más lejanas del medio. He aquí una de las causas antes indicadas y que nace de la naturaleza misma de la cosa. Veamos la segunda, que no procede sino de nosotros. Las cosas hacia las cuales nos sentimos más naturalmente arrastrados nos parecen más contrarias al medio prudente en que convendría mantenerse. Así es que nuestra naturaleza nos lleva más vivamente hacia los placeres, y por esta causa nos vemos más fácilmente inclinados a la intemperancia que a la reserva y a la sobriedad; de aquí que tengamos por más contrarias al justo medio las cosas a las que nos sentimos inclinados a abandonarnos. Y por esto la incontinencia, que es un exceso, es más contraria a la templanza que la completa insensibilidad.

## DIFICULTAD DE SER VIRTUOSO Y CONSEJOS PRÁCTICOS PARA SERLO

Hemos visto que la virtud moral es un medio, y sabemos cómo lo es, es decir, que es medio entre dos vicios, el uno que lo es por exceso y el otro por defecto. Se ha visto además que este carácter de la virtud nace de que ella aspira sin cesar a este prudente término medio en todo lo que se refiere a las pasiones y a los actos del hombre. Estos puntos están ya suficientemente esclarecidos. Debemos comprender también en vista de esto por qué debemos hacer lo posible para ser virtuosos. En todas las cosas es muy difícil llegar a ocupar el verdadero medio, así como no es dado a todo el mundo descubrir el centro de un círculo, como que para encontrarlo con seguridad es preciso saber resolver este problema. Así es que el encolerizarse está al alcance de todo el mundo, y es cosa tan fácil como derramar dinero y hacer gastos con profusión. Pero saber a quién conviene darlo, hasta qué cantidad, en qué momento, por qué causa, de qué manera, éste es un mérito que no contraen todos y que es difícil poseer. Y he aquí por qué el bien es a un tiempo una cosa rara, laudable y hermosa.

El primer cuidado del que quiera aspirar a este justo medio ha de consistir en alejarse del vicio que sea más contrario, pudiendo traerse aquí a cuento el consejo de Calipso:

> «Dirige tu nave
> tan lejos como puedas de estos escollos
> y de este humo».

Porque de los dos extremos uno es *siempre* más culpable, y otro lo es un poco menos. Como es muy difícil encontrar este apetecido medio, es preciso, como ya se ha dicho, mudar de procedimiento, y entre los males tomar el menor. El verdadero medio de conseguirlo será la manera que hemos indicado. Y así deberemos estudiar bien las tendencias que advirtamos como más naturales en nosotros, porque la naturaleza nos las da muy diversas, y lo que nos obligará a conocerlas serán las emociones de placer y dolor que sentiremos. Será preciso que nos inclinemos en sentido contrario porque, alejándonos con todas nuestras fuerzas de la falta que tememos, nos colocamos en el medio, a la manera que sucede cuando se quiere enderezar un palo torcido. El peligro de que es preciso guardarse siempre con el mayor cuidado es el placer, porque en semejantes casos no somos nunca jueces incorruptibles, y los sentimientos que experimentaban los ancianos de Troya en presencia de Helena, deben ser igualmente los nuestros en frente del placer. Sepamos en todas circunstancias repetir sus palabras, porque si llegamos a rechazar el hacer, estaremos seguros de no dar muchos pasos en falso.

Para resumir nuestro pensamiento en pocas palabras, diremos que observando esta conducta conseguiremos encontrar el verdadero medio. Es cierto que es punto difícil, y lo es sobre todo en la práctica ordinaria de las cosas; por ejemplo, es obra difícil determinar de antemano con precisión cómo, contra quién, por qué motivos, por cuánto tiempo conviene encolerizarse, porque tan pronto debemos alabar a los que se abstienen de hacerlo, de los cuales decimos que están llenos de dulzura, como no alabamos menos a los que se encolerizan y en los que encontramos una varonil firmeza. Es cierto que el que se separa muy poco del bien no se expone a censuras, sea que se separe en más o que se separe en menos, mientras que el que se aleja más, no puede librarse de la crítica por una falta que todo el mundo ve. Pero determinar en términos perfectamente precisos hasta qué punto y en qué medida es reprensible el hecho, esto no es fácil, porque tampoco lo es precisar cada una de las cosas que es preciso sentir para comprenderlas como es debido. Ahora bien, todos estos son casos particulares, y el juicio sólo puede nacer de lo que en cada uno se experimente.

Sea lo que fuere, resulta suficientemente probado que la cualidad media es siempre la única laudable, y que para marchar derechos nos es preciso inclinarnos ya del lado del exceso, ya del lado del defecto, porque de este modo alcanzaremos más fácilmente el medio y el bien.

# Teoría de la la virtud, del valor y de la templanza

(Continuación)

## La virtud sólo puede aplicarse a actos voluntarios

Refiriéndose la virtud a las pasiones y a los actos del hombre, y no pudiendo recaer la alabanza o la censura sino sobre cosas voluntarias, puesto que en las cosas involuntarias lo que procede es el perdón, y a veces la compasión, es un estudio imprescindible cuando se quiere dar razón de la virtud, determinar lo que debe entenderse por acto voluntario e involuntario. Y este conocimiento es indispensable igualmente a los legisladores, para ilustrarles sobre las recompensas y los castigos que decreten.

Deben mirarse como involuntarias todas las cosas que se hacen por fuerza mayor o por ignorancia.

Se hace una cosa por fuerza mayor cuando la causa es exterior y de tal naturaleza que el ser que obra y que sufre no contribuye en nada a esta causa: por ejemplo, cuando nos vemos arrastrados por un viento irresistible o por alguien que se ha hecho dueño de nuestra persona. Hay cosas también de que nos dejamos llevar, sea por el temor de males mayores, sea bajo el influjo de un motivo noble: por ejemplo, un tirano, dueño de vuestros padres y de vuestros hijos, os impone una cosa vergonzosa; podéis salvar a esas personas que os son queridas, si os sometéis, y perderlas, si rehusáis someteros, y en un caso semejante se puede preguntar si el acto es voluntario o involuntario. Algo análogo sucede al marino que en una tempestad arroja al mar las mercancías. En los casos ordinarios, nadie que tenga buen sentido arroja al agua los bienes que posee, pero no hay hombre sensato que no esté dispuesto a hacerlo si es una condición precisa para salvarse él o salvar a los demás. Las acciones de este género son, puede decirse, acciones mixtas; sin embargo, se aproximan más a las libres y voluntarias. Son el resultado de una preferencia en el momento mismo en que se hacen, y el objeto definitivo del acto está en relación con las circunstancias. Cuando se dice de una acción que es voluntaria o involuntaria, se entiende siempre que se tiene en cuenta el instante en que se obra. En los actos que acabamos de citar se obra aún libremente, porque el principio que para estos actos pone en movimiento los miembros de nuestro cuerpo que los ejecutan, está en nosotros, y siempre que el principio está en nosotros, sólo de nosotros depende hacer o no hacer las cosas. Por consiguiente, éstos son actos voluntarios. Pero absolutamente hablando, se puede decir también que son involuntarios, porque nadie ejecutaría de buen grado ninguna de estas cosas por lo que son en sí mismas.

Sucede también a veces que, acciones de este género, son objeto de justos elogios cuando se tiene valor para soportar la infamia y el dolor en vista de un grande y bello resultado. Pero si no median respetables motivos, nos exponemos a una merecida censura, porque no hay hombre tan despreciable que arrostre el oprobio sin haber mediado un fin noble, o que lo arrostre con la mira de una ventaja insignificante. En ciertos casos, si no se llega hasta alabar, por lo menos se perdona a un hombre que hace lo que no debe en circunstancias superiores a las fuerzas ordinarias de la naturaleza humana, y que nadie podría resistir.

Quizá hay ciertas cosas a las que jamás debe el hombre sucumbir, y casos en que es mejor morir sufriendo los más horribles tormentos. Así, por ejemplo, en la pieza de Eurípides, los motivos que movieron a Alemeón al asesinato de una madre son ridículos. Algunas veces es difícil discernir cuál de los dos caminos conviene escoger y cuál de los dos males se debe soportar prefiriéndolo al otro. Es más difícil aún mantenerse firmemente en el que se ha debido preferir, porque las más veces las cosas que se prevén son penosas y tristes, y las que la coacción nos impone, son vergonzosas. De aquí nace que se alabe o se censure según resiste o cede el hombre a la necesidad.

¿Cuáles son, por tanto, los actos que deben declararse involuntarios y forzosos? ¿Debe decirse de una manera absoluta que un acto es siempre forzado cuando la causa está en las cosas de fuera y cuando el agente no contribuye a él en nada? ¿O bien debe decirse que cosas involuntarias en sí, y que en un instante dado se las prefiere a otras, residiendo siempre su principio en el ser que obra, aunque involuntarias en sí, se hacen voluntarias en este caso dado, puesto que se las escoge en lugar de otras? Realmente las acciones de este género se parecen más a actos libres. Nuestras acciones son siempre relativas a casos particulares, y los casos particulares sólo dependen de nuestra voluntad. Pero siempre es muy difícil indicar la elección que debe hacerse en medio de estos innumerables matices que presentan las circunstancias particulares.

No se puede sostener por otra parte que el placer y el bien nos fuerzan y que ejercen sobre nosotros un imperio irresistible en calidad de causas exteriores, porque de ser así, todo en nosotros sería obligado y forzado, puesto que en tanto que existimos, todo cuanto hacemos es debido a estos dos móviles, y lo hacemos ya con dolor, si es por fuerza y contra voluntad, ya con gran gusto, cuando en ello encontramos placer. Y sería ciertamente cosa graciosa atribuirlo a causas exteriores, en lugar de imputarlo a sí mismo, cuando uno se deja arrastrar fácilmente por estas seducciones, atribuyéndose a sí todo el bien y echando la culpa al placer de las faltas que se cometen. Forzado e involuntario sólo es aquello que procede de una causa exterior, sin que el ser que es cohibido y obligado entre en ello absolutamente para nada.

## Continuación del mismo asunto: segunda especie de cosas involuntarias

En cuanto a los actos cometidos por ignorancia, todo se verifica, es cierto, sin que nuestra voluntad tenga parte en ello, pero contra nuestra voluntad realmente sólo se verifica aquello que nos causa dolor y arrepentimiento. El hombre que ha hecho algo sin saber lo que hacía, pero que no ha experimentado dolor como de acto, sin duda no ha obrado voluntariamente, puesto que no sabía lo que era su acción, pero tampoco puede decirse que ha obrado contra su voluntad, puesto que de su acción ningún dolor le ha resultado. Y así, en todas las acciones hechas por ignorancia, el que tiene que arrepentirse después parece haber obrado contra su voluntad, y, por el contrario, el que no ha tenido que arrepentirse de haber obrado, está en una posición muy distinta, y puede decirse simplemente de él que obró sin voluntad. Es bueno marcar este matiz en la expresión y designarlo con una palabra especial, puesto que la situación es diferente.

También es posible señalar una diferencia entre hacer una cosa por ignorancia y hacerla ignorando lo que se hace. Así, en la embriaguez, en la cólera, no puede decirse que uno obra por ignorancia; se obra sólo bajo el imperio de estas disposiciones, no se obra con conocimiento de causa, y antes por el contrario se obra ignorando lo que se hace. Así, todo ser malo ignora lo que es preciso hacer y lo que conviene evitar, porque a causa de una falta de esta especie es por lo que los hombres cometen injusticias y, hablando en general, son viciosos.

Pero no debemos pretender aplicar el nombre de involuntaria a la acción de un hombre porque desconozca su interés. La ignorancia que preside a la elección misma del agente, no es causa de que su acto sea involuntario, es causa únicamente de su perversidad. Tampoco es la ignorancia en general a la que debe acusarse, por más que bajo esta forma se produzca ordinariamente la censura, sino a la ignorancia particular, especial para las cosas y en las cosas a que se aplica la acción de que se trata: dentro de estos límites puede tener lugar ya la compasión, ya el perdón, porque el que ejecuta alguna de estas cosas culpables sin saber que las hace, obra involuntariamente.

No sería quizá inútil determinar con precisión, respecto a las acciones de este género, su naturaleza y su número, indagar cuál es la persona que las comete, lo que ha hecho cometiéndolas, con qué fin y en qué momento ha tenido lugar la comisión. Algunas veces también es preciso preguntarse en tales casos con qué ha cometido el acto; por ejemplo, si ha sido con un instrumento; por qué causa, por ejemplo, si ha sido para salvarse de algún peligro; en fin, de qué manera, por ejemplo, si lo ha hecho con suavidad o con violencia. Éstas son circunstancias respecto de las que nadie, a no estar fuera de sí, puede pretextar en ningún caso ignorancia, porque evidentemente no puede ignorarse cuál es la persona que obra. Porque se dirá: ¿cómo puede uno ignorarse a sí mismo? Pero se puede muy bien ignorar aquello que se hace. Por ejemplo, puede decirse que al hablar se le ha escapado una palabra, que no sabía que estaba prohibido hablar de las cosas de que se hablaba: testigo la indiscreción de Esquilo, a propósito de los misterios. También puede suceder que, queriendo mostrar el mecanismo de una máquina, la deje disparar sin intención, como el que deje salir el tiro de una catapulta. En otros casos se puede, como Merope, tomar a su propio hijo por un enemigo mortal, creer que una lanza puntiaguda tiene el hierro enmohecido, tomar una piedra de peso por una piedra pómez, matar alguno de un tiro queriendo defenderlo, o causarle una grave herida queriendo demostrarle sólo destreza a la manera que lo hacen los luchadores al presentarse para entrar en combate. Como este género de ignorancia afecta siempre a las cosas en que consiste la acción, el que al obrar ignora alguna de estas circunstancias, parece por esto mismo que obra a pesar de su voluntad, sobre todo en los dos puntos más graves, que son en este caso, primero, el objeto mismo de la acción, y segundo, el fin que se propone al hacerlo.

Pero repetimos, para que la acción pueda, en el caso de semejante ignorancia, ser dedicada con justicia de involuntaria, es preciso además que cause compasión y que lleve tras sí el arrepentimiento.

Por lo tanto, si el acto involuntario es el que nace de fuerza mayor o de ignorancia, es claro que el acto voluntario deberá ser aquel cuyo principio esté en el agente mismo, el cual conoce los pormenores de todas las condiciones que su acción encierra. Y así no hay razón para llamar involuntarios a los actos que nos obligan a ejecutar la cólera y el deseo. En primer lugar porque, admitido esto, resultaría que ningún ser distinto que el hombre obraría voluntariamente, ni aun los niños. ¿Puede decirse con verdad que jamás hacemos nada con plena y libre voluntad en las cosas en que median la cólera o el deseo? ¿O bien debe hacerse en este caso una distinción, sosteniendo que en tales situaciones hacemos el bien voluntariamente y que hacemos el mal contra nuestra voluntad? ¿Pero no sería ridículo admitir esta distinción, puesto que es uno solo y el mismo agente el que causa todos estos actos? Por otra parte sería quizá un error grave llamar involuntarias a cosas que debemos desear tener. Por ejemplo, ¿no hay ciertos casos en que es preciso saber montar en cólera? ¿No hay ciertas cosas que conviene desear, como la salud y la ciencia? Las cosas realmente involuntarias son penosas; por el contrario, las que se desean son siempre agradables. Además, ¿es cosa que los errores del razonamiento y los del corazón son igualmente involuntarios? ¿Dónde está la diferencia entre unos y otros? ¿No debe huirse de igual modo de ambos?

Las pasiones, que la razón no guía, no pertenecen menos a la naturaleza humana, lo mismo que las acciones inspiradas al hombre por la cólera y el deseo. Concluyamos, pues, que sería verdaderamente un absurdo declarar que estas cosas no están sometidas a nuestra voluntad.

## Teoría de la preferencia moral o intención

Después de haber distinguido y definido lo que debe entenderse por voluntario e involuntario, el estudio que debemos de hacer ahora es el de la preferencia o intención que determina nuestras resoluciones. La intención parece ser el elemento más esencial de la virtud, y ella, mucho mejor que las acciones mismas del agente, nos permite apreciar las cualidades morales de éste.

Ante todo, la preferencia moral o intención es ciertamente una cosa voluntaria, si bien la intención no es idéntica a la voluntad, la cual se extiende a más que aquélla. Así, los niños y los demás animales tienen indudablemente una parte de voluntad, pero no tienen preferencia, ni intención racional. Podemos muy bien llamar voluntarios a ciertos actos espontáneos y súbitos, pero no diremos que son resultado de una preferencia reflexiva o intencionada.

Cuando para explicar lo que es la intención se la llama un deseo, un sentimiento del corazón, una volición, un juicio de cierto género, no se le dan ciertamente nombres muy exactos. La preferencia, la intención que escoge, no puede ser patrimonio de seres sin razón, mientras que estos seres son capaces de deseo y de pasión. El intemperante, que no sabe dominarse, obra movido por el deseo; no obra con intención y preferencia. Por lo contrario, el hombre templado obra con intención, con una preferencia reflexiva; no obra por el impulso de sus deseos. Añádase a esto que el deseo puede estar muchas veces en oposición con la intención, mientras que el deseo jamás es lo opuesto al deseo. En fin, el deseo se dirige a lo que es agradable o penoso; la intención, la preferencia reflexiva, no se dirige ni al dolor ni al placer.

La intención o preferencia moral puede también confundirse con la pasión que el corazón inspira, pero no hay cosa que menos se parezca a las acciones determinadas por la intención reflexiva que las que son dictadas por el corazón.

La intención, la preferencia moral, tampoco es la voluntad, si bien parece muy cercana a ella. La intención reflexiva jamás se dirige a cosas imposibles, y si alguno dijera que prefiere y escoge estas cosas con intención, se le tendría por un demente. Por el contrario, la voluntad puede dirigirse hasta a las cosas imposibles, y bien puede querer el hombre, por ejemplo, la inmortalidad. La voluntad recae indiferentemente sobre cosas que no ha de hacer ella misma, por ejemplo, el triunfo de tal actor o de tal atleta, para quienes se desea el premio. Pero nadie dirá que su intención es la que prefiere estas cosas; lo dirá sólo de las cosas que crea poder hacer personalmente. Añádase a esto que la voluntad, el deseo, mira sobre todo al objeto a que se dirige; la intención, la preferencia reflexiva, considera más bien los medios que pueden conducir a ese objeto. Así nosotros deseamos, queremos la salud, pero escogemos con una intención reflexiva los medios que pueden dárnosla; deseamos y queremos ser dichosos, decimos muy bien que queremos serlo, pero no podríamos decir hablando en razón que tenemos la intención de serlo. Esto nace, repito, de que la intención sólo se aplica evidentemente a las cosas que dependen de nosotros.

Por fin, no puede decirse tampoco que la intención sea el juicio, el pensamiento, porque el juicio se aplica a todo, a las cosas eternas y a las cosas imposibles, lo mismo que a las que dependen sólo de nosotros. Las distinciones que se hacen del juicio son las de verdadero y falso, y no las de bien y de mal; estas últimas son aplicables sobre todo a la intención, a la preferencia reflexiva. Si no es posible que nadie confunda así, en general, la intención con el juicio, tampoco lo es que se la confunda con tal juicio particular. Si tenemos tal o cual carácter moral, es porque escogemos con intención el bien y el mal, y no porque juzguemos ni pensemos. Nuestra intención se aplica a buscar tal cosa, a huir de tal otra, o a practicar otros actos análogos mientras que el juicio nos sirve para comprender lo que son las cosas, para qué sirven y cómo se las puede emplear. Pero no es precisamente por medio del juicio como nos decidimos a dar preferencia a unas cosas y huir de otras.

Se alaba la intención porque se dirige al objeto que debe más bien que porque sea recta, pero se alaba el juicio, sobre todo, porque es verdadero. Nuestra intención, nuestra preferencia, escoge las cosas que sabemos que son buenas. Nuestro juicio, nuestro pensamiento, se aplica a cosas que no conocemos enteramente. Por otra parte, los que adoptan y prefieren en su conducta el mejor camino no son siempre los que mejor juzgan con el pensamiento, pues a veces los que mejor juzgan de las cosas, prefieren, sin embargo, al obrar, a causa de su perversidad, lo que no deberían preferir. En cuanto a saber si el juicio precede o sigue a la intención, poco nos importa, porque no es esto lo que ahora debemos indagar, pues sólo tratamos de averiguar si la intención o preferencia moral es idéntica al pensamiento, cualquiera que sea su forma.

¿Qué es, pues, con exactitud, la intención o preferencia reflexiva? ¿Cuál es su naturaleza, ya que no es ninguna de las cosas que acabamos de enunciar? Lo cierto es que es voluntaria, pero todo acto voluntario no es un acto de intención, un acto de preferencia dictado por la reflexión. ¿Será preciso confundir la intención con la premeditación, con la deliberación que precede a nuestras resoluciones? Sí, sin duda, porque la preferencia moral, la intención, va siempre acompañada de razón y de reflexión, y la palabra misma que la designa prueba bastante que escoge ciertas cosas prefiriéndolas a otras.

## De la deliberación

¿Se puede deliberar sobre todas las cosas sin excepción? ¿Es todo asunto de deliberación? ¿O bien hay ciertas cosas respecto de las que la deliberación no es posible? Téngase en cuenta que el objeto de la deliberación de que hablo no es el objeto sobre el que pueda deliberar un imbécil o un demente, sino sólo el objeto sobre el que delibera un hombre que está en el pleno goce de su razón. Y así nadie delibera sobre las cosas y verdades eternas, por ejemplo, sobre el mundo, ni sobre este axioma: que el diámetro y el lado son inconmensurables. Tampoco se puede deliberar sobre ciertas cosas que están sometidas al movimiento pero que se realizan siempre según las mismas leyes, sea por una necesidad invencible, sea por su naturaleza, sea por cualquiera otra causa, como son, por ejemplo, los movimientos de equinoccio y de solsticio respecto del sol. Tampoco es posible deliberar sobre las cosas que son tan pronto de una manera como de otra; por ejemplo, las sequías y las lluvias; ni sobre los sucesos que dependen únicamente del azar, como el hallazgo de un tesoro. Tampoco puede aplicarse la deliberación sin excepción alguna a todas las cosas puramente humanas, y así a un lacedemonio no se le ocurrirá deliberar sobre la mejor medida política que hayan de tomar los escitas, porque nada de esto puede producirse mediante nuestra intervención ni depende de nosotros.

No deliberamos sino sobre cosas que están sometidas a nuestro poder, y éstas son precisamente todas aquellas de las que hasta ahora no hemos hablado. La naturaleza, la necesidad, el azar, es cierto que pueden ser causas de muchas cosas, pero es preciso contar además con la inteligencia y todo lo que se produce por la voluntad del hombre. Los hombres deliberan, cada cual en su esfera, sobre las cosas que se creen capaces de poder hacer. En las ciencias exactas, independientes de toda arbitrariedad, no da lugar a deliberar; por ejemplo, en !a gramática, donde no hay ni alternativa ni incertidumbre posible sobre la ortografía de las palabras. Pero deliberamos sobre las cosas que dependen de nosotros, y que no son siempre invariablemente de una sola y misma manera; por ejemplo, se delibera sobre las cosas de medicina, sobre las especulaciones de comercio y sobre los negocios. Se delibera sobre el arte de la navegación más que sobre el arte de la gimnástica, en la proporción que la primera de estas artes es menos precisa que la segunda. Lo mismo sucede en todo lo demás, y se delibera más sobre las artes que sobre las ciencias, porque aquéllas presentan más materia a la incertidumbre y al disentimiento.

La deliberación se aplica especialmente a las cosas que, sometidas a reglas ordinarias, son, sin embargo, oscuras en su desenlace particular, y respecto de las cuales nada se puede precisar de antemano. Éstas son las cosas para las que, cuando son importantes, llamamos en nuestro auxilio a consejeros más ilustrados que nosotros, porque desconfiamos de nuestro solo discernimiento y de nuestra insuficiencia en los casos dudosos. Por lo demás, no deliberamos en general sobre el fin que nos proponemos, sino más bien sobre los medios que deben conducirnos a él. Así, el médico no delibera para saber si debe curar a sus enfermos, ni el orador para saber si debe convencer a su auditorio, ni el hombre de estado para saber si debe hacer buenas leyes; en una palabra, en ningún género se delibera sobre el fin especial que se sigue, sino que una vez que nos hemos propuesto cierto fin, indagamos cómo y por qué medios se podrá llegar a él. Si hay muchos medios de conseguirlo, se busca con pronunciada atención cuál de ellos es el más fácil y el mejor, y si no hay más que uno, se estudia el modo de obtener por este medio único la cosa que se desea. Se procurará también descubrir el camino para poderse hacer dueño de este medio hasta llegar a la causa primera, que resulta ser la última que se descubre en esta investigación. Realmente, el deliberar equivale a buscar una cosa por el procedimiento que acaba de ser descrito, y a hacer un análisis semejante al que se aplica a las figuras de geometría que se quieren demostrar. Por otra parte, evidentemente no toda indagación es una deliberación; por ejemplo, las indagaciones matemáticas, pero toda deliberación es una indagación, y el último término que se encuentra en el análisis a que uno se consagra es el primero que debe emplear para producir la cosa que desea. Si llega a convencerse de que la indagación es imposible, renuncia a ella, como, por ejemplo, cuando uno tiene necesidad de dinero y ve que no puede proporcionárselo. Pero si la indagación parece posible, entonces se esfuerza por llevarla a cabo, y colocamos entre las cosas posibles todas aquellas que podemos hacer por nosotros mismos o por medio de nuestros amigos, porque lo que hacemos por ellos es en cierta manera hecho por nosotros, puesto que en nosotros se encuentra el principio de su acción. Unas veces buscamos en las deliberaciones los instrumentos; otras, el uso que debe hacerse de ellos, y en todas ocasiones lo que se busca es ya el medio que debe emplearse, ya la manera con que debe conducirse, ya la persona que deberá intervenir.

Así pues, siempre es el hombre, como acabamos de decir, el principio mismo de sus actos. La deliberación recae sobre las cosas que puede hacer, y los actos tienen siempre por objeto otras cosas distintas de ellos mismos. Por consiguiente, no es sobre el fin mismo sobre el que se delibera, sino sobre los medios que pueden conducir a él. No se delibera tampoco sobre las cosas individuales y particulares; por ejemplo, para saber si este objeto que se tiene a la vista es pan, ni si está bien cocido, ni si está trabajado convenientemente, porque éstas son cosas que la sensación por sí puede juzgar, y si se hubiera de deliberar siempre y sobre todo, sería cosa de perderse en el infinito. Pero el objeto de la deliberación es el mismo que el de la intención o preferencia, con esta sola diferencia: que el objeto de la intención o de la preferencia debe estar previamente fijado. El objeto en que se fija el juicio después de una deliberación reflexiva es el que la intención prefiere, puesto que se cesa de indagar cómo se debe obrar desde el momento en que se ha visto la causa de la acción en sí misma, y se la ha sometido a esta facultad que en nosotros dirige y gobierna todas las demás, porque ella es la que prefiere y escoge con intención. Esta distinción se puede ver con plena evidencia hasta en los antiguos gobiernos, cuya imagen nos ha trazado Homero; allí se ve a los reyes anunciar al pueblo las resoluciones que han preferido y lo que tienen intención de hacer.

Así pues, siendo siempre el objeto de nuestra preferencia, sobre el cual se delibera y sobre el cual se desea una cosa que depende de nosotros, podrá definirse la intención o preferencia diciendo que es el deseo reflexivo y deliberado de las cosas que dependen solamente de nosotros solos, porque nosotros juzgamos después de haber deliberado, y luego deseamos el objeto conforme a nuestra deliberación y a nuestra resolución voluntaria.

Este sencillo bosquejo que acabamos de trazar de la preferencia moral o intención, basta para hacer ver lo que ella es y las cosas que la conciernen, y para demostrar que sólo se dirige a la indagación de los medios que pueden conducir al fin que se busca.

## El objeto verdadero de la voluntad es el bien

Se ha dicho que la deliberación y la voluntad se aplican al objeto que se busca. Pero este objeto, según unos, es el bien mismo, y, según otros, sólo es lo que nos parece ser el bien. Cuando se sostiene que sólo el bien es el objeto de la voluntad, se corre el riesgo de caer en esta contradicción: que lo que quiere el hombre, cuya preferencia le ha sido mala, no es realmente querido por él, porque desde el momento en que la cosa es el objeto de la voluntad, precisamente es buena según esta teoría, y sin embargo ella es mala, puesto que fue debida a una preferencia extraviada. Por otra parte, si se pretende que la voluntad busque, no el bien mismo, sino sólo el bien aparente, resultaría que los objetos de nuestra voluntad no existen en la naturaleza, y que son únicamente el resultado de la opinión que de ellos se forma cada uno de nosotros. Pero esta opinión varía con los individuos, y por tanto resultaría que las cosas más contrarias podrían causarnos indistintamente la ilusión del bien.

Como estas dos soluciones no son muy satisfactorias, es preciso decir de una manera absoluta y de conformidad con la verdad que el bien es el objeto de la voluntad, pero que para cada uno en particular es el bien tal como le aparece. Y así, para el hombre virtuoso y modesto, es el bien verdadero; para el malo, es lo que el azar le presenta. En esto sucede lo que con los cuerpos: cuando gozan de buena salud, las cosas realmente sanas son sanas para ellos, pero no lo son para los cuerpos que padecen una enfermedad, y lo mismo podría decirse de las cosas amargas, dulces, calientes, toscas, y de todas las demás, considerada cada una en particular. En igual forma el hombre virtuoso sabe siempre juzgar las cosas como es debido, y conoce la verdad respecto de cada una de ellas, porque según son las disposiciones morales del hombre, así las cosas varían, y las hay especialmente bellas y agradables para cada uno.

Quizá la gran superioridad del hombre virtuoso consiste en que ve la verdad en todas las cosas, porque él es como su regla y medida, mientras que para el vulgo el error en general procede del placer, el cual parece ser el bien, sin serlo realmente. El vulgo escoge el placer que toma por el bien, y huye del dolor, que toma por el mal.

## La virtud y el vicio son voluntarios

Siendo el fin a que se aspira el objeto de la voluntad, y pudiendo estar sometidos a nuestra deliberación y a nuestra preferencia los medios que conducen a este fin, se sigue de aquí que los actos que se refieren a estos medios son actos de intención y actos voluntarios, y ésta es precisamente la esfera en que se ejercitan en realidad todas las virtudes. Por lo tanto, no ofrece la más pequeña duda que la virtud depende de nosotros, y en igual forma el vicio depende también de nosotros, porque, en efecto, si depende de nosotros el obrar, lo mismo depende el no obrar, y donde podemos decir *no,* lo mismo podemos decir *sí.* Por consiguiente, si ejecutar un acto que es bueno depende de nosotros, de nosotros dependerá también no ejecutar un acto que es vergonzoso, y a la inversa, si no hacer el bien depende de nuestra voluntad, hacer el mal dependerá igualmente. Pero si hacer el bien o el mal depende de nosotros solos, no hacer ni el bien ni el mal dependerá exactamente lo mismo, y esto es lo que entendíamos por ser buenos y malos al hablar de los hombres. Luego podremos decir que depende realmente de nosotros el ser hombres de bien o ser viciosos. Pero suponer que «nadie es perverso con gusto, ni dichoso a pesar suyo», es una aserción a la vez errónea y verdadera. No, ciertamente, nadie tiene la felicidad que da la virtud contra su gusto, pero el vicio es voluntario. ¿Será preciso poner en duda la teoría que acabamos de sostener, y habrá de decirse que el hombre no es el principio y el padre de sus acciones, como lo es de sus hijos? Pero si esta paternidad es evidente, si no podemos atribuir nuestras acciones a otros principios que a los que están en nosotros, es preciso reconocer que los actos, cuyo principio está en nosotros, dependen de nosotros mismos y son voluntarios. Todo esto resulta confirmado por el testimonio de la conducta personal de cada uno de nosotros y por el testimonio de los legisladores mismos. Castigan e imponen penas a los que cometen actos culpables, siempre que estas acciones no son el resultado de una coacción o de una ignorancia de que el agente no sea responsable. Por el contrario, recompensan y tributan honores a los autores de acciones virtuosas. Evidentemente con esta doble conducta quieren animar a los unos y traer al buen camino a los otros. Pero en todas las cosas que no dependen de nosotros, en todas las cosas que no son voluntarias, a nadie se le ocurre obligarnos a ejecutarlas, porque se sabe que sería completamente inútil exigir de nosotros, por ejemplo, no tener calor, no tener frío, no tener hambre o no experimentar tales o cuales sensaciones análogas, puesto que no las experimentaríamos menos, a pesar de todas las exhortaciones del mundo. Los legisladores llegan hasta el punto de castigar actos cometidos sin conocimiento de causa cuando el individuo parece culpable de la ignorancia en que estaba. Así imponen dobles penas a los que cometen un delito en la embriaguez, porque el principio de la falta está en el individuo, puesto que es dueño de no embriagarse, y la embriaguez ha sido la única causa de su ignorancia. También castigan los legisladores a los que ignoran las disposiciones de la ley que deben saber cuando se opone a decirlo una gran dificultad. La misma severidad muestran en todos aquellos casos en que la ignorancia procede de negligencia, por creer que depende del individuo el salir de la ignorancia, poniendo de su parte los medios necesarios para cumplir con su deber. Quizá se objetará que hay hombres que por su naturaleza son incapaces de hacer lo preciso para salir de este estado, pero se puede responder que la causa de esta degradación ha nacido de los individuos mismos y como consecuencia de los desórdenes de su vida. Si son culpables y si han perdido el dominio de sí mismos, suya es la culpa por haber los unos cometido malas acciones y pasado los otros el tiempo en medio de los placeres de la mesa y de excesos vergonzosos. Los actos repetidos, de cualquier género que sean, imprimen a los hombres un carácter que corresponde a estos actos, lo cual puede verse evidentemente por el ejemplo de todos los que se dedican a cualquier ejercicio o trabajo, pues llegan a poder consagrarse a ello constantemente. No saber que en todas materias los hábitos y las cualidades se adquieren mediante la continuidad de actos, es un error grosero propio de un hombre que no conoce ni siente absolutamente nada.

No es menos irracional sostener que el que hace el mal no tiene la voluntad de hacerse malo, y que el que se entrega a la relajación no tiene intención de hacerse un hombre corrompido. Cuando sin poder alegar ignorancia se ejecutan actos que deben hacer al hombre malo, es indudable que se hace uno malo voluntariamente. Más aún, cuando una vez es uno vicioso, no basta que quiera cesar de serlo y hacerse virtuoso, ni más ni menos que un enfermo no podrá recobrar instantáneamente la salud por un simple deseo. Con deliberada voluntad, si bien se mira, es como ha caído en la enfermedad, por haber vivido entregado a una vida de excesos y rehusado oír el dictamen de los médicos, y si hubo un tiempo en que le fue posible evitar la enfermedad, avanzada ésta, no le es ya permitido librarse de sus consecuencias. Es lo mismo que cuando se lanza una piedra, que no es posible detenerla después de desprendida de la mano, y, sin embargo, de nosotros dependía solamente lanzarla o no lanzarla, porque el movimiento inicial estaba a nuestra disposición. Lo propio sucede con el hombre malo y corrompido; de él dependía en un principio no ser lo que ha llegado a ser, y por consiguiente se ha hecho hombre pervertido por su libre voluntad, y, una vez llegado a este punto, no le ha sido posible dejar de serlo.

Pero no son sólo voluntarios los vicios del alma, sino que en muchos casos no lo son menos los vicios del cuerpo, y entonces también están sometidos a nuestra censura. Así a nadie se echa en cara una deformidad natural, pero se critica a los que tienen esta deformidad por falta de ejercicio y de cuidado. La misma distinción tiene lugar respecto de la debilidad, la fealdad y los achaques. ¿Quién, por ejemplo, puede reprender a un hombre porque sea ciego de nacimiento o a consecuencia de una enfermedad o de un golpe? Más bien se compadece su desgracia. Pero todo el mundo dirige un cargo justo al que está ciego por efecto del hábito de la embriaguez o por cualquier otro vicio. Así pues, se censuran los vicios del cuerpo cuando dependen de nosotros; no se censuran los que no pueden depender, y si tal sucede en todos los vicios de este orden, lo mismo debe decirse de todos los demás, de los vicios del alma, que no son censurables sino cuando dependen solamente de nosotros.

Pero puede hacerse una objeción, diciendo: «todo el mundo, sin excepción, desea lo que le parece que es el bien, pero ninguno es dueño de evitar las apariencias de la imaginación, y tal como es uno moralmente, tal le aparece también el fin que se propone. Si cada uno de nosotros sólo es responsable hasta cierto punto del carácter que tiene, tampoco deberá ser responsable sino hasta cierto grado de las apariencias, bajo las cuales se presentan las cosas a su imaginación. Nadie es culpable del mal que hace, si comete este mal por ignorancia del fin verdadero, creyendo que, obrando como obra, asegura para sí el bien supremo a que aspira. La busca y el deseo del verdadero fin en la vida no dependen de la libre elección del individuo; es preciso que nazca éste, si puede decirse así, con una vista que le haga discernir claramente las cosas, y entonces podrá escoger el verdadero bien. Pero encontrarse con esta dichosa disposición al tiempo de nacer es un beneficio de la naturaleza; beneficio, el más grande y bello de todos, que no puede recibirse ni aprenderse de otro, y que no puede ser ni más ni menos que un efecto debido a la casualidad del nacimiento, de manera que la cometa y verdadera perfección de nuestra naturaleza sólo consiste en haber recibido este don en toda su grandeza y hermosura en el momento que hemos nacido».

Si todo esto es exacto, pregunto: ¿cómo puede ser la virtud más voluntaria que el vicio? El aspecto bajo el que el fin aparece y queda sentado, es absolutamente igual para el hombre virtuoso que para el hombre malo, ya sea por otra parte un simple efecto o de la naturaleza o de cualquiera otra causa, y refiriendo todo lo demás a este fin es como uno y otro obran en este o en aquel sentido. Sea, pues, que este fin con todas sus diversidades no aparezca únicamente al espíritu del hombre por una acción ciega de la naturaleza, y que haya alguna cosa más; sea, por el contrario, que el fin sea completamente impuesto por la naturaleza, y que, no por otro motivo sino porque el hombre de bien puede concurrir al efecto con el resto de sus acciones, pueda decirse que la virtud es voluntaria; no es menos cierto que el vicio es voluntario tanto como lo es la virtud misma, porque el malo, lo mismo que el hombre de bien, tiene en sus acciones una parte propia que se atribuye a sí mismo, ya que no tenga ninguna en el fin que le es impuesto. Por consiguiente, si como se ha dicho, las virtudes son voluntarias porque somos per-sonalmente cómplices de nuestras cualidades, y por lo mismo que tenemos un carácter moral de cierta especie, suponemos un fin conforme a este carácter, se sigue de aquí que los vicios son igualmente voluntarios, y la paridad entre unos y otros queda en pie.

En resumen, hemos tratado de las virtudes en general, y, para mostrar con más precisión su naturaleza, hemos sentado que ellas son medios y hábitos. Hemos indicado las causas mediante las que estas virtudes se producen, y hemos dicho igualmente que por sí mismas pueden las virtudes a su vez producir estas causas. Hemos añadido que dependen de nosotros y son voluntarias, y que deben ejercitarse como la recta razón lo prescribe. Las acciones, por lo demás, no son voluntarias a la manera de los hábitos, porque somos siempre dueños de las acciones, desde el principio hasta el fin, y conocemos en cada instante todos sus detalles particulares; por lo contrario, en cuanto a los hábitos, sólo en su principio somos árbitros de ellos, y no es posible reconocer lo que las circunstancias pueden influir en cada momento, lo mismo que no se sabe en relación a las enfermedades. Pero como podemos dirigir siempre a nuestro gusto estos hábitos, o no dirigirlos de tal o cual manera, puede afirmarse que son voluntarios.

Ahora bien, volvamos al análisis de las virtudes y digamos para cada una en particular qué son, a qué se aplican y cómo obran. Este estudio nos hará ver al mismo tiempo cuál es su número. Comencemos por el valor.

## Del valor

Que el valor es un medio entre el miedo y la audacia es cosa que ya hemos dicho antes. Tememos las cosas que son de temer, y estas cosas, valiéndonos de una expresión general, son los males. He aquí por qué se define el temor: la aprensión de un mal. Tememos los males de toda clase, el deshonor, la pobreza, la enfermedad, el abandono, la muerte. Pero el hombre valiente no parece que deba tener valor contra todos los males sin excepción. Hay más de uno, por el contrario, que debe temerse, que es honroso temer y que sería cosa vergonzosa no temer: el deshonor, por ejemplo. El hombre que teme el deshonor es un hombre digno de estimación, porque tiene el sentimiento del honor. Por el contrario, el que no lo teme es un miserable sin vergüenza. Si a veces se le llama valiente no es sino por metáfora, porque tiene una especie de semejanza con el hombre valiente, puesto que el hombre de valor es también el que no teme. Puede suceder también que no haya precisión de temer la pobreza, ni la enfermedad, ni en general ninguno de esos males que no proceden del vicio, y que no dependen del que los sufre. Sin embargo, el hombre que sabe despreciar sin temor los males de este género, no es precisamente el hombre valiente. Le damos este nombre por una especie de semejanza, porque algunas veces sucede que personas que son cobardes en los peligros de la guerra, no son menos generosos y sufren con una constancia firme las pérdidas de fortuna. Tampoco puede decirse que es uno cobarde porque tema que se insulte a sus hijos o a su mujer, o bien porque teme los ataques de la envidia o cualquier otro mal de este género. Ni puede decirse que un hombre es valiente porque dé pruebas de firmeza esperando los latigazos que lo amenazan.

¿Cuáles son, pues, entre los males temibles, a los que debe aplicarse realmente el valor? Son los más grandes, porque nadie sabe mejor que el hombre de valor soportar estos males. Ahora bien, la muerte es el mal más temible de todos, porque es el fin de todas las cosas, y, al parecer, una vez que uno muere, ya no hay ni bien ni mal para él.

Sin embargo, el valor no consiste en luchar contra la muerte en todos los casos indistintamente: por ejemplo, en un naufragio o en la enfermedad. ¿En qué ocasiones se ejercita más especialmente? ¿No es en las más bellas, en las más célebres? Pues bien, estas ocasiones se presentan en la guerra, y la muerte aparece en ella envuelta en el peligro más grande y más glorioso, como lo prueban también los honores que las ciudades y los monarcas prodigan a los guerreros valientes.

Así pues, puede llamarse verdaderamente valiente al hombre que se presenta sin temor ante una muerte honrosa y ante peligros que a cada instante pueden caer sobre él, como sucede sobre todo con los de la guerra. Sin embargo, si el hombre de valor es inaccesible al temor, sea en la tempestad, sea en las enfermedades, no lo es tanto como lo son las gentes de mar. En tales circunstancias los hombres más valientes pueden desesperar de su salvación y lamentar una muerte tan poco digna, mientras que la gente de mar conserva, por el contrario, cierta esperanza nacida de su experiencia y del hábito de su oficio. Además, debe tenerse en cuenta que el valor se muestra en los casos en que es preciso defenderse con energía y en que la muerte puede ser honrosa, pero no hay defensa posible ni es cuestión de honra cuando se muere de una enfermedad o en un naufragio.

## De los objetos

Los objetos que pueden causar temor no son los mismos para todos los hombres sin distinción. Consideramos como un objeto verdaderamente temible el que supera las fuerzas ordinarias de la humanidad, y el objeto digno de temor es en general aquel que puede aterrar a un espíritu que está en el goze pleno de su razón. Pero en todo lo concerniente al hombre, hay diferencias de magnitud, diferencias de más y de menos. Y añado que estas diferencias que se aplican a los objetos temibles pueden aplicarse también a los objetos que ofrecen seguridad en lugar de producir espanto. El hombre valiente es inalterable, pero en tanto que hombre, lo cual no quiere decir que no tema los peligros que el hombre prudente debe temer. Por el contrario, los temerá como deba temerlos, y los soportará como la razón quiere que los soporte, bajo la inspiración del sentimiento del deber, que es el mismo de la virtud. Pueden temerse los peligros con más o menos fundamento, así como se pueden temer igualmente como muy graves los que no son realmente temibles. Estas diversas faltas deberán proceder, ya de que se teme lo que no debe temerse, ya de que se teme de distinta manera de como debería temerse, y ya, por último, de que el temor no esté justificado en el momento en que tiene lugar o de que haya por medio cualquiera otro error. Pueden distinguirse igualmente todos estos matices respecto de las cosas que nos tranquilizan en lugar de aterrarnos. El que soporta y sabe temer lo que debe temer y soportar, lo hace por una causa justa, de la manera y en el momento convenientes, y sabe igualmente tener una concienzuda seguridad en todas estas condiciones; un hombre semejante es un hombre de valor, porque el valiente sufre y obra apreciando debidamente las cosas y conforme a los dictados de la razón.

Ahora bien, el fin de cada acto particular es siempre conforme al carácter del agente, y como el valor es un deber para el hombre valiente, el fin que se propone en cada una de sus acciones es conforme a este noble fin. Cada cosa es determinada por el fin con que se la relaciona, y por consiguiente, para satisfacer al honor y al deber, es para lo que el hombre valiente soporta y hace todo lo que constituye el verdadero valor.

En cuanto a los caracteres que en este punto pecan por exceso, esto es, la ausencia completa de todo temor, no han recibido nombre especial, y ya hemos hecho observar anteriormente que hay muchos matices a los cuales no se ha dado nombre particular. Este carácter será, si quiere llamarse así, la demencia; será una insensibilidad absoluta en frente del dolor, cuando se llega hasta el punto de no temer ni un temblor de tierra, ni las olas encrespadas, como, según se dice, hacen los celtas. Al que peca por un exceso de confianza en presencia de verdaderos peligros se le llama temerario. A veces el temerario tiene más trazas de ser un fanfarrón y un hipócrita que aparenta valor. Lo que en realidad es el hombre valiente con relación a los peligros, el fanfarrón aparenta serlo, o imita al hombre de corazón hasta donde le es posible. Estos caracteres las más de las veces son una mezcla de audacia y de cobardía, y llenos de ardor cuando no hay nada que temer, cuando hay un verdadero peligro no saben soportarlo.

El que peca por exceso de miedo es un cobarde, porque todos esos errores de que hemos hablado antes y que dan lugar a equivocarse sobre los objetos temibles, la manera cómo debe temérseles y otros análogos, acompañan y siguen al cobarde. No peca menos por falta de confianza, pero donde más descubre su carácter es en los momentos de aflicción, pues, cayendo sin el menor recato en todos los excesos del sentimiento, pone en evidencia su debilidad. De aquí que, como teme siempre, tiene la mayor dificultad en concebir esperanza, mientras que al valiente sucede todo lo contrario, porque la seguridad es propia de un corazón que tiene buenas esperanzas.

Así el cobarde, el temerario, el valiente, lo son relativamente a los mismos objetos. Sólo que sus relaciones con estos objetos son diferentes, pecando los unos por exceso, los otros por defecto. El hombre de valor sabe mantenerse en un justo medio y obrar como lo exige la razón. Los temerarios corren con ardor en busca del peligro; después, cuando éste llega, vuelven pie atrás las más veces. Los valientes, por el contrario, serenos antes, sostienen después resueltamente su puesto en la acción.

Podemos, pues, repetirlo: el valor es un justo medio respecto de las cosas que pueden inspirar al hombre temor o confianza en las condiciones que hemos indicado. El verdadero valor arrostra y soporta el peligro, porque el deber se lo impone, o porque sería vergonzoso sustraerse a él. Por lo demás, suicidarse por evitar la pobreza o los tormentos del amor, o cualquier otro suceso doloroso, no es propio de un hombre valiente, y sí más bien de un cobarde. Huir del dolor y de las pruebas de esta duda es una debilidad, porque en este caso no se sufre la muerte porque sea cosa grande sufrirla, sino que se la busca únicamente porque se quiere evitar el mal a todo trance.

El valor es, por lo tanto, sobre poco más o menos, tal como queda bosquejado.

## Especies diversas de valor

El lenguaje ordinario distingue aún otras especies de valor, pudiendo enumerarse cinco principales. En primer lugar está el valor cívico, que parece aproximarse más al que acabamos de describir. Los ciudadanos, como es difícil observar, arrostran todos los peligros para evitar los castigos o la infamia con que la ley los amenaza, o para conquistar las distinciones que promete. Y he aquí por qué los pueblos más bravos de todos son aquellos en que la cobardía infama y el valor honra. Tales son los héroes que canta Homero, por ejemplo, Diómedes y Hector. Éste exclama:

«Polidamas las comenzará por hacerme cargos».

Y Diómedes:

«Algún día el valeroso Hector
dirá a sus troyanos:
He hecho huir a Diómedes».

Si el valor cívico se aproxima más que ningún otro a aquel de que hemos hablado en primer lugar, es porque, lo mismo que en éste, su fundamento es la virtud producida por un noble pudor y por el deseo del bien. El valor cívico ambiciona el honor, y lo que teme es la censura, que sería vergonzosa. Podrían también colocarse en el mismo rango que los ciudadanos los que se someten a la coacción que les imponen las órdenes de sus jefes. Sin embargo, están por debajo de aquellos porque éstos obran movidos, no por un pudor laudable, sino por el temor, y no huyen tanto de la deshonra como del castigo. Los jefes, dueños de sus inferiores, convierten sus órdenes en una necesidad, y así Hector pudo decir:

> «El que yo sorprenda huyendo lejos de los suyos, no podrá sustraerse al diente de mis perros».

Esto es lo que hacen también los generales cuando ordenan que se castigue sin compasión a los soldados que retroceden, o cuando en otros casos colocan sus tropas delante de fosos u otros obstáculos de este género; siempre ejercen fuerza y coacción. Pero el hombre no debe ser valiente por violencia y necesidad; es preciso que sea bravo únicamente porque es bella cosa el serlo.

La experiencia adquirida en ciertos géneros de peligros puede también producir los efectos del valor, y he aquí cómo Sócrates ha podido creer que el valor es una ciencia. La experiencia puede hacer valientes en muchos y diferentes casos: por ejemplo, la de los soldados en las cosas de la guerra, porque hay muchas circunstancias en ésta en que se desvanece el peligro gracias a los soldados experimentados, que descubren la realidad de una sola ojeada, y muchas veces, si parecen tan valientes, es porque los demás no saben precisamente lo que hay. Otro resultado de la experiencia es la infinidad de cosas que ésta les enseña y que utilizan contra el enemigo, ya resguardándose ellos mismos, ya defendiéndose, ya atacando. Merced todo a su hábito en el manejo de las armas, que les enseña los mejores medios para a la vez obrar y evitar accidentes, casi podría decirse que combaten completamente armados contra gentes desarmadas, como los atletas de profesión contra los aficionados que no se ejercitan, porque en las luchas de este género no son los más valientes los que provocan con más gusto el combate, sino que son los que se reconocen más fuertes y tienen cuerpos más robustos. Los soldados se hacen cobardes cuando los peligros son mayores que lo que esperaban y se sienten demasiado inferiores en número y en recursos militares. Son entonces los primeros en huir, mientras que los simples ciudadanos permanecen en su puesto y saben morir en él. Este contraste se vio patentemente en Hermaaum: los ciudadanos se avergonzaron de huir, y les pareció preferible la muerte a una salvación conseguida a costa de su honor. Los soldados se presentaron desde luego ante el peligro confiados en que eran los más fuertes, y cuando se apercibieron de que no era así, se desbandaron al momento, temiendo la muerte más que la deshonra. Esto no lo hace el hombre de valor.

Algunas veces se toma también por valor la cólera, que se confunde con él. Se tiene por hombres valientes a los que sólo están animados por la cólera, a la manera que embisten las bestias feroces cuando se arrojan sobre los que las hieren. Si en este punto puede haber alguna equivocación es que, en efecto, los valientes son muy propensos a encolerizarse, y además, no hay nada como la cólera para despreciar los peligros. Por esto Homero ha dicho:

«La cólera que siente ha redoblado sus fuerzas».

O bien:

«Él despierta en su seno su fuerza y su cólera».

Y también:

«Una viva cólera ha hinchado sus narices...
y la sangre agitada hervía en su corazón».

Expresiones todas que pintan el comienzo y el estrépito de la cólera.

Los verdaderamente valientes no obran sino movidos por el sentimiento del honor; la cólera no hace más que venir en su auxilio y ayudarles. Las bestias, por el contrario, sólo tienen valor excitadas por el dolor; es preciso que se las castigue o que tengan miedo, y jamás se echan sobre el hombre cuando se las deja en paz en sus bosques o pantanos. Cuando se ven estrechadas por el sufrimiento o la cólera, entonces se arrojan al peligro sin apercibirse de nada de lo que les amenaza, pero esto no es obra del valor; de otro modo resultaría que los asnos mismos, cuando tienen hambre, manifiestan valor, porque entonces, por más que se les castigue, no abandonan por eso el pasto. De igual manera los libertinos, arrastrados por sus deseos lividinosos, hacen con frecuencia las cosas más audaces.

No puede, pues, decirse que los sentimientos que hacen que nos arrojemos violentamente al peligro, impulsados por la ira o por el dolor, constituyan el valor. Sin embargo, el valor que parece más natural es el que produce en nosotros la cólera, y se convierte en verdadero valor cuando a la cólera se une la reflexión y elección libre de un fin racional. La cólera, por otra parte, es siempre un sentimiento que causa pena, la venganza, o lo contrario, es un placer. Puede dejarse uno arrastrar por estas pasiones, pero esto no quiere decir que se tenga valor, porque entonces no es el honor ni la razón lo que nos determina; es la pasión. Todo lo que puede concederse es que estos sentimientos tienen alguna analogía con el valor.

Tampoco es uno valiente cuando lo es por la esperanza y confianza en el éxito, porque sólo por haber conseguido frecuentes ventajas sobre numerosos enemigos es como puede tenerse confianza en los momentos del peligro. El punto de semejanza entre ambos casos consiste en la seguridad y confianza que se tiene. Pero los hombres verdaderamente valientes sacan esta confianza de los motivos nobles que indicamos arriba, mientras que los otros, si se presentan tan resueltos, es porque se creen los más fuertes, y porque nada temen por sí mismos. Tales gentes se forjan las mismas ilusiones que los que se embriagan, y como éstos están siempre llenos de esperanza, pero cuando la empresa sale mal, echan a correr. Por el contrario, el hombre de verdadero valor, como hemos visto, arrostra todo lo que puede ser o parecer temible al corazón, porque es siempre digno arrostrar el peligro, así como cosa indigna no arrostrarlo. Por esto hay un mayor grado de valor en conservar la intrepidez y la serenidad en los peligros súbitos que en los peligros previstos largo tiempo antes, porque la intrepidez en tal caso parece proceder más del carácter habitual que de una reflexión tenida tiempo antes para prepararse. Los peligros que se han previsto se pueden aceptar por consideraciones diversas y en nombre de la razón, pero sólo el hábito anteriormente adquirido es el que nos decide en los peligros imprevistos y repentinos.

En fin, basta en ocasiones ignorar el peligro para parecer valiente. Los que sólo apoyan su firmeza en esta ignorancia no se diferencian mucho de los que tienen valor, fundados en la esperanza del éxito, pero tienen menos mérito, porque ninguna cuenta tienen de sí mismos, mientras que los otros tienen alguna. Estos últimos, por lo menos, se mantienen firmes por algunos instantes, pero los que lo hacen por ignorancia, tan pronto como ven que se han engañado, aparecen las cosas distintas de como creían y se apresuran a huir. Esto fue lo que dio a los argivos cuando cayeron sobre los espartanos, creyendo que eran los habitantes de Sicione.

Ya puede verse claramente, por lo que precede cuáles son los hombres de verdadero valor y los que sólo tienen las apariencias del mismo.

## Estimación del valor

Bien que el valor se refiera al miedo y a la confianza, no está, sin embargo, en la misma relación con estos dos sentimientos. Se manifiesta más en los casos en que hay que temer.

En efecto, el hombre que en estas circunstancias conserva la sangre fría y permanece en frente del peligro como es debido, es más valiente que el que sólo tiene el mérito de distinguir bien los motivos que existan para estar tranquilo. Así pues, cuando se soportan, como queda dicho, penas y dolores, entonces puede llamarse un hombre valiente, y de aquí que, siendo el valor una cosa muy pura, el elogio que de él se hace es perfectamente justo, porque es más difícil sufrir el dolor que abstenerse del placer. Sin embargo, debe tenerse entendido que el fin del valor es siempre una cosa muy dulce, cuyo poderoso atractivo nos ocultan las circunstancias que rodean a aquél. Puede observarse fácilmente un fenómeno semejante en los combates de la gimnástica. El fin que se proponen los luchadores es ciertamente muy halagüeño: es el premio, son los honores lo que ellos ambicionan, pero los golpes que reciben son dolorosos, porque, sea como quiera, los luchadores son de carne y hueso. El trabajo que se toman no deja de ser muy penoso, y como son muchos los inconvenientes y el fin que se proponen de poca monta, parece que en todo esto no debe haber nada de seductor. Siendo esto así, y si puede decirse otro tanto del valor, la muerte y las heridas serán para el hombre valiente cosas penosas, y no se expondrá a las mismas sino forzado. Las arrostrará porque es honroso hacerlo, y el no hacerlo cosa indigna, pero cuanto más perfecta sea su virtud, y por consiguiente más completa su felicidad, tanto más sentirá la muerte, porque para un hombre semejante la vida tiene todo su valor, como que se va a ver privado de los bienes más preciosos sabiendo todo lo que valen, y éste es un dolor muy vivo. Y sin embargo, no por esto es menos y miente; quizá lo es más, porque prefiere a todos estos bienes el honor que se adquiere en los combates. Por lo demás, en el ejercicio de todas las otras virtudes la acción está muy lejos de proporcionar tan poco placer, y sólo puede tener cabida éste en cuanto se fija la consideración en el objeto final.

Nada impide, y téngase así entendido, que los soldados que no se mueven por tales sentimientos sean los más temibles y los más fuertes, siendo menos valientes y no teniendo ninguna otra cualidad, pues tales gentes están dispuestas a despreciar todos los peligros y ofrecer su vida por un pobre salario.

He aquí lo que teníamos que decir acerca del valor, y con lo que se puede sin gran dificultad formar idea bastante exacta de lo que es.

## De la templanza

Hablemos de la templanza después del valor, porque son al parecer las dos virtudes de las partes irracionales del alma.

Hemos dicho que la templanza es el justo medio en todo lo relativo a los placeres. Se refiere menos directamente a los dolores, y no es de la misma manera en ambos casos. Por otra parte, en los mismos objetos que ella, se manifiesta el desarreglo, que no tiene límites. Pero por el momento determinemos entre los placeres cuáles son aquellos a que se aplica la templanza más particularmente. Dividamos los placeres en placeres del alma y del cuerpo. Tomemos como ejemplo la ambición y el amor a la ciencia. Sin duda alguna, el que experimenta alguno de estos dos sentimientos goza vivamente de la cosa que ama, pero su cuerpo no experimenta ninguna pasión, y su alma es más bien la que los percibe. No puede decirse, con relación a los placeres de este género, que un hombre es templado o intemperante, y lo mismo sucede respecto a todos los demás placeres que no son corporales. Y así, los que gustan charlar y referir historias y pasan los días entregados a cosas fútiles, podemos llamarles con razón picoteros, pero no intemperantes, como tampoco a los que se afligen desmesuradamente con motivo de la pérdida de su dinero o de sus amigos.

La templanza se aplica a los placeres del cuerpo, pero no a todos sin excepción, porque a los que gustan de los placeres de la vista y gozan, por ejemplo, con los que producen los colores, las formas y la pintura, jamás se les llama templados ni intemperantes. Sin embargo, podría sostenerse hasta cierto punto que lo son, porque en los placeres de esta clase se puede gozar con medida o pecar también, ya por exceso, ya por defecto. La misma observación puede hacerse con relación a los placeres del oído. Nunca se ha creído que pudieran llamarse intemperantes a los que gozan con exceso de la música y de las representaciones escénicas, ni tampoco llamar templados a los que gozan de tales objetos hasta donde conviene. Tampoco podrá decirse con relación a los olores, a no ser indirectamente. No diremos que los que gustan del olor de las manzanas, de las rosas o de los perfumes que se queman sean intemperantes en materia de olores; más bien lo diríamos de los que gustan del olor de las esencias y de las viandas, porque los intemperantes gozan con estos olores en cuanto les recuerdan las cosas mismas que desean apasionadamente. También podrán verse otros que, cuando tienen hambre, se complacen sólo con el olor de los alimentos. Gustar de los placeres de este género es propio de un hombre intemperante, porque sólo el intemperante ansía vivamente todos estos objetos de goce. Los animales, distintos que el hombre, no conocen el placer que dan estas emociones sino de una manera indirecta, y así, los perros no tienen placer precisamente en sentir el olor de las liebres, pero sí lo tienen muy grande en comerlas, y el olor es el que causa en ellos esta sensación. El león no tiene placer tampoco en oír el mugido del buey, pero tiene un placer en devorarlo. Al oír su voz, ha comprendido que el buey estaba cerca, entonces es cuando la voz sola le ha causado placer, a la manera que no se regocija por ver o encontrar «un ciervo o una cabra salvaje», sino porque va a devorar su presa.

La templanza, según se ve, y la intemperancia, se aplican a estos placeres que son comunes igualmente a todos los animales, y por esto se dice que las pasiones de la intemperancia son indignas del hombre y que son brutales. Los sentidos a que responden estos placeres son el tacto y el gusto, y aun el gusto desempeña un papel bien limitado o casi nulo; sólo puede servir para juzgar de los sabores. Esto es lo que hacen los catadores de vinos o los cocineros cuando gustan las viandas que preparan, pero ningún placer tienen en practicar esta prueba, o por lo menos no es en ella en la que los intemperantes encuentran su placer, sino que lo hallan en el goce mismo, que se produce mediante el tacto en los placeres de comer y beber, como en los que se llaman placeres de Venus. Así, un glotón célebre, Filoxenes de Erix, deseaba que su garganta fuese más larga que la de una grulla, creyendo con razón que su placer de glotonería dependía sólo del tacto. El tacto, que es el más común de todos los sentidos, es el verdadero asiento de la intemperancia, y por esta razón debe aparecer tanto más reprensible, porque cuando el hombre se entrega a él, no es en tanto que hombre, sino como un animal. Hay, pues, algo de brutal en gozar de estos placeres, y sobre todo en entregarse a ellos exclusivamente. En este caso se pierden los placeres más dignos que puede producir el tacto, quiero decir, los que producen los ejercicios y las fricciones en los gimnasios con el calor vivificante que comunican, porque el tacto, tal como lo goza el intemperante, no está en el cuerpo todo entero, sino solamente en ciertas partes del cuerpo muy especiales.

## Más sobre la templanza

Entre los deseos que pueden apasionar al hombre, unos son evidentemente comunes a todos los seres, otros nos son particulares y adquiridos como resultado de un acto de nuestra voluntad que nos los impone. El placer del alimento, por ejemplo, es puramente natural, porque todo hombre desea el alimento, seco o líquido, cuando experimenta necesidad. Muchas veces siente a la vez estos dos deseos, como siente también, añade Homero, «el deseo de una compañera, cuando es joven y está en todo el vigor de la edad». Pero no experimentan todos indistintamente tales o cuales deseos, porque no tiene todo el mundo los mismos gustos, y he aquí cómo en esto ya se descubre que hay algo que es nuestro, lo cual no impide por otra parte que el deseo sea en el fondo perfectamente natural. Los placeres de los unos no son los placeres de los otros, y para cada uno de nosostros hay ciertas cosas que son más dulces que otras tomadas a la ventura. En punto a deseos naturales es muy raro el pecar, y aun las más veces sólo en un sentido se peca, es decir, por exceso. Así, comer o beber los alimentos, aun los más vulgares, hasta satisfacerse con exceso, es ir, atendida la cantidad que se toma, más allá de todo lo que la naturaleza reclama, puesto que ésta se contenta con darnos el simple deseo de satisfacer la necesidad. Por esto se llama glotones y gastrónomos a los que satisfacen este deseo más allá de lo necesario, y éstas son siempre naturalezas innobles que se degradan por este vicio.

Pero las faltas, y muy diversas, que cometen la mayoría de los hombres, recaen principalmente sobre los placeres especiales, porque aquellos a quienes se dan calificaciones tan diferentes, según las pasiones que les arrastran, se hacen culpables, ya por amar cosas que no deben amarse, ya por amarlas sin límites, ya por gozar de ellas groseramente como el vulgo, ya por gozar como no deben o en un momento poco oportuno. Los intemperantes cometen excesos bajo todos estos puntos de vista; tan pronto se complacen en ciertas cosas en que no deberían complacerse, porque son detestables, tan pronto, si recaen en cosas cuyo goce es lícito, lo llevan más allá de los justos límites y gozan como pudieran hacerlo las gentes más-groseras.

Esto basta para que se vea muy claramente que la intemperancia es un exceso en cuanto a placeres y que es reprensible. En relación a los dolores, no basta, como en el valor, saber sufrirlos para merecer el título de templado, y no saber sufrirlos, para merecer el de intemperante. El intemperante en este caso es el hombre que se aflige más de lo regular por no tener lo que le satisface, y en este sentido puede decirse que es el placer el que causa su pena. De otro lado, se granjea el nombre de templado y de prudente aquel a quien no afligen la ausencia del placer y la privación que sufre. Por el contrario, el intemperante desea con ardor todo lo que puede agradarle, y sobre todo lo que más le agrade. Su pasión solamente le conduce y arrastra a preferir el objeto de sus deseos al resto de las cosas que sacrifica. Además, siente el dolor más vivo durante todo el tiempo que desea y mientras le falta el objeto que ambiciona, porque el deseo va siempre acompañado de un sentimiento de dolor, aunque confieso que realmente es extraño decir que el placer crea el dolor.

En cuanto a placeres, son pocos los que pecan por defecto y que gocen menos que lo que conviene. Semejante insensibilidad no pertenece apenas a la naturaleza del hombre. Los demás animales, por lo menos, disciernen sus alimentos, gustan de los unos, rechazan otros, pero si hay un ser para quien nada es objeto de placer y que experimente respecto de todas las cosas una completa indiferencia, este ser está por completo fuera de la humanidad. No hay nombre para él, porque de hecho no existe.

El hombre prudente y templado sabe mantenerse en el medio conveniente, no gusta de esos placeres que apasionan tan violentamente al intemperante, y siente más bien repugnancia a semejantes desórdenes. En general, no goza de lo que no debe gozar, no goza con furor de ninguna cosa, así como no se aflige desmedidamente a causa de una privación. Sus deseos son siempre igualmente moderados, y no traspasa jamás los justos límites; no alimenta tampoco aspiraciones intempestivas, y en general evita todas las faltas de este género. Busca con mesura y de una manera conveniente todos los placeres que contribuyen a la salud y al bienestar, a los demás que no dañen a éstos y que no son inconvenientes, ni están fuera del alcance de su fortuna. El que se condujera de otra manera estimaría tales placeres más que lo que valen, pero el hombre prudente no tiene tal debilidad y sólo hace lo que dicta la recta razón.

## Comparación de la intemperancia con la cobardía

La intemperancia, al parecer, es un acto más voluntario que la cobardía. Es producido por el placer, mientras que la cobardía es siempre causada por un dolor, y el hombre busca el primero de estos dos sentimientos, mientras que huye del segundo. Añádase a esto que el dolor trastorna y destruye la naturaleza del ser que lo sufre, al paso que el placer no produce nada semejante y depende más de nuestra voluntad, y he aquí por qué se nos puede hacer respecto a él cargos más legítimos. También nos habituamos más fácilmente a las sensaciones que produce, como que las ocasiones de placer que se presentan en la vida son numerosas, y estos hábitos no parecen peligrosos, mientras que sucede todo lo contrario con los objetos que inspiran temor. Sin embargo, la cobardía no se presenta igualmente voluntaria en todos los casos cuando se la examina con más detención. Si directamente no es un dolor, por lo menos las circunstancias que la rodean causan una pena que pone al hombre fuera de sí; lo obligan hasta arrojar sus armas y cometer otros actos igualmente deshonrosos, y esto es lo que hace que parezca entonces como una verdadera violencia. Respecto del intemperante, sucede todo lo contrario; todos los actos particulares a que se deja arrastrar son voluntarios, puesto que son el efecto de su deseo y de su inclinación. Pero el resultado general lo es menos, porque nadie desea ser intemperante y desarreglado. La misma palabra de intemperancia y de desorden incorregible aplicamos a las faltas de los niños, porque tienen analogía con aquéllas. Poco importa saber en este momento cuál de las dos faltas ha dado su nombre a la otra, pero es evidente que cronológicamente la segunda ha recibido su nombre de la primera. Y al parecer no sin razón se ha torcido así el sentido de esta palabra, porque conviene templar y corregir todo lo que puede hacer nacer el gusto por las cosas bajas y desenvolverse enseguida de una manera fea, que es el caso precisamente en que se hallan el deseo y el joven. Los jóvenes sólo viven del deseo y de la pasión, y nada iguala en ellos al amor desenfrenado por el placer. Luego si esta parte del alma no es dócil ni se somete a la que debe mandarla, ella puede caminar muy lejos, porque el gusto del placer es insaciable y se reproduce por todas partes en el corazón del insensato, que no se conduce según la razón. Además, toda satisfacción del deseo aumenta el hábito moral correspondiente, y una vez que estas pasiones se han agrandado y se han fortificado hasta la violencia, rechazan por completo hasta la razón. Es preciso, pues, que los deseos sean siempre moderados, poco numerosos y que no tengan en sí nada que sea contrario a la razón. Cuando se obedecen las órdenes de ésta, entonces puede decirse que el hombre es dócil, obediente y templado, y esta sumisión que el joven debe mostrar en toda su conducta a las órdenes de su preceptor, es la misma que en nosotros debe prestar siempre la parte apasionada del alma a la razón. Y así, en el hombre templado, la parte apasionada de su ser no debe concebir jamás otros deseos que los que sean conformes a la razón que los aprueba, porque el sabio, como la razón, no tiene otro fin que el bien; sólo desea lo que debe desear, como debe desearlo y cuando debe desearse, y esto es precisamente lo que la razón ordena.

He aquí todo lo que teníamos que decir acerca de la templanza.

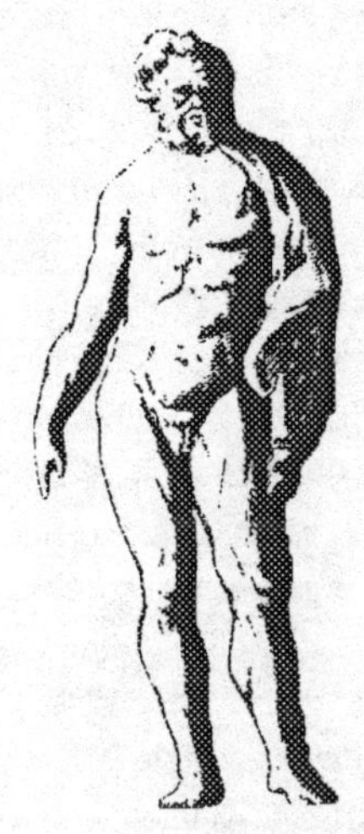

# De las diferentes virtudes

## DE LA LIBERALIDAD

Después de la intemperancia hablemos de la liberalidad, la cual puede decirse que es el medio prudente en todo lo relativo a la riqueza. Cuando se alaba a alguno por ser liberal y generoso, no es por sus altos hechos como militar, ni a causa de lo que se admira en él como sabio, ni por su equidad en los juicios, sino por la manera en cómo da y recibe las riquezas, y sobre todo, por lo primero. Llamamos riqueza a todo aquello cuyo valor se gradúa por la moneda y el dinero. La prodigalidad y la avaricia son excesos y defectos en lo que concierne a las riquezas. Se aplica siempre la idea de avaricia a los que dan más importancia que la debida a los bienes de fortuna. Pero a veces se mezcla la idea de prodigalidad con la de intemperancia, poniendo una en lugar de la otra, porque llamamos también pródigos a los que, no sabiendo dominarse, gastan locamente para satisfacer su intemperancia. Éstos nos parecen los más viciosos, porque, en efecto, reúnen muchos vicios a la vez, mas, sin embargo, el nombre de pródigos que se les da, propiamente no les conviene. El verdaderamente pródigo sólo tiene un vicio completamente especial, el de disipar su fortuna. El pródigo, como lo indica la etimología misma del término en la lengua griega, es el que se arruina por su gusto. La disipación insensata de sus propios bienes es una especie de destrucción de sí mismo, puesto que sólo se vive con lo que se tiene. Éste es el sentido verdadero en que debe entenderse la palabra prodigalidad.

Pero a todas las cosas de que puede disponer el hombre puede darse un destino bueno o malo, y la riqueza es una de estas cosas. Se sirve lo mejor posible de una cosa cuando se posee la virtud especial que corresponde a esta cosa, y el que tiene la virtud referente a las riquezas se servirá lo mejor posible de la fortuna. Éste es precisamente el hombre generoso y liberal. El uso de las riquezas no puede consistir, a lo que parece, más que en un gasto o en una donación. Recibir y conservar es más bien poseer que usar. Y así, lo propio de la liberalidad, es más bien el dar cuando es preciso que el recibir cuando es preciso y el no recibir cuando no procede. La virtud consiste mucho más en hacer el bien que en recibirlo uno mismo; mucho más en hacer cosas buenas que en no hacer cosas vergonzosas. ¿Y quién no ve que el acto de dar reúne necesariamente estas dos condiciones, la de hacer bien y la de hacer una cosa buena? ¿Quién no ve que el hecho de aceptar es limitarse a recibir un beneficio, o a hacer una cosa que no es vergonzosa? ¿Quién no ve que el reconocimiento recae sobre el que da y no sobre el que recibe, y que la alabanza está reservada más bien para el primero? Por otra parte es más fácil no recibir que dar, porque se ve uno más inclinado en general a no aceptar el beneficio de otro que a privarse de lo que tiene. Los hombres que con razón pueden llamarse generosos, son los que dan; los que no aceptan lo que se les ofrece, no son alabados por su liberalidad, aunque puedan serlo por su justicia. Los que reciben los donativos que se les hace, no merecen absolutamente ninguna alabanza. La liberalidad es quizá de todas las virtudes la que más se hace amar, porque los que la poseen son útiles a sus semejantes, y lo son sobre todo los que hacen donaciones.

Pero todas las acciones que la virtud inspira son bellas, y todas ellas están hechas en vista del bien y de la belleza. Así el hombre liberal y generoso dará, porque es bello dar, y dará convenientemente, es decir, a los que debe dar, lo que debe dar, cuando debe dar, y con todas las demás condiciones que constituyen una donación bien hecha. Añádase a esto que hará sus donativos con gusto o por lo menos sin sentirlo, porque todo acto que es conforme con la virtud es agradable o, por lo menos, está exento de dolor, y no puede ser nunca verdaderamente penoso. Cuando se da a quien no debe darse, o cuando no se da siendo bueno dar y se hace un donativo por cualquier otro motivo, no es uno realmente generoso, y debe dársele otro nombre, cualquiera que él sea que da sintiendo pena; no es tampoco generoso, porque si se atreviera, preferiría su dinero a la acción buena que hace, y no es esto lo que debe sentir un hombre verdaderamente liberal. Tampoco recibirá de quien no debe recibir, porque aceptar un don bajo estas condiciones dudosas no es propio de quien no estima en mucho las riquezas. Si no recibe, tampoco pedirá, porque no es propio de un hombre que sabe hacer bien a los demás obligarse fácilmente él mismo. No tomará dinero sino donde deba tomarlo, es decir, de sus propios bienes, y no porque a sus ojos haya en esto algo que sea laudable, sino únicamente porque es condición absolutamente necesaria para tener la posibilidad de dar. Así no despreciará su fortuna personal, puesto que en ella ha de encontrar el medio de auxiliar a los demás cuando venga la ocasión. Tampoco la prodigará dándosela al primero que se presente a fin de reservarse para dar a quien deba, cuando deba lo que deba, como lo exija el honor. También es muy digno para un corazón liberal dar mucho, y hasta con exceso, reservándose para sí la menor parte, porque tenerse poco en cuenta a sí mismo es propio de un alma generosa. Por lo demás, la liberalidad debe apreciarse siempre según la fortuna. La verdadera liberalidad depende no del valor de lo que se da, sino de la posición del que da. El hombre liberal ofrece sus donativos según su riqueza, y bien puede suceder que el que da menos sea en realidad más generoso, si saca sus donativos de una menor fortuna.

Generalmente el hombre es más generoso cuando no es él mismo el que ha adquirido la fortuna que posee, sino que la ha recibido de otros por herencia, porque el que se encuentra en este caso no ha conocido la necesidad, y además todo el mundo se siente mucho más apegado a lo que ha producido por sí mismo, como sucede con los padres y los poetas. El hombre liberal tiene por otra parte gran dificultad en enriquecerse, porque no le lleva su inclinación ni a recibir ni a guardar; lejos de esto, está dispuesto siempre a hacer partícipes a los demás de lo que tiene, y no estimando las riquezas en sí mismas, sólo las aprecia en cuanto permiten hacer donativos. He aquí lo que explica los cargos que se dirigen muchas veces a la fortuna, de que enriquece menos a los más dignos de enriquecerse. Pero a esto se contesta de un modo muy sencillo, y es que con el dinero sucede lo que con todas las demás cosas: que no es posible tenerlo cuando no se toma ningún trabajo en adquirirlo. Sin embargo, el hombre liberal no da a quien no debe dar, ni en las ocasiones en que no debe hacerlo; no falta a ninguna de las condiciones de oportunidad que hemos indicado, porque si no lo hiciera así, no ejercería actos de liberalidad, y si gastase de esta manera su dinero, carecería de él en las circunstancias en que sería conveniente hacerlo. Lo repito, sólo es verdaderamente liberal aquel que gasta sus bienes y los gasta de una manera conveniente. El que pasa de este limite es un pródigo, y esto explica el por qué no puede decirse de los tiranos que sean pródigos, puesto que sus riquezas son generalmente tan inmensas que, al parecer, es difícil que las agoten, aunque gasten locamente y con profusión.

Así, siendo la liberalidad un justo medio en todo lo relativo a las riquezas, ya se den, ya se reciban, el liberal sólo dará y recibirá cuando deba y en la cantidad que deba, lo mismo en las cosas pequeñas que en las grandes, y además deberá hacerlo siempre con gusto. Por otra parte recibirá cuando deba y en la cantidad que deba recibir. La virtud que le distingue consiste en ocupar este medio relativamente a los dos actos de dar y recibir, por diferentes que ellos sean, mostrándose en uno y en otro tal como debe ser. Cuando se sabe dar con oportunidad, es una consecuencia natural que se sepa igualmente recibir con la misma; si sucediese de otra manera, recibir en este caso sería lo contrario de dar y no una consecuencia. Pero las cualidades que son consecuencia unas de otras pueden encontrarse a la vez en el mismo individuo, mientras que las contrarias evidentemente no pueden estar jamás en este caso.

Cuando el hombre liberal tiene que hacer un gasto imprudente o indebido, siente tristeza, pero con moderación y como conviene, porque es propio del hombre virtuoso no afligirse ni regocijarse sino sólo por cosas que lo merezcan, y eso hasta cierto punto. El liberal es también sumamente expedito para los negocios; con facilidad se le perjudica, precisamente porque hace poco aprecio del dinero, y estaría más pesaroso de no haber hecho el gasto que debía hacer que de haber hecho un gasto inútil, lo cual no conforma con el dictamen de Simónides.

El pródigo no está, respecto de todos estos puntos, libre de error; no sabe regocijarse ni afligirse de lo que debe ni como debe. Más adelante aparecerá con mayor claridad todo esto.

Hemos sentado más arriba que, en cuanto a liberalidad, el exceso y el defecto son la prodigalidad y la avaricia, y que se producen bajo dos conceptos: dar y recibir. Nosotros confundimos por otra parte el gastar y el dar. La prodigalidad es un exceso en dar y en no recibir; es un defecto en recibir. La avaricia, por lo contrario, es un defecto en dar y un exceso en tomar, entendiéndose siempre en cosas muy pequeñas. Y así, las dos condiciones de la prodigalidad no pueden marchar a la par mucho tiempo, porque no es fácil dar a todo el mundo cuando no se recibe de nadie, y la fortuna falta bien pronto a los simples particulares cuando quieren dar con esa profusión que caracteriza precisamente a los que se llaman pródigos. Por lo demás, este vicio debe parecer mucho menos reprensible que el de la avaricia. La edad, la estrechez misma, pueden fácilmente corregir al pródigo y reducirlo a un justo medio. Tiene cualidades del liberal que da y no recibe, sin saber por otra parte usar de una y otra cuando es preciso, ni de una manera conveniente. Pero le bastaría contraer hábitos racionales o modificarse mediante cualquier otra causa para hacerse un hombre liberal; daría entonces cuando debía darse, y no recibiría cuando no debiese recibir. Y así, la naturaleza del pródigo, en el fondo no es mala; nada hay de vicioso ni de bajo en esta tendencia excesiva a dar mucho y a no recibir nada; no es más que una locura. Lo que hace que el pródigo deba aparecer por encima del avaro, independientemente de los motivos que acabo de decir, es que el uno obliga a una multitud de gentes y que el otro no obliga a nadie, ni a sí mismo. Es cierto que la mayoría de los pródigos, como ya hemos hecho observar, reciben cuando no deberían recibir, y que en esto se muestran poco liberales. Se hacen ávidos y toman a manos llenas, porque quieren gastar siempre y se ven bien pronto en situación de no poder gastar a su gusto. No tardando en agotarse sus propios recursos, se proporcionan recursos extraños, y como se cuidan poco de su dignidad y de su honor, toman a la ligera y de cualquier manera. Lo que desean es dar. Cómo pueden dar, ni de dónde han de sacarlo, no les importa nada. He aquí también por qué sus donativos no son verdaderamente liberales; ni son honrosos, porque no son inspirados por el sentimiento del bien, ni están hechos como deberían estarlo. A veces enriquecen a gentes que valdría más dejar en la pobreza, y no hacen nada en favor de personas de la más respetable conducta. Dan a manos llenas a aduladores o a quienes les proporcionan placeres tan poco dignos como los que produce la adulación. Por esta causa, la mayor parte de los pródigos son intemperantes. Disipando su dinero con tanta facilidad, con la misma lo gastan en sus excesos, y se entregan a todos los desórdenes de los placeres, porque no viven ni para la virtud ni para el deber.

El pródigo, por otra parte, repitámoslo, se entrega a estos excesos porque ha vivido abandonado, sin dirección y sin maestro; si se hubiera puesto algún cuidado en su educación, habría entrado en el camino del justo medio y del bien.

Por el contrario, la avaricia es incurable. La vejez y la debilidad en todos sus modos de ser son las que forman a los avaros. La avaricia, por lo demás, es más natural al hombre que la prodigalidad, porque los más preferimos conservar nuestros bienes a darlos. Este vicio puede alcanzar una intensidad extrema y revestir las formas más diversas. La causa de tener tantos matices la avaricia consiste en no ser completa en todos los individuos la igualdad de los dos elementos principales que la constituyen: defecto en dar, exceso en recibir. Algunas veces se divide, mostrando unos más el exceso de recibir y otros el defecto de dar. Y así todos esos a quienes se califica de cicateros, ruines, mezquinos, todos pecan por defecto en dar, pero, sin embargo, no desean ni querrían tomar los bienes de otro. En algunos es una especie de miramiento y de prudencia la que les hace retroceder ante la opinión pública, porque hay gentes que parecen, o que, por lo menos, pretenden demostrar esta parsimonia para no verse precisados a cometer ninguna bajeza. En esta clase debe colocarse al roñoso y a todos aquellos que, capaces como aquel de cortar un cabello en el aire, merecen este nombre porque llevan al exceso el cuidado de no dar nunca nada a nadie. Los otros se abstienen de recibir de los demás por un sentimiento de temor, porque no es fácil, en efecto, recibir de los demás y no dar jamás parte de lo suyo, y por esto prefieren no recibir nada, para no dar tampoco nada.

Otros avaros, por el contrario, se distinguen por el exceso en recibir a manos llenas y coger todo lo que pueden: por ejemplo, todos los que se entregan a especulaciones innobles, los rufianes y todos los hombres de esta clase, los usureros y todos los que prestan pequeñas sumas a crecido interés. Todos estos cogen de donde no deberían coger, y más que deberían coger. El ávido deseo del más vergonzoso lucro parece ser el vicio común a todos estos corazones degradados. No hay infamia que no cometan con tal que saquen de ella algún fruto, que es siempre bien miserable, porque sería un error llamar avaros a los que sacan provechos inmensos de donde no deberían sacarlos, o que se apropian de lo que no deberían apropiarse; los tiranos, por ejemplo, que roban las ciudades y despojan y violan los templos. A éstos debe llamárseles más bien pícaros, impíos, malvados. Debe colocarse también entre los avaros al jugador, al salteador de caminos, al bandido; sólo van en busca de ganancias vergonzosas y llevados de un amor desenfrenado del lucro; unos y otros obran y desprecian la infamia; éstos, arrostrando los más horribles peligros para arrancar el botín que codician, y aquéllos, enriqueciéndose bajamente a expensas de sus amigos, a quienes más bien deberían hacer donativos. Estas dos clases de gentes, haciendo con conocimiento ganancias donde no deberían hacerlas, tienen un corazón sórdido, y todas estas maneras de procurarse dinero no son más que formas de la avaricia.

Por lo demás, hemos opuesto con mucha razón la avaricia a la liberalidad, como su contraria, porque, repito, la avaricia es un vicio más reprensible que la prodigalidad, y hace cometer más faltas a los hombres que la prodigalidad, tal como yo la he descrito.

## De la magnificencia

Como continuación natural de lo que precede, debemos tratar de la magnificencia. Esta virtud evidentemente es una de las que hacen relación al empleo de las riquezas, sólo que no se extiende, como la liberalidad, a todos los actos sin excepción que conciernen a las riquezas, sino que sólo se aplica a aquellos cuyo gasto es de consideración. En estos casos excepcionales supera a la liberalidad en grandeza, porque, como su mismo nombre lo indica, es un gasto hecho a tiempo en una ocasión excepcional. Por lo demás, la idea de grandeza es siempre relativa, y el gasto no es el mismo, por ejemplo, para el que equipa galeras que para el que dirige una simple teoría. En cuanto a la oportunidad, se refiere a la vez al individuo, al objeto y a los medios. El que en pequeñas cosas o en cosas medianas gasta como conviene a su dignidad, no merece por esto el nombre de magnífico, lo mismo que el que puede decir con el poeta:

«He tenido muchas veces compasión
de la miseria errante».

El magnífico es el que sabe gastar puntualmente en cosas grandes. Es liberal también, pero el liberal no es necesariamente magnífico.

Relativamente a esta disposición, el defecto se llama miseria y pequeñez; el exceso se llama fausto grosero, suntuosidad sin gusto. Estos calificativos pueden aplicarse a todos estos gastos, no porque sean excesivos respecto de las cosas que así lo exigen, sino porque se hacen para brillar en ocasiones dadas y de una manera que debería evitarse. Pero más adelante hablaremos de nuevo de estos pormenores.

Puede decirse que el magnífico es un hombre reflexivo y sagaz, puesto que es capaz de ver lo que conviene en cada ocasión y de hacer grandes gastos con toda la mesura necesaria. Como ya dijimos al principio, una cualidad se determina por los actos que ella produce y por las cosas a que se aplica. Los gastos del magnífico son a la vez grandes y convenientes, y los resultados que produce deben ser igualmente lo uno y lo otro, porque de este modo el gasto no sólo será de consideración, sino que corresponde al fin que uno se propone. La obra debe ser digna del gasto, y el gasto debe ser digno de la obra y, si cabe, superarlo.

Sólo en vista del bien y de lo bello debe el hombre magnífico hacer estos grandes gastos, porque esta preocupación del bien es un carácter común a todas las virtudes; añado que los hace con gusto y con cierta noble facilidad, porque mirar muy de cerca las cosas es en general un signo de pequeñez, y el magnífico sólo se fija en lo mejor y más conveniente y posible sin curarse del precio de las cosas, ni de las rebajas que en el mismo sería posible obtener. Lo repito, el hombre magnífico debe ser necesariamente liberal, porque el hombre verdaderamente liberal sabe gastar lo que es preciso y cuando es preciso, y en estas ocasiones lo grande es lo propio del magnífico. Puede decirse que es la grandeza de la liberalidad, que se ejercita bajo las mismas condiciones, y hasta con un gasto igual el magnífico sabrá hacer cosas más nobles y más grandes. El valor de la materia que se emplea y el de la obra que con ella se ejecuta no son idénticos. Y así, la materia puede ser la más preciosa y cara de todas, el oro, por ejemplo, pero el mérito de la obra consiste en su magnitud, en su belleza, porque la contemplación de las cualidades que la distingue nos causa admiración. Por estos motivos la magnificencia es admirable, y el mérito de la obra consiste en una magnificencia ampliamente desenvuelta.

Entre los grandes gastos hay algunos que tenemos más particularmente por honrosos, como, por ejemplo, las ofrendas solemnes que se consagran a los dioses, las construcciones piadosas, los sacrificios. Tenemos en la misma estimación todos los gastos que se refieren al culto de la divinidad, y todos aquellos que con la noble ambición de servir al público emprenden los simples particulares, que creen deber emplear a veces su fortuna en el esplendor de las funciones escénicas, en el equipo de las galeras del estado, o en los gastos de las fiestas populares. Pero siempre, como queda dicho, debe considerarse en el que hace estos grandes gastos quién es y cuál es la fortuna con que cuenta para permitirse hacerlos. Es preciso que en todo esto haya una entera proporcionalidad, la cual debe encontrarse no sólo en los gastos de la obra que se ha hecho, sino también en la persona que la hace. Y así, el pobre no puede ser nunca magnífico, porque no tiene los recursos que exigen tan grandes gastos, y si lo intentara, sería un insensato, sería obrar contra la verdadera conveniencia y contra el deber, mientras que es preciso tener en cuenta aquélla y éste para obrar según la virtud. Estos gastos espléndidos sólo están bien en los que de largo tiempo disfrutan una gran fortuna, ya haya sido adquirida por ellos mismos, ya por sus antepasados o por una asociación de que formen parte. Sólo cuadran a los de alto nacimiento, a personajes cubiertos de gloria, en una palabra, a todos los que ocupan una posición a la que van unidas la grandeza y la dignidad.

Tal es, pues, el carácter principal del magnífico, y en los gastos de este género, lo repito, consiste en general la magnificencia; gastos que son a la vez de mucha consideración y altamente honrosos. Entre los gastos privados se pueden colocar en la misma clase los que se hacen una sola vez en la vida: por ejemplo, en las bodas o en ocasiones análogas, o cuando una ciudad entera o los dignatarios que la gobiernan se preocupan por algún acontecimiento notable: por ejemplo, la recepción o la partida de ilustres extranjeros, los presentes que se hacen o que se reciben en estas extraordinarias circunstancias. Porque el magnífico no hace estos enormes gastos para sí mismo, sino en obsequio del público, y los donativos de este género tienen cierta semejanza con las santas ofrendas que se hacen a los dioses.

El magnífico sabe igualmente construir para sí una casa que corresponda a su fortuna, porque éste es un lujo que está muy en su lugar. Si conviene gastar mucho, en nada tanto como en cosas durables, puesto que son las más bellas. En cada una, por otra parte, es preciso tener en cuenta la oportunidad, porque unas mismas cosas no pueden convenir a la vez a los dioses y a los hombres, ni están bien en un templo o sobre un sepulcro. Cada gasto que se hace puede ser grande en su género, y el más magnífico es el que es grande en lo grande: por ejemplo, en este orden de gastos de que hablamos.

Pero lo grande en el objeto difiere de lo grande en el gasto, y así, al hacer un agasajo a un niño, la más hermosa pelota, el más precioso tímbalo, pueden tener toda la magnificencia posible y su valor no ser nada, ni exigir ningún sacrificio. He aquí por qué es muy propio del hombre magnífico hacer siempre las cosas en grande en el género en que las hace; ésta es una ventaja que no es fácil superar y que está siempre en proporción con el importe del gasto.

Tal es el hombre magnífico. Pero el hombre sin gusto, que peca en esta materia por exceso, es el fastuoso que gasta sin límites, sin oportunidad, como he dicho anteriormente. Disipa enormemente el dinero en pequeños gastos e intenta brillar sin el menor gusto. Si recibe a gentes que pagan su escote, los tratará con el aparato de una boda o en las comedias que él dirija, colocará tapices de púrpura para los actores a la entrada de la escena, como hacen los Megarianos. Y cometerá todas estas locuras no tanto por amor a lo bello como por hacer alarde de su fortuna y hacerse admirar, según él se imagina. En una palabra, gasta poco cuando debería gastar mucho, y mucho cuando debería gastar muy poco.

En cuanto al hombre mezquino, peca por defecto en todos los conceptos, y después de haber gastado enormemente, hará que las cosas pierdan por una miserable pequeñez toda su elevación y toda su belleza. En todo lo que hace aplaza sin cesar el gasto, intenta gastar lo menos que puede, se queja de todo lo que gasta y cree siempre hacer más que lo que se necesita. Disposiciones morales de este género constituyen ciertamente vicios, y, sin embargo, no bastan para deshonrar a un hombre, porque no dañan a terceros, y no son absolutamente degradantes.

## De la magnanimidad

La magnanimidad o grandeza de alma, como su nombre indica, sólo se aplica a las grandes cosas, pero sepamos, ante todo, qué cosas son éstas. Por lo demás, podemos indiferentemente estudiar la cualidad misma o el individuo que la posee.

El magnánimo parece ser el hombre que se siente digno de las cosas más grandes, y lo es en efecto, porque el que tiene esta alta estimación de sí mismo sin merecerla es un insensato, y un corazón conforme a la virtud no es insensato ni irracional. El magnánimo es, pues, lo que se acaba de decir. El que tiene poco valor personal y lo reconoce él mismo, no pretendiendo sino las cosas que están a su alcance, puede ser muy bien un hombre entendido y modesto, pero nunca un corazón magnánimo. La magnanimidad supone siempre lo grande, como la belleza, que sólo se encuentra en un cuerpo grande, porque los hombres pequeños pueden ser elegantes y bien hechos pero no bellos.

El que tiene de sí mismo una alta idea que no merece, es un hombre vano, por más que no tenga siempre la vanidad de estimarse a sí mismo más que vale. El que se estima menos de lo que vale es una alma pequeña, si teniendo un gran mérito o un mérito mediano, y si se quiere un escaso mérito, se coloca él mismo por debajo de su verdadero valor. Si uno teniendo un gran mérito se desprecia a sí mismo, entonces, sobre todo, pone en evidencia la pequeñez de su alma, porque, ¿obraría de otro modo si no fuera capaz de hacer cosas más importantes? El magnánimo está en un extremo con relación a su grandeza misma, pero ocupa el justo medio, porque es como debe de ser, se estima en su justo valor, mientras que los demás, por el contrario, pecan por exceso o por defecto.

Si uno, por tanto, se reconoce con un gran mérito que es real y verdadero y, sobre todo, si se reconoce con el más alto grado de mérito, no debe tener más mira que una, que es la siguiente: debiendo consistir la justa recompensa del mérito en bienes exteriores, el mayor de todos estos bienes debe ser a nuestros ojos el que atribuimos a los dioses, el mismo que por encima de todos los demás ambicionan los hombres revestidos de las más altas dignidades, y que es también la recompensa de las acciones más brillantes; este bien no es otro que el honor. El honor sin contradicción es el más grande de los bienes exteriores al hombre. Y así el magnánimo deberá ocuparse exclusivamente en su conducta de lo que puede procurar el honor o ser causa de deshonor, sin que por otra parte esta preocupación salga nunca de sus justos límites. Y ciertamente no sin razón los corazones magnánimos miran con respeto al honor, puesto que los grandes lo ambicionan sobre todo y lo miran como su más digna recompensa.

La pequeñez de alma peca por defecto, y deja al que la experimenta por debajo de sí mismo y por debajo de ese noble sentimiento que sostiene al magnánimo. En cuanto al hombre vanidoso, peca por exceso a causa de la opinión exagerada que tiene de su propio mérito, en lo cual nunca supera al magnánimo.

Puesto que el magnánimo es digno de los mayores honores, es preciso también que sea el más perfecto de los hombres. Cuando se tiene más mérito, se tiene derecho a una buena parte de aquéllos, y el mejor de los hombres tiene derecho a la mejor parte de los mismos. Así es necesario que el hombre verdaderamente magnánimo esté lleno de virtud, y cuanto hay de grande en las virtudes de cada género debe poseerlo. Jamás estará bien en el magnánimo temblar o huir, así como nunca se relajará a hacer daño. ¿Cómo podría cometer acciones vergonzosas un hombre a cuyos ojos nada se presenta que no sea grande? Si se mira de cerca se verá que, en cualquier caso, caería en un profundo ridículo la magnanimidad si no fuera acompañada por la virtud. Tampoco sería digna de honor si recayese en un vicioso, porque el honor es el precio de la virtud, y sólo es debido a los corazones virtuosos.

Y así la magnanimidad debe mirarse como el ornamento de todas las demás virtudes. Ella las acrecienta y no puede existir sin ellas, y la dificultad que ofrece el ser magnánimo con toda verdad consiste en que no es posible serlo sin una virtud completa.

Pero lo repito: aunque el magnánimo se preocupe principalmente con todo lo que puede ser causa de honor y de deshonor, deberá gozar con la mayor moderación de los más grandes honores y lo mismo de los que dispensan los hombres de bien. Los mirará como una propiedad que le pertenece, por más que los estime en menos que lo que le corresponde, porque no hay honores que basten para recompensar nunca una perfecta virtud. Sin embargo, los aceptará, puesto que después de todo los hombres de bien no pueden dispensarle nada más grande. Pero el magnánimo desdeñará profundamente el honor que le dispense el vulgo y que va ya unido a cosas menudas, porque no es digno de él semejante honor, y el mismo desdén debe manifestar para con los insultos, puesto que jamás pueden ser justos tratándose de él.

Pero si el magnánimo, como ya he dicho, se fija principalmente en el honor, deberá por lo mismo moderarse en todo lo relativo a riquezas y poder; en una palabra, en todo lo relativo a la fortuna favorable o adversa, cualquiera que sea la forma en que se presente. No manifestará en los triunfos una alegría excesiva, ni en los reveses un exceso de abatimiento. Tampoco mostrará sentimientos exagerados respecto al honor, no obstante ser a sus ojos la más importante de las cosas, puesto que el poder con sus recursos infinitos y la riqueza deben buscarse sólo teniendo en cuenta el honor que ellas procuran, y que los que poseen estas ventajas se proponen principalmente alcanzar con ellas este honor. Pero el alma grande, para quien los honores son poca cosa, se inquieta aún menos de todo lo demás, y he aquí por qué los magnánimos parecen muchas veces desdeñosos y altaneros.

Sin embargo, puede decirse que las ventajas de una posición grande y próspera contribuyen igualmente a desenvolver la magnanimidad. Un nacimiento ilustre, el poder, la opulencia, están rodeados de honores y de consideración, porque estas condiciones son raras y superiores en la vida, y todo lo que en sentido de bien muestra una superioridad parece más especialmente digno de honor. Por esto las ventajas de este género hacen algunas veces a los hombres más magnánimos, porque ya son objeto de distinción para todos los que les rodean. Pero, a decir verdad, el hombre de bien es el único digno de honor y de estimación. Es verdad que cuando se reúnen las dos cosas, la virtud y la fortuna, se obtiene con más seguridad la consideración, pero los que poseen estos bienes sin poseer la virtud, no pueden creerse ellos mismos a gran altura y sería un error tenerlos por magnánimos, porque no hay honor y magnanimidad sin una virtud perfecta. Los hombres malos, cuando tienen todos los bienes de este género, se hacen orgullosos e insolentes, porque sin la virtud no es fácil mantenerse en la prosperidad con la conveniente moderación. Incapaz el hombre malo de soportarla prudentemente y creyéndose superior a todos los demás, los desprecia y se permite todos los caprichos que el azar le inspira, parodia al magnánimo sin tener con él la menor semejanza, lo imita en todo lo que puede, y como no se conduce según la virtud, llega a desdeñar locamente y sin razón la conducta de los demás. Mas el desdén que se advierte en el magnánimo siempre aparece justificado, porque juzga la verdad de las cosas, mientras que el vulgo lo hace sólo a la ventura.

El magnánimo no tiene gusto en despreciar los pequeños peligros, ni busca tampoco los peligros ordinarios, porque son muy pocas las cosas que su alma estima. En cambio arrostra los peligros reales y grandes, y en semejantes ocasiones hace sin titubear el sacrificio de su vida, porque ésta no tiene a sus ojos tanto valor que se la deba conservar a todo trance. Siendo capaz de hacer el bien a los demás, se avergüenza del bien que los demás puedan hacerle, porque hay superioridad en el primer caso e inferioridad en el segundo. Por consiguiente, da más que recibe, pues, de esta manera, el que le haya hecho un servicio, le deberá algo a su vez y le quedará obligado. Y así los magnánimos recuerdan más bien a aquellos a quienes han favorecido que no a aquellos de quienes han recibido ellos algún beneficio, porque el obligado siempre está por bajo del bienhechor, y el magnánimo aspira siempre a la superioridad. Se complace con el recuerdo de los unos, y sufre con pesar el recuerdo de los otros. He aquí por qué Tetis se guarda bien de recordar a Júpiter los servicios que le había hecho; lo mismo que los lacedemonios, al acudir a los atenienses, sólo les hablaron los que habían recibido ya de ellos muchas veces.

También es propio del carácter del magnánimo no recurrir a nadie, o por lo menos no hacerlo sin pena; servir a los demás por lo contrario con todo empeño, manifestarse grande y altivo para con los que están constituidos en dignidad y viven en la prosperidad, y mostrarse benévolo para con los de mediana condición. Es difícil y a la par honroso sobrepujar a los unos, mientras que es muy fácil dominar a los otros. La altanería misma y el orgullo con los grandes no cuadra mal a un hombre bien nacido, mientras que con la gente menuda es una especie de mal gusto, lo mismo que lo es el abusar de su fuerza contra los débiles. El magnánimo no va a los sitios donde tiene a honra ir el vulgo, ni a los lugares donde ocupen otros el primer rango. Gusta bastante de la indolencia y de la lentitud, fuera de las ocasiones en que hay que conquistar un gran honor o intentar alguna rara empresa. El magnánimo hace pocas cosas, pero las que hace son siempre grandes y dignas de renombre. Es también una necesidad, consecuencia de su carácter, hacer públicos sus odios y sus amistades; sólo el que tiene miedo se oculta, y en cuanto a él, como atiende más a la verdad que a la opinión, habla y obra francamente a la faz de todo el mundo, que es lo propio de un alma altiva y desdeñosa. Es también completamente sincero, y su franqueza se muestra en el desdén con que se expresa frecuentemente. Apasionado por la verdad, la dice siempre, salvo cuando emplea la ironía, medio de que se sirve muchas veces para con el vulgo.

Tampoco puede vivir con otro como no sea un amigo, porque vivir con el que no lo sea es una especie de servidumbre, y he aquí por qué todos los aduladores tienen un carácter servil, y la gente menuda, en general, es aduladora. El magnánimo es también poco inclinado a la admiración, porque nada es grande a sus ojos. No siente resentimiento por el mal que se le haga, porque acordarse de lo pasado no es propio de un alma grande, sobre todo cuando el recuerdo recae sobre el mal recibido, y es más digno olvidarlo. No le gusta tampoco hablar con los demás porque nada tiene que decir ni de sí mismo ni de otros. Se ocupa tan poco en oír alabanzas en su obsequio como en criticar a los demás; como no prodiga elogios, tampoco le gusta hablar mal ni aun de sus enemigos, como no sea a veces para decirlo cara a cara. Jamás se le oirá quejarse, ni descender a pedir suplicante las cosas que le hagan falta o que sean de poco interés. Ocuparse de estas miserias sólo puede hacerlo un hombre que quiera darles un gran valor. Lejos de esto, va el magnánimo tras las cosas bellas y sin fruto más bien que de las útiles y fructíferas, porque este gusto cuadra mejor a un corazón independiente que se basta a sí mismo. El porte del magnánimo tiene algo de pausado; su voz es grave; su palabra sentada. Cuando sólo se siente interés por un pequeño número de cosas, no se manifiesta apuro ni impaciencia, porque el alma que no encuentra nada grande en este mundo no muestra ardor por nada. La vivacidad del lenguaje y el apresuramiento en las acciones atestiguan en general sentimientos de cierto orden, que el corazón del magnánimo no experimenta. Tal es, pues, el magnánimo.

El que peca por defecto en esta materia tiene un alma sin grandeza, un alma pequeña, y el que, por lo contrario, peca por exceso, es un vanidoso. No puede decirse precisamente que sean estos hombres viciosos, porque ningún mal hacen, y son más bien hombres que se engañan. Así el que tiene un alma sin grandeza aunque merece cierta consideración, se priva él mismo de las cosas de que sería digno. Su defecto parece consistir en no querer ser digno de las ventajas que le son debidas, y en desconocerse a sí mismo, porque de otra manera desearía las cosas de que es acreedor, puesto que es digno de ellas y son bienes verdaderos. Por lo demás, los hombres de este carácter no por eso están privados de sentido; son más bien gentes indolentes, y esta opinión falsa que tienen de su propio mérito parece hacerles menos buenos de lo que son. Se desea siempre aquello de que se cree uno digno, pero ellos se abstienen de hacer generosos esfuerzos y bellas acciones, porque no se creen dignos de intentarlas y, por consiguiente, se estiman indignos de los bienes exteriores que son su recompensa. Los vanidosos, por su parte, ponen en descubierto cuán necios son y cómo se desconocen a sí mismos; aspiran a las cosas más altas, como si fuesen dignos de ellas, y su incapacidad no tarda en desenmascararlos; se ocupan con el mayor esmero de sus vestidos, de su apertura y de todas estas frivolidades; quieren hacer brillar a los ojos de todo el mundo su prosperidad, y hablan de ella como si pudiera producirles un gran honor.

Por lo demás, la pequeñez de alma es más opuesta a la magnanimidad que la necedad vanidosa, y es a la vez más frecuente y más reprensible. En resumen, la magnanimidad sólo busca el honor en grandes como hemos dicho más arriba.

## Del justo medio entre la ambición excesiva y la completa indiferencia respecto de la gloria

Al parecer debe existir, como se ha dicho en lo que precede, alguna virtud que bajo el punto de vista del honor se aproxime mucho a la magnanimidad y que sea para ella lo que la liberalidad es a la magnificencia. Ambas, es decir, la liberalidad y esta virtud anónima, se alejan de lo grande, pero nos proporcionan la disposición moral que conviene tener respecto de las cosas medianas y pequeñas. Así como para dar y recibir las riquezas hay un justo medio, que está entre dos vicios que pecan, el uno por exceso y el otro por defecto, así pueden distinguirse en el deseo del honor y de la gloria dos matices, el uno más acentuado, el otro menos, e igualmente un medio que se muestra cuando sólo se aspira al honor en las ocasiones y en la manera que convenga aspirar. Si se critica al ambicioso es porque busca los honores con más ardor del que conviene, y los reclama de cosas de las que no debía reclamarlos. No se censura menos al que, demasiado poco celoso de la estimación pública, no intenta adquirir el honor mediante bellas acciones. A veces, por el contrario, se aplaude al ambicioso, a quien se considera dotado de corazón varonil y noble, así como se aplaude también al hombre sin ambición, cuyo corazón llamamos prudente y moderado, según dijimos más arriba. Pero es evidente que pudiendo un término que expresa la tendencia hacia tal o cual cosa ser tomado en muchos sentidos, nosotros no tomamos aquí siempre el nombre de ambicioso de una misma manera. Y así lo alabamos cuando tiene más ambición que el común de los hombres, y a la vez lo criticamos cuando es más ambicioso de lo que debe ser. No teniendo el medio nombre especial, y quedando en cierta manera vacío, los extremos lo reclaman y disputan queriéndolo para sí, bien que donde quiera que haya exceso y defecto, necesariamente tiene que haber un medio. Puede ambicionarse el honor más o menos de lo debido, pero también se puede ambicionar hasta el punto que sea conveniente, y esta disposición, sin nombre particular, que es el justo medio en punto a ambición, es la única digna de nuestra alabanza. Si se compara este medio con la ambición propiamente dicha, parece una indiferencia absoluta respecto de la gloria, y si se compara con esta absoluta indiferencia, parece, por el contrario, una ambición verdadera. Cotejado con cada uno de los extremos, es en cierta manera el uno y el otro indistintamente.

Por lo demás, esta alternativa se encuentra, al parecer, en todas las demás virtudes, y si los extremos resultan aquí más completamente opuestos, es porque el medio que los separa no ha recibido un nombre especial.

## De la mansedumbre, medio entre la irascibilidad y la indiferencia

La mansedumbre es un medio que se da en todo sentimiento apasionado. Pero, a decir verdad, como este medio no tiene un nombre muy exacto, los extremos tampoco lo tienen, y tomamos la mansedumbre por un medio, siendo así que se inclina hacia el defecto, que tampoco tiene nombre particular. El exceso en este género podría llamarse irascibilidad; la pasión que se experimenta en este caso es la cólera, y los motivos que la producen son tan diferentes como numerosos. El que se deja llevar de la cólera en ocasiones dadas contra los que lo merezcan, haciéndolo además de la manera, en el momento y durante todo el tiempo que convenga, debe merecer nuestra aprobación. Ésta es, sépase bien, la verdadera mansedumbre, si la mansedumbre es digna de elogios. El hombre verdaderamente dulce sabe no dejarse turbar ni arrastrar por la pasión, pero se irrita en las ocasiones en que la razón quiere que se irrite, y durante el tiempo que ella lo ordene. Si la mansedumbre peca más bien por defecto que por exceso, es porque un carácter dulce no va en busca de la venganza y se siente más inclinado al perdón.

Pero el defecto en este género, ya se lo llame impotencia para encolerizarse, ya se lo califique con cualquiera otro nombre, siempre es digno de censura. Estúpidos es necesario llamar a los que no se encolerizan en presencia de cosas que deben producir una verdadera cólera, así como lo son los que se encolerizan de una manera, en un tiempo y por cosas que no lo merecen. El que en tales ocasiones no se irrita, parece no sentir nada, ni saber indignarse justamente. Hasta se debe creer que no sabrá defenderse en una ocasión dada, puesto que ningún síntoma de valor siente en sí mismo. Es una cobardía, digna sólo de un esclavo, sufrir un insulto y dejar que impunemente se ataque a las personas de su cariño.

El exceso en este género puede revestir igualmente todos estos matices. Puede uno irritarse contra personas que no lo merecen, o por motivos que no valen la pena, o más vivamente de lo que sea menester, o más pronto o más tarde de lo que conviene. Es ocioso decir que todas estas circunstancias no se reúnen en un mismo individuo; esto no podría ser, porque el mal se destruye a sí mismo, y cuando es tan completo como es posible, se hace del todo intolerable.

Los de carácter irascible se irritan pronto contra personas y en ocasiones que no lo merecen, y más de lo conveniente. Es cierto que también se apaciguan pronto, y esto es lo mejor que hacen. Si incurren en estas faltas, es porque no saben dominar su cólera; vuelven en sí sobre la marcha, mostrando su pasión a causa del extremo ardor del sentimiento que los domina, pero enseguida se tranquilizan con no menos prontitud. Así los coléricos están dotados de una vivacidad excesiva; se irritan por todo y contra todo el mundo, de donde les viene el nombre que se les da. Pero los hombres rencorosos son más difíciles de gobernar; su irritación dura largo tiempo, porque saben dominar los movimientos de su corazón, y no se apaciguan hasta no haber vuelto el mal que se les ha hecho. Sólo la venganza calma su cólera, porque mediante ella reemplaza el placer a la pena que los devoraba. Pero mientras su resentimiento no está satisfecho, tienen un peso que los oprime, y como se guardan de manifestarlo, nadie puede intentar curarlos por la persuasión. Es preciso tiempo para que se corroa a sí misma la cólera, y tales gentes son los más insoportables de los hombres para sí mismos y para sus amigos más queridos.

En general, se llama vengativos a los que se irritan en ocasiones en que no deben irritarse, más vivamente y por más tiempo del que es preciso, y que no vuelven en sí mientras no han obtenido venganza y castigado al ofensor.

El exceso en esta materia es el que miramos más particularmente como lo opuesto a la mansedumbre, porque este exceso es más ordinario. Vengarse con exceso es más conforme a la naturaleza humana, y esta clase de hombres resentidos nos parecen mucho más viciosos. Por otra parte, esto es lo mismo que se ha dicho antes, y lo que confirman claramente los pormenores en que acabamos de entrar. No es fácil determinar precisamente cómo, contra quién, por qué motivos y por cuánto tiempo conviene manifestarse colérico, y cuál es el punto exacto hasta donde se debe llevar, y aquel en que comienza la falta. Mientras no se traspasa el límite en más o en menos, sino muy poco, no se incurre en censura, puesto que a veces aprobamos a los que no llegan a él, alabando su dulzura, y no alabamos menos a los que pasan ese límite por su varonil resolución, estimándolos capaces de ejercer el mando y la autoridad. Pero no será fácil indicar en términos precisos el punto en que uno comienza a hacerse reprensible por el grado o la forma de su irritación. El juicio no puede formarse en este caso sino en presencia de los hechos mismos, y bajo la impresión que producen. Por lo menos es perfectamente claro que merece estima esta cualidad, este justo medio, que hace que nos irritemos contra quien debemos irritarnos, por una causa que sea justa y en una forma conveniente; en una palabra, con todas las condiciones que quedan consignadas. En cuanto al exceso y al defecto, son siempre dignos de censura; de una censura moderada, cuando se alejan poco del justo medio, más viva, cuando se alejan más, y violenta cuando se separan mucho. Es, pues, evidente, que a la disposición media es a la que debemos aspirar con preferencia.

Tales son las consideraciones que queríamos hacer sobre los hábitos del alma relativos a la cólera.

## Del espíritu sociable

En las relaciones de todas clases que los hombres tienen entre sí en la vida común, lo mismo en la simple conversación que tratándose de negocios, hay personas que procuran hacerse agradables a todo el mundo. En su deseo de agradar, todo lo aprueban; no contradicen nada, creyendo que es un deber no disgustar nunca a las personas con quienes hablan.

Hay otros que, dotados de un carácter completamente opuesto, hacen la contra en todas las cosas, sin cuidarse de los disgustos que puedan causar, y se les llama batalladores y pendencieros. Es claro, y no hay necesidad de decirlo, que estas dos disposiciones opuestas son dignas de censura, y que sólo es laudable la disposición media, que hace que se acoja o que se rechace como es debido a los hombres y a las cosas que deban acogerse o rechazarse.

Por lo demás, esta sabia disposición no ha recibido nombre particular, pero se parece mucho a la amistad, porque el hombre que encontramos en esta disposición media, es tal a nuestros ojos que desde luego nos prestaríamos a llamarle un verdadero amigo, si a sus buenas maneras uniera un sentimiento de afección hacia nosotros. Pero se diferencia de la amistad en que el corazón de tal hombre no se siente impresionado, ni seriamente ligado a aquellos con quienes habla; no toma las cosas como es debido, ni por amor, ni por odio, sino que todo lo hace simplemente porque él es así de suyo. Esto es tan cierto que se muestra siempre del mismo modo con los que conoce que con los que no conoce, con los que ve habitualmente que con los que ve raras veces, lo cual no impide que guarde con cada uno las formas convenientes, porque no debe tratarse con el mismo tono a los amigos que a los extraños cuando hay que darles pruebas de interés o de disgusto. He dicho antes, de una manera general, que el hombre de este carácter será en la sociedad todo lo que debe ser, pero añado ahora que refiriendo cuanto hace al bien y a lo útil, conseguirá seguramente no disgustar a nadie y ser agradable a todo el mundo.

En efecto, parece no pensar más que en los placeres y en las penas que nacen del comercio social. Pero siempre que no le venga bien o le resulte daño de tomar parte en ciertos placeres, los rechaza; caso necesario, prefiere con su negativa causar disgusto a los demás. Sobre todo si este placer puede causar un deshonor más o menos grave, y hasta una pérdida, al que se entrega a él, mientras que la contrariedad que se le oponga sólo puede causarle un pequeño disgusto, entonces se decide a no aceptar la proposición y hasta a combatirla, sin temer el disgusto general que cause.

Por otra parte se conducirá de diferente modo en sus relaciones con las personas de consideración, con el común de las gentes, y con los que son más o menos conocidos suyos. Pondrá el mismo cuidado en tomar en cuenta todas las demás diferencias, dando a cada uno lo que le pertenece, buscando siempre en la cosa misma ocasión de causar placer a otro, y de ninguna manera disgusto, pero inclinándose siempre del lado en que las consecuencias puedan ser más graves, con lo cual quiero decir que se incline siempre hacia lo bello y lo útil, decidiéndose a causar en el momento pequeños quebrantos, para preparar para más tarde un gran placer.

Tal es el hombre que tiene el carácter medio que acabo de indicar, y que no ha recibido nombre especial. En cuanto al que intenta agradar siempre, si sólo aspira a ser agradable sin ningún otro motivo, le llamamos complaciente, pero si obra así para que le resulte algún provecho personal, si cree hacer de este modo su fortuna u obtener las cosas que la fortuna procura, es un adulador. Por fin, el que lejos de querer agradar encuentra malo todo lo que se hace es, como ya he dicho, el hombre querelloso y pendenciero. Si los dos caracteres contrarios aparecen aquí exclusivamente opuestos entre sí, es porque el medio no ha recibido nombre particular.

## De la veracidad y de la franqueza

El justo medio, en lo concerniente a la necia vanidad o jactancia, se aplica igualmente sobre poco más o menos a las mismas cosas que acabamos de enumerar. Este medio tampoco tiene nombre. Pero sea lo que fuere, nunca viene mal estudiar estas virtudes anónimas. Aprenderemos mejor las cosas de la moral analizando cada virtud en particular, y nos convenceremos tanto más de que las virtudes son medios si vemos que esta condición se reproduce en todas generalmente.

Acabamos de hablar, en lo referente a las relaciones sociales, de aquellos que no se ocupan más que del placer y del disgusto que causan a los demás. Hablemos ahora de los que, en estas relaciones, son veraces o mentirosos, ya sea en sus palabras, ya en sus actos, ya en el tono que ellos se dan.

El necio vanidoso, el fanfarrón, es aquel que quiere hacer creer que en las cosas destinadas a ilustrar al hombre posee cualidades que realmente no tiene, o que supone que las que tiene son mayores que lo que realmente son. El hombre encogido, por el contrario, oculta las cualidades que posee, o las rebaja. El que ocupa el término medio entre estos dos extremos se presenta tal cual es, tan sincero en su vida como en su lenguaje; al hablar de sí mismo, se atribuye las cualidades que tiene, pero no las hace ni más grandes ni más pequeñas que lo que son. Por lo demás, al obrar en cada uno de estos casos y con esta diversidad, se puede tener un objeto o no tenerlo. Todo hombre habla, obra y se conduce en la vida según su carácter propio, a menos que no tenga por objeto algún interés particular. Pero como la mentira en sí es reprensible y mala, y la verdad, por el contrario, es bella y digna de alabanza, se sigue que el hombre verídico, que se mantiene en el justo medio, es laudable, y que los que mienten en un sentido o en otro son reprensibles, aunque confieso que el necio vanidoso y fanfarrón lo sea más.

Hablemos de estos dos caracteres, y primero del hombre veraz. Se comprende bien que no nos ocupamos ahora del hombre que es verídico en los contratos ordinarios ni en todas aquellas ocasiones que implican cuestiones de justicia o de injusticia, porque ésta es una virtud de otro género. Aquí hablamos únicamente del que, sin rozarse con tan graves intereses, sabe en su vida y en sus palabras decir la verdad, porque así lo pide su disposición natural. Un hombre de esta clase es realmente un hombre de honor, ama la verdad, y diciéndola en los casos en que no tiene importancia, con más razón la dirá cuando importe, porque entonces evitará como una infamia la mentira, de la cual huye naturalmente. Este carácter es verdaderamente digno de estimación. Si alguna vez se separa de la estricta verdad, será más bien para debilitar las cosas, porque esta atenuación de la verdad tiene algo de delicado, mientras que las exageraciones siempre tienen por objeto chocar. Pero el que sin ningún motivo exagera las cosas en provecho propio, puede pasar por vicioso, porque si no lo fuese, no se complacería en la mentira. Sin embargo, más bien debe calificársele de hombre ligero que de malo. Cuando se miente por un motivo, si es por amor a los honores o por adquirir renombre, como lo hace el vanidoso, no es muy culpable, pero si, por el contrario, lo hace directamente por el dinero o una cosa de este género, éste se deshonra más gravemente. No es uno vanidoso y fanfarrón sólo porque sea capaz de mentir, sino porque de hecho ha preferido la mentira a la verdad. Es uno fanfarrón por hábito moral y por naturaleza, como es uno embustero. Tal embustero se complace en la mentira misma, y tal otro miente porque espera con esto alcanzar fama o provecho. Los que son vanidosos y fanfarrones únicamente por adquirir reputación, se atribuyen falsamente condiciones, mediante las que se granjean la alabanza de los hombres o su envidiosa admiración. Pero a aquellos cuya vanidad aspira al lucro y se atribuyen cualidades que pueden ser útiles a los demás, puede disimulárseles más fácilmente; por ejemplo, la ciencia de un médico entendido o de un adivino hábil. De esta clase son las condiciones que frecuentemente se atribuyen los charlatanes, porque a ello los arrastran los motivos que acabamos de decir y que llevan en sí mismos.

En cuanto a los que están dotados de esa reserva o disposición irónica que les lleva a atenuar siempre las cosas, parecen en general de un carácter más amable y más gracioso. No es ciertamente la codicia la que los obliga a hablar así; es más bien porque quieren huir de toda exageración. Los que tienen este carácter rechazan principalmente con cuidado todo lo que puede dar celebridad, y es bien sabido lo que hacía Sócrates.

Por lo que hace a los que se arrogan indebidamente cualidades sin importancia y con las que quieren llamar la atención de todo el mundo, no merecen otro nombre que el de majaderos, que consiguen bien pronto un desdén merecido. Algunas veces la reserva, llevada hasta la exageración, tiene el aire de fanfarronada, a manera de los que se visten a lo espartano, porque la exageración, lo mismo en más que en menos, es más bien propia del fanfarrón y del charlatán. Pero cuando se sabe emplear moderadamente la reserva y la ironía, y se la aplica a cosas que no son ni demasiado vulgares ni demasiado evidentes, semejantes chistes no carecen de gracia. En resumen, vana jactancia es lo opuesto a la franqueza, porque es efectivamente un defecto más grave que la ironía o falsa reserva.

## DEL DONAIRE EN EL DECIR

Como hay momentos de reposo en la vida, y hasta entonces necesitamos de distracciones que nos entretengan, es natural que en tales circunstancias sea posible un trato delicado y de buen gusto, que consista en decir lo que se debe y como se debe, y en oír a los demás en las mismas condiciones. También se podrá dar por algunos tal importancia a este agradable pasatiempo, que lo prefieran a todo lo demás y sólo quieran tratar con gentes de humor alegre. En esto puede evidentemente pecarse como en todas las cosas, por exceso o por defecto, separándose del justo medio. Hay personas que, llevando al exceso la ironía de hacer reír, pasan por bufones insípidos y molestos, diciendo a todo trance chistes y proponiéndose más excitar la risa que decir cosas aceptables y decentes que no ofendan a los que sean objeto de su crítica. Por el contrario, hay otros a los que nunca se les ocurre nada gracioso que decir, y que tienen gusto en oír a los que tienen más inteligencia que ellos; éstos son hombres rústicos y groseros. Pero los que tienen gusto para decir donaires son hombres de un trato agradable, y puede casi decirse ligero y flexible, porque en cierta manera todo esto revela una serie de movimientos de carácter, y así como se juzga de los cuerpos por los movimientos que hacen, así pueden juzgarse los caracteres mediante signos análogos.

Sin embargo, como nada hay tan común como esta gracia en el decir, y de ordinario gusta todo el mundo de llevar el gracejo más allá aún de los justos límites, sucede muchas veces que los bufones pasan por agradables y por hombres de buen gusto, pero están muy distantes de serlo, como se puede juzgar por lo que acabamos de decir. La maña o tacto es también una ventaja que corresponde a ese justo medio que alabamos en este género. El hombre de tacto sólo dice y escucha lo que un hombre en regla, un hombre libre, debe escuchar y decir. Hay ciertas cosas, en efecto, que un hombre de bien puede decir y puede escuchar por vía de diversión, pero la gracia del hombre libre en nada se parece a la del esclavo, lo mismo que la del hombre bien educado no se parece a la del hombre sin educación. Una diferencia análoga se observa entre las comedias antiguas y las nuevas. La crítica en aquellas aparecía en términos obscenos, mientras que estas últimas se limitan a hacer alusiones, lo cual no es de poca importancia bajo el punto de vista de la decencia.

¿Es posible, por tanto, trazar límites a la gracia de buen género, diciendo que no debe permitirse nada que no corresponda a la dignidad de un hombre libre que jamás se debe chocar con el que escucha, y que al contrario se le debe proporcionar un rato de placer? ¿O es que las cosas de este género no admiten definición, porque las antipatías y los gustos varían infinitamente según las personas? Cada cual sufrirá y escuchará lo que convenga a su carácter escuchar, porque en cierta manera hace suyo lo que consiente que se diga en su presencia. No es de creer, sin embargo, que sería uno capaz de hacer absolutamente todo lo que escucha, porque podrá ser la gracia una especie de insulto, y ciertos insultos están prohibidos por los legisladores, los cuales habrían hecho muy bien en prohibir donaires de cierto género. El hombre de bien y de buen gusto, el hombre verdaderamente libre, será en sus relaciones como una ley perpetua para sí mismo.

Tal es el hombre que en el género de que hablamos ocupa este delicado medio; llámesele hombre de buen tacto, hombre de buen tono, o como se quiera.

En cuanto al gracioso maligno, no puede renunciar al placer de burlarse, no se perdona a sí mismo y menos ha de perdonar a los demás y, para provocar la risa, se permite cosas que un hombre de bien nunca diga, y algunas que ni aun escucharía. El hombre grosero y huraño es de todo punto extraño a estas relaciones sociales que no frecuenta; nada pone por su parte y todo le ofende. De todas maneras es una cosa imprescindible en la vida tener momentos de descanso y de placer. En las relaciones sociales pueden distinguirse los tres medios de que hemos sucesivamente hablado; los tres se refieren al cambio de palabras y de hechos entre los hombres. La diferencia que los separa es que el uno se aplica más especialmente a la verdad y que los otros dos se aplican al placer. Y de los dos relativos al placer, el uno se refiere al pasatiempo propiamente dicho, mientras que el otro a las demás relaciones de la vida social.

## DEL PUDOR Y DE LA VERGÜENZA

No puede hablarse del pudor o de la vergüenza como si fuera una virtud; es al parecer una afección pasajera más bien que una verdadera cualidad, y se la puede definir diciendo que es una especie de miedo a la deshonra. Sus consecuencias se aproximan mucho a las que produce el temor que asalta a la vista de un peligro. Los que se sienten con vergüenza, se ruborizan luego, como los que tienen miedo a la muerte se ponen instantáneamente pálidos. Son dos fenómenos puramente corporales, que son más bien caracteres de una emoción fugitiva que un hábito o cualidad.

Esta afección misma de la vergüenza o pudor no cuadra a todas las edades; tiene su asiento natural en la juventud. Si en nuestra opinión es bueno que los corazones jóvenes sean muy susceptibles de esta afección es porque, viviendo entregados casi exclusivamente a la pasión, están expuestos a cometer muchas faltas y el pudor les puede ahorrar muchas. Alabamos entre los jóvenes a los que son tímidos y pundonorosos, pero no puede alabarse esta timidez en un anciano, porque no creemos que un anciano pueda hacer jamás cosa de que tenga que avergonzarse. La vergüenza nunca se da en el hombre de corazón completamente recto, puesto que aquélla se produce como resultado de las malas acciones, y un hombre de bien jamás debe cometerlas. Poco importa por otra parte que las cosas sean vergonzosas verdaderamente o que lo sean en la opinión; ni unas ni otras deben hacerse, y entonces debe estarse seguro de no tener nada de qué avergonzarse. Una cosa vergonzosa sólo un corazón viciado es capaz de hacerla. Pero si alguno que, por naturaleza, es capaz de cometer un acto de este género, cree que sólo por el hecho de ruborizarse de ello es ya un hombre de bien, incurre en un gran absurdo. La vergüenza sólo se aplica a los actos voluntarios, y el hombre de bien nunca hará voluntariamente una acción vergonzosa. Convengo, por otra parte, en que bajo cierto punto de vista no puede concebirse el pudor sin un principio de honradez. Si se comete tal o cual falta, será muy bueno avergonzarse por ello, pero esto nada tiene de común con las virtudes verdaderas. Ciertamente la impudencia, que no conoce el pudor, es un vicio, y el que no se ruboriza del mal que hace es un miserable, pero no se hace más hombre de bien sólo por ruborizarse después de haber cometido cosas tan culpables. Puede llegarse a decir que la templanza, que sabe dominarse, no es una virtud muy pura, y que es más bien una virtud de mezcla. Pero ya se estudiará este punto más tarde.

Ahora hablemos de la justicia.

# Teoría de la justicia

## DEFINICIÓN DE LA JUSTICIA

Para estudiar bien la justicia y la injusticia es preciso considerar tres cosas: a qué acciones se aplican, qué especie de medio es la justicia y cuáles son los extremos entre los cuales lo justo es un medio laudable. Sigamos para esto el mismo método que en todo lo que precede.

Vemos que todo el mundo está de acuerdo en llamar justicia a esta cualidad moral que obliga a los hombres a practicar cosas justas, y que es causa de que se hagan y de que se quieran hacer.

La misma observación puede hacerse respecto de la injusticia; es la cualidad contraria, que es causa de que se hagan y se quieran hacer cosas injustas. He aquí ya una especie de retrato de la justicia que resta de estas consideraciones generales. No sucede con los conocimientos y facultades que el hombre posee lo que con sus cualidades morales. La facultad, lo mismo que el conocimiento, subsisten, al parecer, completamente lo mismo para los contrarios, pero la cualidad contraria nunca es la de las cosas contrarias igualmente. Me explicaré por medio de un ejemplo: la salud jamás produce actos que sean contrarios a la salud, sólo produce cosas conformes a la misma. Y así decimos de un hombre que su modo de andar indica salud, cuando en efecto marcha como un hombre que está sano. Muchas veces una cualidad contraria se revela por la cualidad contraria, como con frecuencia también las cualidades se manifiestan por los sujetos mismos que las producen. En efecto, si la buena disposición del cuerpo es perfectamente conocida, la mala disposición no lo es menos, y si la buena disposición puede inducirse de las circunstancias que la manifiestan, recíprocamente estas circunstancias resultan de la buena disposición misma. Por ejemplo: si la buena disposición del cuerpo consiste en tener muchas carnes, se sigue de aquí necesariamente que la mala consiste en la falta de aquéllas, y todo lo que produzca la buena disposición será igualmente lo que produzca el desarrollo de las carnes. Lo que más ordinariamente sucede es que cuando uno de los términos contrarios se toma en muchos sentidos, el otro término, como una consecuencia necesaria, puede tomarse igualmente de muchas maneras. Esto sucede con lo justo y lo injusto. En efecto, la justicia y la injusticia pueden entenderse en muchos sentidos, y si la semejanza en este caso se nos escapa habitualmente, es porque los matices están muy próximos entre sí. Sería más clara y más patente si la semejanza se aplicase a cosas que estuvieran más lejanas unas de otras, porque en tal caso la diferencia en la idea sería considerable; así podemos llamar con una misma palabra en la lengua griega, sin incurrir a error, el hueso del cuello de los animales y el instrumento con que se cierran las puertas.

Veamos, pues, en cuántos sentidos se puede decir de un hombre que es injusto.

Se infama con este nombre a la vez al que falta a las leyes, al que es demasiado codicioso y al inicuo. En consecuencia es evidente que debe llamarse justo al que obedece a las leyes y al que observa con los demás las reglas de la igualdad. Así lo justo será lo que es conforme a la ley y a la igualdad, y lo injusto será lo ilegal y lo desigual. Pero puesto que el hombre ávido, que pide más que lo que le es debido, es injusto igualmente, lo será con relación a los bienes de esta vida, no a todos sin embargo, sino a los que constituyen la fortuna próspera y adversa; bienes que lo son siempre en general, aunque no lo sean siempre para tal individuo en particular. Los hombres, de ordinario, los desean y los buscan, pero esto lo hacen sin razón, porque todo lo que deberían hacer sería desear que estos bienes, que son buenos en sí, fuesen igualmente bienes para ellos mismos, y discernir con sagacidad lo que puede ser para ellos en particular un bien verdadero.

El hombre injusto no siempre pide más de lo que le corresponde equitativamente; a veces la injusticia consiste en tomar menos de lo debido, por ejemplo, en el caso en que las cosas que es preciso tomar sean absolutamente malas. Como un mal menor parece ser en cierta manera un bien y sólo el bien es a lo que aspira la avidez, el que busca para sí un menor daño puede sólo por esto pasar también por injustamente codicioso. Éste viola también la igualdad, es un inicuo, porque la expresión iniquidad comprende también esta idea de la injusticia, y es un término común. Además, viola las leyes, porque en esto precisamente consiste la ilegalidad, es decir, que la violación de la igualdad, la iniquidad, comprende todas las injusticias y es común a todos los actos injustos, cualesquiera que ellos sean. Pero si el que viola las leyes es injusto, y si el que las observa es justo, es evidente que todas las cosas legales son de algún modo cosas justas. Todos los actos especificados por la legislación son legales, y llamamos justos a todos estos actos. Las leyes, siempre que estatuyen algo, tienen por objeto favorecer el interés general de todos los ciudadanos, o el interés de los principales de ellos, o también el interés especial de los que son jefes del estado, sea por su virtud o por cualquier otro título. Por consiguiente, podemos decir en cierto sentido que las leyes son justas cuando crean o conservan para la asociación política el bienestar, o sólo algunos elementos de bienestar. La ley va más lejos aún, ordena actos de valor: por ejemplo, no abandonar las filas, no huir, no arrojar las armas. También ordena actos de prudencia y de templanza, como no cometer adulterio, no dañar a nadie. Ordena actos de dulzura, como no golpear, no injuriar. La ley extiende igualmente su imperio sobre todas las demás virtudes, sobre todos los vicios, prescribiendo unas acciones y prohibiendo otras; con razón, cuando la ley ha sido racionalmente hecha; sin razón, cuando ha sido improvisada con poca reflexión.

La justicia entendida de esta manera es la virtud completa. Pero no es una virtud absoluta y puramente individual, es relativa a un tercero, y esto es lo que hace que las más veces se la tenga por la más importante de las virtudes. (La salida y la puesta del sol no son tan dignas de admiración.) De aquí ha nacido nuestro proverbio:

«Todas las virtudes se encuentran
en el seno de la justicia».

Y añado que es en grado eminente la completa virtud, porque ella misma es la aplicación de una virtud completa y acabada. Es completa porque el que la posee puede aplicar su virtud con relación a los demás, y no sólo a sí mismo. Muchos pueden ser virtuosos con relación a su misma persona e incapaces de virtud respecto a los demás. También encuentro que el dicho de Bias está muy puesto en razón: «El poder, decía, es la prueba del hombre». En efecto, el magistrado, revestido del poder, no es algo sino con relación a los demás, como que está ya en comunidad con ellos. Por la misma razón la justicia parece ser, entre todas las demás virtudes, la única que constituye un bien extraño, un bien para los demás y no para sí, porque se ejerce respecto a los demás, y no hace más que lo que es útil a los demás, que son los magistrados o el pueblo entero. El peor de los hombres es el que por su perversidad daña a la vez a sí mismo y a sus semejantes. Pero el hombre más perfecto no es el que emplea su virtud en sí mismo, es el que la emplea para otro, cosa que es siempre difícil. Y así, la justicia no puede considerársela como una simple parte de la virtud; es la virtud entera, y la injusticia, que es su contraria, no es una parte del vicio, es el vicio todo. Por lo demás, bien se ve por las consideraciones que preceden en qué se diferencian la virtud y la justicia. En el fondo la virtud subsiste la misma; sólo la manera de ser no es idéntica: en tanto que hace relación a otro, es la justicia; en tanto que es tal hábito moral personal, es la virtud, absolutamente hablando.

## QUÉ DEBE HACERSE ENTRE LA JUSTICIA O LA INJUSTICIA Y LA VIRTUD O EL VICIO. ESPECIES DE JUSTICIA

Sea como quiera, nosotros estudiamos la justicia en tanto que es una parte de la virtud. Se la puede considerar como una virtud especial, como ya hemos dicho. En igual forma, queremos estudiar la injusticia como una parte del vicio. Veamos la prueba de que es un vicio particular.

El que comete bajo las demás relaciones actos malos, obra mal y es injusto, si se quiere, pero no por esto puede decirse que por codicia toma para sí una parte mayor que la que le corresponde. Así, el hombre que en la batalla arroja su broquel por cobardía, el que por maldad calumnia a alguno, el que por avaricia se niega a socorrer a un amigo, ninguno de éstos peca tomando más de lo que le corresponde. Recíprocamente, cuando un hombre adquiere por codicia una ganancia inicua, puede muy bien no ejecutar ninguna de las acciones viciosas que acabamos de enumerar. Sin embargo, si no ha cometido todas estas faltas, ha cometido ciertamente una, llámese como se quiera, puesto que se ha hecho reprensible y ha demostrado su perversidad y su injusticia.

Hay, pues, cierta injusticia que es como una parte de la injusticia total; hay una injusticia especial, parte de la injusticia absoluta, que es la violación de la ley. Añádase a esto que entre dos hombres que cometen adulterio, si el uno sólo tiene por mira el lucro que de este acto puede sacar y que saca realmente, y el otro, por el contrario, desembolsa su dinero y sólo es movido por la pasión, éste debe pasar por un vicioso más bien que por un hombre bajo e interesado, mientras que el otro, si puede pasar por un hombre injusto y culpable, no es ciertamente un libertino, puesto que es claro que es el lucro el que le ha inducido a obrar. Otra observación: pueden siempre referirse todos los demás actos injustos, todos los demás delitos, a algún vicio especial: por ejemplo, si un hombre comete un adulterio, se atribuye su delito a relajación; si en una batalla abandona a sus compañeros, a cobardía; si ha golpeado a alguno, a la cólera; mientras que si ha cometido la falta con la mira de algún provecho que ha sacado de ella, no se le puede atribuir a ningún otro vicio sino a la injusticia misma.

De aquí resulta, evidentemente, que además de la injusticia entera y general hay alguna otra injusticia que, como parte, es sinónima de ella, porque la definición de ambas se encuentra en el mismo género. Las dos, en efecto, tienen igualmente su acción posible en la relación del agente con un tercero. Pero hay una que hace relación a todo lo referente al honor, a la fortuna, a la salud personal y a todos los motivos de este orden, si se les pudiese comprender bajo un mismo nombre; sólo tiene por mira el placer que resulta de un lucro inicuo; la otra, por lo contrario, se aplica de una manera general a las mismas cosas que preocupan igualmente, pero en sentido inverso, al hombre virtuoso.

Se ve, por lo tanto, que hay muchas especies de justicia, y que conviene distinguir una virtud especial de una virtud tomada en toda la extensión de la palabra. Examinemos más de cerca qué es la justicia y cuáles son sus caracteres.

Se ha definido lo injusto diciendo que es lo ilegal y contrario a las reglas de la equidad o inicuo. Por consiguiente, lo justo es lo que es legal y equitativo, y así, la primera injusticia de que antes se ha hablado, es la que se refiere a la ilegalidad. Pero las ideas de desigualdad y de cantidad más grande, lejos de ser una sola y misma cosa, son muy diferentes; la una es a la otra lo que la parte es con relación al todo, porque todo lo que es más es desigual, pero todo lo que es desigual no es por eso más. Por consiguiente, la injusticia y lo injusto no son idénticos a la desigualdad y a lo desigual, y los dos primeros términos difieren mucho de los segundos. Los últimos son partes, los otros son todos. Y así, esta injusticia especial que resulta de la desigualdad, es una parte de la injusticia entera, así como tal acto de justicia es una parte de la justicia total.

Para ser claros, necesitamos hablar de esta justicia y de esta injusticia parciales y tratar bajo el mismo punto de vista lo justo y lo injusto. Dejaremos aparte la justicia y la injusticia consideradas como confundidas con la virtud entera, siendo respecto a terceros, la una, la práctica de la virtud absoluta, y la otra, la práctica del vicio. Se ve con igual evidencia cómo debería definirse lo justo y lo injusto que se refieren a estos dos puntos de vista. Por lo demás, la mayor parte de las acciones conformes con la ley no lo son menos con los principios de la virtud perfecta. La ley prescribe que se viva según las reglas particulares de cada virtud, así como prohíbe los actos que puede inspirar cada vicio en particular. Recíprocamente, todo lo que prepara y produce la virtud entera y perfecta es del dominio de la ley, como lo prueban bien todas las disposiciones prescritas en las leyes para la educación común que se da a la juventud.

En cuanto a saber si las reglas de esta educación que debe hacer a cada individuo absolutamente virtuoso pueden aplicarse a la política o a cualquiera otra ciencia, discutiremos más tarde esta cuestión, porque no es quizá una sola y misma cosa ser hombre virtuoso y ser en absoluto un buen ciudadano.

Pero volvamos a la justicia parcial, a lo justo, que bajo este punto de vista va unido a ella. Distingo por lo pronto una primera especie: es la justicia distributiva de los honores, de la fortuna y de todas las demás ventajas que pueden alcanzar todos los miembros de la sociedad, porque en la distribución de todas estas cosas puede haber desigualdad, como puede haber igualdad entre un ciudadano y otro. A esta primera especie de justicia añado una segunda: la que regula las condiciones legales de las relaciones civiles y de los contratos. Y aquí es preciso también distinguir dos grados. Entre las relaciones civiles, unas son volutarias, otras no lo son. Llamo relaciones voluntarias, por ejemplo, a la compra y venta, al préstamo, a la fianza, al arriendo, al depósito, al salario, y si se llaman contratos voluntarios es porque, en efecto, el principio de todas las relaciones de este género sólo depende de nuestra voluntad; por otra parte, en las relaciones involuntarias se pueden distinguir las que tienen lugar sin nuestro conocimiento: el hurto, el adulterio, el emponzoñamiento, la corrupción de los domésticos, la fuga de los esclavos, el asesinato por sorpresa, el falso testimonio, y las que tienen lugar empleando la fuerza, como la sevicia personal, el secuestro, el encadenamiento de un hombre, la muerte, el rapto, las heridas que estropean, las palabras que ofenden y los ultrajes que irritan.

## Primera especie de justicia

Puesto que el carácter de la injusticia es la desigualdad, es lo desigual, se sigue de aquí claramente que es un medio para lo desigual. Este medio es la igualdad, porque en toda acción, sea la que fuere, en que puede darse el más o el menos, la igualdad se encuentra también precisamente. Luego si lo injusto es lo desigual, lo justo es lo igual; esto lo ve cualquiera sin necesidad de razonamiento, y si lo igual es un medio, lo justo debe ser igualmente un medio. Pero la igualdad supone por lo menos dos términos. Es una consecuencia no menos necesaria que lo justo sea un medio y una igualdad con relación a una cierta cosa y a ciertas personas. En tanto que medio es el medio entre ciertos términos, que son el más y el menos; en tanto que igualdad es la igualdad de dos cosas; en tanto que justo se refiere a personas de cierto género. Lo justo implica por lo tanto necesariamente cuatro elementos por lo menos, puesto que las personas, a las cuales lo justo se aplica, son dos, y las cosas, en las que se encuentra lo justo, son igualmente dos. La igualdad es aquí la misma para las personas que para las cosas en que ella se encuentra. Quiero decir que la relación en que están las cosas es también la relación de las personas entre sí. Si las personas no son iguales, no deberán tampoco tener partes iguales. Y de aquí las disputas y las reclamaciones cuando aspirantes iguales no tienen partes iguales, o cuando no siendo iguales reciben sin embargo porciones iguales. Esto mismo es de toda evidencia si, en lugar de mirar a las cosas, se mira al mérito de las personas que las reciben. Todos están de acuerdo en reconocer que en las particiones lo justo debe acomodarse al mérito relativo de los contendientes. Sólo que no todos hacen consistir el mérito en unas mismas cosas. Los partidarios de la democracia lo colocan únicamente en la libertad, los de la monarquía lo colocan ya en la riqueza, ya en el nacimiento, y los de la aristocracia, en la virtud.

Así pues, lo justo es algo proporcional. La proporción no se limita especialmente al número tomado en su unidad y abstractamente; se aplica al número en general, porque la proporción es una igualdad de relaciones, y se compone de cuatro términos por lo menos. Por lo pronto, es de toda evidencia que la proporción está formada de cuatro términos, lo cual no es menos evidente respecto de la proporción continua. Ésta emplea uno de los términos como si formase dos con él y lo repite dos veces: dice, por ejemplo, A B B C, y así se repite dos veces, de suerte que a consecuencia de esta repetición resulta que los términos de la proporción son igualmente cuatro.

Lo justo se compone igualmente de cuatro términos por lo menos y la relación es la misma, porque hay la misma división exactamente con relación a estas personas que a las cosas lo mismo que el término A es a B, el termino C es a D, y recíprocamente lo mismo que A es C, lo mismo B es D. Por consiguiente, el total de dos de los términos está en la misma relación con el total de los otros dos términos, y se forma en ambos casos este total, adicionando los dos términos que se separan de los que les siguen. Si los términos están combinados entre sí según esta regla, la adición resulta perfectamente lista. Y así la correspondencia de A con C y de B con D es el tipo de la justicia distributiva, y lo justo de esta especie es un medio entre extremos que sin esto no estarían ya en proporción porque la proporción es un medio, y lo justo es siempre proporcional. Los matemáticos llaman a esta proporción geométrica, y en efecto, en la proporción geométrica, el primer total es el segundo total, como cada uno de los dos términos es al otro, pero esta proporción que representa lo justo no es continua, porque no hay numéricamente un sólo y mismo término para la persona y para las cosas. Luego si lo justo es la proporción geométrica, lo injusto es lo contrario a la proporción, ya en más ya en menos. Esto es precisamente lo que pasa en la realidad: el que comete la injusticia se atribuye más que lo que debe tener y el que la sufre recibe menos que lo que le corresponde. Pero cuando se trata del mal, sucede a la inversa, porque un menor mal en comparación de un mal mayor puede ser considerado como un bien. El mal menor es preferible al mal mayor,de manera que lo que se prefiere es siempre el bien, y cuanto más preferible es la cosa, tanto más grande es el bien.

Tal es, pues, una de las dos especies que se pueden distinguir en lo justo.

## Segunda especie de justicia

La otra especie de justicia es la reparadora y represiva, que regula las relaciones de unos ciudadanos con otros, lo mismo las voluntarias que las involuntarias. Lo justo se presenta aquí bajo una forma distinta que antes. Lo justo, con relación a la distribución de los recursos comunes de la sociedad, debe seguir siempre la proporción que acabamos de explicar. Si se plegasen a repartir las riquezas sociales, sería preciso que la repartición se verificase precisamente en la relación misma en que estén las partes con que cada uno haya contribuido. Lo injusto, es decir, lo opuesto a lo justo entendido de esta manera, sería lo contrario de esta proporción.

Lo justo en las transacciones civiles es también una especie de igualdad, y lo injusto una especie de desigualdad, pero no según la proporción de que se acaba de hablar, sino según la proporción simplemente aritmética. Importa poco, en efecto, que sea un hombre distinguido el que haya despojado a un ciudadano oscuro, o que el ciudadano oscuro haya despojado a un hombre de distinción; importa muy poco que sea un hombre distinguido o un hombre oscuro el que haya cometido un adulterio; la ley sólo mira la naturaleza de los delitos, y trata a las personas como completamente iguales. Sólo se cuida de averiguar si el uno ha sido culpable, si el otro ha sido víctima, si el uno ha cometido el daño y si el otro lo ha sufrido. Por consiguiente el juez sólo trata de igualar esta injusticia, que no es más que una desigualdad, porque cuando uno ha sido golpeado y el otro ha dado los golpes, cuando uno mata y otro es matado, el daño experimentado de una parte y la acción producida de la otra están desigualmente repartidos, y el juez intenta con la pena que impone igualar las cosas, quitando a una de las partes el provecho que ha sacado. Me sirvo de los términos generales que ha consagrado el uso en los casos de este género, por más que estas expresiones sólo puedan ser aplicables en ciertos casos, y por esto digo provecho, hablando del que ha golpeado, y pérdida, hablando del que ha sufrido la violencia. Pero cuando el juez ha podido graduar el daño experimentado, el provecho del uno constituye su pérdida, y la pérdida del otro constituye su provecho. Así, la igualdad es el medio entre el más y el menos. Provecho y pérdida o sufrimiento deben entenderse, aquél como lo más, ésta como lo menos en sentido contrario. Lo más en el bien y lo menos en el mal son el provecho, y lo contrario es la pérdida o el sufrimiento. Lo igual que ocupa el medio entre uno y otro, es lo que llamamos lo justo; en resumen, lo justo que tiene por objeto reparar los daños es el medio entre la pérdida o el sufrimiento del uno y el provecho del otro.

He aquí por qué siempre que hay contienda se busca el amparo del juez. Ir al juez es ir a la justicia, porque el juez nos representa la justicia viva y personificada. Se busca un juez que ocupe el medio entre las partes, y a veces se da a los jueces el nombre de mediadores, como si estuviéramos seguros de haber encontrado la justicia una vez que hemos hallado el justo medio. Lo justo, pues, es un medio, puesto que el mismo juez lo es. El juez iguala las cosas, y podría decirse que, teniendo delante de sí una línea cortada en partes desiguales y cuya porción mayor excede de la mitad, el juez quita la parte que excede y la añade a la porción menor. Cuando el todo ha sido dividido en tres partes completamente iguales, entonces cada uno de los litigantes reconoce que tiene la parte que le debe corresponder, es decir, que tienen cada uno una parte igual. Pero lo igual es el medio entre la parte más grande y la parte más pequeña en proporción aritmética, y he aquí por qué, en la lengua griega, la palabra que significa lo justo es casi idéntica a la que significa la división igual en dos partes, y basta mudar una sola letra para que las palabras, que expresan lo justo y la división en dos, el juez y el que divide una cosa en dos, sean palabras absolutamente iguales.

Si a una de dos cosas iguales se quita cierta cantidad y se añade a la otra, la primera excederá a la segunda en dos veces la cantidad añadida, porque si se limita a quitar a la una una cantidad sin añadirla a la otra, la primera excederá a la segunda en una y no en dos veces. Por lo tanto, la porción aumentada hará aumentar una vez la mitad de la cosa, y esta mitad a su vez superará igualmente una vez la porción a que se ha quitado alguna cosa. Por este medio podemos saber lo que es preciso quitar al que tiene más y lo que es preciso dar al que tiene menos. Es preciso añadir al término que tiene menos toda la cantidad en que le excede la mitad, y quitar al término más grande toda la cantidad en que excede a la mitad.

Sean tres líneas A A, B B, C C, iguales entre sí. De A A quitemos la parte A E, y a C C añadamos la parte C D. Resulta de aquí que la línea entera C C D excede a A E la parte C D y la parte C F. Excede, pues, también a B B en la parte C D.

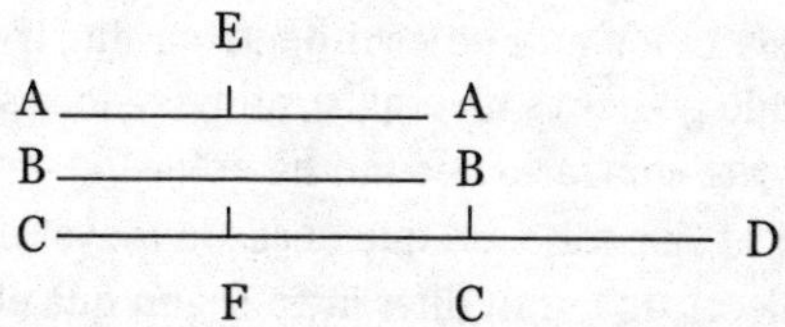


(Podría muy bien decirse que con todas las demás artes sucede lo que aquí con la justicia. Las artes no subsistirían si en cada una el agente no obrase con cierta medida y de una cierta manera, y si la cosa que debe sufrir la acción no la sufriese también en cierta medida y de una manera determinadas.)

Añado también que los nombres de provecho y pérdida que empleamos al estudiar la justicia han venido del cambio y de las transacciones voluntarias. Cuando se tiene más que se tenía al principio, se dice que se ha alcanzado un provecho, y cuando, por el contrario, resulta que se tiene menos, esto se llama experimentar una pérdida. Esto es lo que sucede, por ejemplo, en las transacciones de compra y venta, y en todas aquellas en que la ley ha dejado en plena libertad a los contratantes. Pero cuando no se tiene ni más ni menos que lo que se tenía, y las cosas han quedado como estaban antes, se dice que cada uno tiene lo suyo y que ninguno ha tenido pérdidas ni ganancias.

En resumen, lo justo es el medio exacto entre cierto provecho y cierta pérdida en las transacciones que no son voluntarias, y consiste en que cada uno tenga su parte lo mismo antes que después.

## La reciprocidad o el talión no puede ser la regla de la justicia

La reciprocidad o el talión parece a algunos ser lo justo en absoluto. Es la doctrina de los pitagóricos, que han definido lo justo diciendo de una manera absoluta que consiste en dar exactamente a otro lo que se ha recibido. Pero el talión no conviene ni con la justicia distributiva ni con la justicia reparadora y represiva. Se insiste y se pretende que el talion es la justicia de Radamanto:

> «Sufrir lo mismo que se ha hecho;
> he aquí la verdadera justicia».

Pero hay muchos casos en que esta doctrina no sirve; por ejemplo, si el que ha dado golpes es un magistrado, no debe ser golpeado a su vez, y si, por el contrario, alguno ha golpeado al magistrado, no basta golpear al agresor, sino que necesita mayor castigo. Además, se debe establecer una gran diferencia según que el delito ha sido voluntario o involuntario. Confieso por lo demás que, en todas las relaciones comunes que los ciudadanos mantienen entre sí, esta especie de justicia, es decir, la reciprocidad proporcional y no estrictamente igual, es el lazo mismo de la sociedad. El estado no subsiste sino merced a esta reciprocidad de servicios, que hace que cada uno devuelva proporcionalmente lo que ha recibido. En efecto, una de dos cosas: o se trata de volver el mal por el mal, pues la sociedad sería una especie de servidumbre si no se pudiese volver el mal que se ha experimentado, o bien se trata de volver bien por bien, de otra manera ya no habría una reciprocidad de servicios entre los ciudadanos, y sin embargo, gracias a este mutuo cambio de servicios, la sociedad puede subsistir. Esto nos explica también el fin con que se coloca el templo de las gracias en el sitio más frecuentado de la ciudad, que no es otro que el de excitar a los ciudadanos a devolver los servicios que hayan recibido, porque esto es lo propio de la gracia. Es preciso que sirváis a vuestra vez al que se ha mostrado generoso con vosotros, y debéis enseguida tomar la iniciativa, mostrándoos espontáneamente generosos con él.

Puede representarse esta reciprocidad proporcional de servicios por una figura cuadrada, en la que se combinen los términos opuestos en el sentido de la diagonal. Sea, por ejemplo, el arquitecto A, el zapatero B, la casa C, el calzado D. El arquitecto recibirá del zapatero la obra que es propia del zapatero, y en cambio, le dará la obra que él mismo hace. Si hay desde luego entre los servicios cambiados una igualdad proporcional, y enseguida ha, y reciprocidad de buenos servicios, las cosas pasarán como ya he dicho. De otra manera, no hay ni igualdad ni estabilidad en las relaciones, porque puede suceder que la obra del uno valga más que la del otro, y es necesario igualarlas. Esta regla tiene aplicación en todas las demás artes, las cuales serían imposibles si, de una parte, el agente que debe producir no obrase con cierta medida y de cierta manera, y si, de otra, el ser que debe sufrir la acción no la sufriese en una medida y de una manera determinadas. Realmente no hay relaciones posibles entre dos agentes semejantes, entre dos médicos, pero hay posibilidad de relaciones comunes entre un médico, por ejemplo, y un agricultor, y, en general, entre gentes que son diferentes, que no son iguales, y que es preciso que se igualen entre sí, para que puedan entrar en tratos.

Así pues, es preciso que las cosas que están sujetas a cambio puedan compararse entre sí bajo algún respecto, y de aquí nace la necesidad de la moneda. Puede decirse que es una especie de medio, de intermediario; es la medida común de todas las cosas, y por consiguiente, estima el valor superior de la una así como el valor inferior de la otra. Hace ver, por ejemplo, cuántos zapatos serían necesarios para igualar el valor de una casa o el de los alimentos que se consumen. Es preciso que el arquitecto reciba del zapatero un número dado de zapatos por el precio de la casa, o tantos zapatos por el precio de los alimentos. Sin esta condición no habría cambio ni asociación posible; ni ésta ni aquél podrían tener lugar si no se llegase a fijar entre las cosas una especie de igualdad. Es preciso, repito, encontrar una medida única que pueda aplicarse a todo sin excepción. La necesidad que tenemos los unos de los otros es en realidad el lazo común de la sociedad. Si los hombres no tuviesen necesidades, o si no tuviesen necesidades semejantes, no habría cambio entre ellos, o por lo menos, el cambio no sería el mismo. Pero efecto de una convención completamente voluntaria, la moneda se ha hecho en cierta manera el instrumento y el signo de esta necesidad. Para recordar esta convención se da, en la lengua griega, a la moneda, un nombre derivado de la palabra misma que significa la ley, porque la moneda no existe en la naturaleza, sólo existe mediante la ley, y depende de nosotros mudar su valor y hacerla inútil, si queremos.

No hay, pues, verdadera reciprocidad sino cuando se han igualado las cosas de antemano, siendo la relación del labrador, por ejemplo, con el zapatero, igual a la relación entre la obra del uno con la del otro. Pero no hay precisión de exigir la relación de proporción cuando hayan hecho el cambio entre sí. De otra manera, uno de los extremos tendría siempre las dos unidades de más de que hablamos antes. Pero cuando cada cual de ellos conserva aún sus bienes, entonces son iguales y están en una asociación verdadera, porque esta igualdad puede establecerse por su libre consentimiento. Sea el labrador A; el alimento que produce, C; el zapatero, B, y su obra estimada como igual, D. Si la reciprocidad de servicios no existiese con las condiciones que acabamos de decir, no habría asociación entre los hombres. Lo que prueba claramente que la necesidad por sí sola aproxima a los dos contratantes y constituye como una unidad es que, cuando dos hombres no necesitan el uno del otro, ya se encuentren en este caso ambos o ya uno sólo, no hacen cambios, así como se ven precisados a hacerlos cuando el uno necesita lo que el otro posee, y teniendo necesidad de vino, por ejemplo, da en cambio el trigo que tiene y de que puede disponer. Es imprescindible, pues, igualar las cosas de una y otra parte. Pero cuando en el momento no se tiene necesidad de nada, el dinero que se guarda es como una garantía para un cambio futuro, que podrá fácilmente tener lugar tan pronto como se advierta la necesidad, porque es preciso que, aquel que entonces dé el dinero, esté seguro de encontrar en cambio lo que habrá de necesitar. Por otra parte, la moneda está sometida a las mismas variaciones, no conserva siempre el mismo valor, si bien este valor es más fijo y más uniforme que el de las cosas que representa. Es preciso que haya una apreciación general de las cosas, porque sólo así se hace el cambio posible, y si el cambio tiene lugar, en este mismo hecho hay ya asociación y comercio. La moneda, como viene a ser una medida general que permita valorar todas las cosas, las unas con relación a las otras, lo iguala todo. Y así, sin cambios no hay comercio ni sociedad; sin igualdad no hay cambios, y sin una medida común, no hay igualdad posible. En realidad, no puede suceder que cosas tan diferentes sean conmensurables entre sí, pero también es cierto que, efecto de la necesidad, se puede llegar sin gran trabajo a medirlas todas suficientemente. Es preciso que haya una unidad de medida, pero esta unidad es arbitraria y convencional; se la llama moneda, palabra que tiene en griego el sentido etimológico que se ha dicho, y todo lo hace conmensurable, porque todo, sin excepción, se valora por medio de la moneda. Sea una casa, A; diez minas, B; una cama, C. Sea A la mitad de B, es decir, que la casa valga cinco minas o sea igual a cinco minas. Supongamos también que la cama C sólo valga la décima de B. Con estos datos se ve fácilmente cuántas camas se necesitan para igualar el valor de la casa, es decir, que se necesitan cinco. Se comprende que de esta manera habrán tenido naturalmente lugar los cambios antes que existiese la moneda, porque importa poco que las cinco camas se cambiaran por la casa o por cualquier otro objeto que tuviese el valor de cinco camas.

Por todas estas consideraciones se ve, pues, lo que son lo justo y lo injusto. Una vez fijados estos puntos se ve también que la equidad personal, la práctica personal de la justicia, es un medio entre una injusticia cometida y una injusticia sufrida. De una parte, se tiene más que se debe tener; de otra, se tiene menos. Pero si la justicia es un medio, no es como las virtudes precedentes: lo es porque ocupa el medio, mientras que la injusticia está en los dos extremos. La justicia es la virtud que hace que se llame justo a un hombre que en su conducta practica lo justo por una libre preferencia de su razón, y que sabe aplicarla igualmente a sí mismo que a otro y entre las demás personas, que obra de manera que no se da a sí mismo más y a su vecino menos, si la cosa es útil, o a la inversa, si la cosa es mala, y que sabe sostener entre él y otro la igualdad proporcional, en la forma que lo haría si tuviese que decidir contiendas entre los demás.

En cuanto a la injusticia, es precisamente lo contrario de todo esto relativamente a lo injusto. Lo injusto es a la vez el exceso en más y el defecto en menos en todo lo que puede ser útil o dañoso, sin tomar nunca en cuenta la proporción. Por consiguiente, la injusticia es a la vez un exceso y un defecto, pues subsiste perennemente en el exceso o en el defecto con relación al individuo mismo, porque si la cosa es buena, el hombre injusto se atribuye una parte enorme de ella y peca por exceso; cuando es dañosa, peca por defecto, aplicándose lo menos que puede con relación a los demás, porque las disposiciones en general son siempre las mismas, y sin cuidarse nunca de las reglas equitativas de la proporción, el hombre injusto decide a la ventura según encuentra las cosas, como si tratándose de una injusticia no fuese el menor mal sufrirla y un mal mucho mayor cometerla.

Tales son las consideraciones que quería presentar sobre la justicia y la injusticia y sobre la naturaleza de cada una de ellas, y por consiguiente, sobre lo justo y lo injusto en general.

## Los caracteres y condiciones de la injusticia y del delito

Como es posible que el que cometa una injusticia o un crimen no sea aún completamente injusto o criminal, se puede preguntar: ¿cuál es el punto en que el hombre se hace realmente injusto y culpable en cada género de injusticia: por ejemplo, ladrón, adúltero, bandolero? ¿O no debe hacerse absolutamente ninguna diferencia según los casos? Un hombre ha podido tener comercio con una mujer sabiendo muy bien con quién trataba, pero sin ninguna premeditación y arrastrado sólo por la pasión. Sin duda ha cometido un crimen, pero no es un verdadero criminal, y por consiguiente puede uno no ser ladrón, aunque haya robado, no ser adúltero aunque haya cometido adulterio, y lo mismo en todas las demás especies de delito.

Más arriba queda dicho cuál es la relación del talión o de la reciprocidad con la justicia. Pero no olvidemos que lo que aquí se busca es a la vez lo justo absoluto y lo justo social, es decir, lo justo aplicado a gentes que asocian su vida para asegurar su independencia, y que son libres e iguales, sea proporcionalmente, sea individual y numéricamente. Por lo tanto, siempre que no se les garantiza estos bienes, no hay para ellos justicia social propiamente dicha; hay solamente una justicia cualquiera que se parece más o menos a aquélla, porque sólo hay justicia cuando hay una ley que decide en las contiendas que se suscitan entre los hombres. Pero sólo hay ley donde hay injusticia posible, puesto que el juicio es la decisión sobre lo justo y lo injusto. Donde quiera que haya injusticia posible pueden cometerse igualmente actos injustos, pero donde se cometen actos injustos no hay siempre injusticia real, es decir, el acto de atribuirse a sí mismo más bienes reales que los que le correspondan y menos males reales que los que debe sufrir. Por esta causa atribuimos el poder, no al individuo, sino a la razón, porque el individuo revestido del poder obra bien pronto en su provecho y no tarda en hacerse tirano. Pero el magistrado a quien está confiado el poder es el guardador de la justicia, y si es el guardador de la justicia, lo es igualmente de la igualdad. Jamás se atribuye a sí más de lo que le corresponde, puesto que es justo, ni se entrega a sí mismo más parte de bienes de los que deba repartirse, a menos que proporcionalmente deba corresponderle realmente más. Por consiguiente, puede decirse que en este sentido trabaja para los demás, y he aquí lo que me ha obligado a decir, que la justicia es un bien y una virtud que toca más a los demás que al individuo mismo, como se dijo antes. Por lo tanto, el magistrado merece una recompensa que debe dársele, y esta recompensa es el honor y la consideración. Los que no se contentan con este honroso salario se hacen tiranos.

El derecho del dueño y el del padre no se confunden con los derechos de que acabamos de hablar, si bien se parecen a ellos. Se comprende, en efecto, que hablando con propiedad no hay injusticia posible respecto a lo que nos pertenece, porque la propiedad de un hombre y el hijo, mientras no llega a cierta edad y no está separado de su padre, son como parte de uno mismo, y como nadie de propósito deliberado puede querer perjudicarse, no cabe injusticia respecto a sí mismo. Y así no tienen cabida aquí ni la justicia ni la injusticia social y política. La justicia política sólo existe en virtud de la ley, y sólo se aplica a los seres que naturalmente deben ser gobernados por la ley, mas estos seres son aquellos que, en su igualdad, pueden aspirar alternativamente al mando y a la obediencia. He aquí por qué esta clase de justicia se aplica mejor al marido respecto de la mujer, que al padre respecto de los hijos o al dueño respecto de su propiedad. La justicia que rige para las propiedades y para los hijos es la justicia doméstica, la cual difiere también de la justicia política y civil.

## Distinción de lo natural y de lo puramente legal en la justicia social y en el derecho civil y político

En la justicia civil y en el derecho político se puede distinguir lo que es natural y lo que es puramente legal. Es natural lo que en todas partes tiene la misma fuerza y no depende de las resoluciones que los hombres puedan tomar en un sentido o en otro. Lo puramente legal es todo lo que, en un principio, puede ser indiferentemente de tal modo o del modo contrario, pero que cesa de ser indiferente desde que la ley lo ha resuelto: por ejemplo, la ley prescribe que el rescate de los prisioneros sea una mina, o que se inmole a Júpiter una cabra y no un cordero. Lo mismo son todas las disposiciones relativas a particulares, y la ley puede ordenar igualmente el sacrificio de Brásidas. En este caso se encuentra, en fin, todo lo que se prescribe por decretos especiales.

Hay personas que creen que la justicia, bajo todas sus formas y sin excepción, tiene este carácter de mutabilidad. Según ellos, lo que es verdaderamente natural es inmutable, y en todas partes tiene la misma fuerza y las mismas propiedades. Así el fuego lo mismo quema en estos países que en Persia, mientras que las leyes humanas y los derechos que ellas fijan están en un cambio perpetuo. Esta opinión no es completamente exacta, pero es sin embargo verdadera en parte. Quizá para los dioses no existe esta movilidad, mas para nosotros hay cosas que, siendo naturales, están sujetas sin embargo a cambio. Por lo tanto, no todo es variable, y puede distinguirse con razón en la justicia civil y política lo que es natural y lo que no lo es. Pero aun admitiendo que en este punto todo sea variable, entre las cosas que pueden ser de otra manera de como son, deben distinguirse las que, por su naturaleza, son mudables sin serlo naturalmente, se hacen mudables por efecto de la ley y de nuestras convenciones. La misma distinción puede aplicarse a otras cosas que no son la justicia, y así, la mano derecha es naturalmente la más dispuesta para servirnos, sin embargo de lo cual pueden todos los hombres hacerse ambidextros. Hay prescripciones de la justicia fundadas sobre convenciones y sobre la utilidad, absolutamente del mismo modo que hay medidas para apreciar los objetos. Las medidas para el vino y para el trigo no son en todas partes de igual cabida, y sin embargo, son siempre más grandes en los puntos donde se compra y más pequeñas en los puntos donde se vende. Lo mismo sucede con los derechos que no son naturales y que son puramente humanos; no son en todas partes idénticos. Las Constituciones tampoco lo son, si bien existe una que es en todas partes la natural, y que es la mejor. Pero todos los decretos y prescripciones legales en particular son como las ideas generales con relación a las ideas particulares. Las acciones realizadas pueden ser muy numerosas, y sin embargo, cada una de las leyes que las arreglan es una, porque el principio es general. También debe establecerse una diferencia entre lo injusto legal y lo injusto tomado en absoluto, entre lo justo legal y lo justo absoluto. Lo injusto propiamente dicho es lo que es tal por naturaleza, así como lo es también lo que se hace tal en virtud de una disposición legal. Esta misma cosa, después que ha sido hecha y ejecutada, se hace un acto legalmente injusto, pero antes de haberla ejecutado no es un acto legalmente injusto, no es más que injusto en sí mismo. Otro tanto puede decirse del acto justo. Pero en el lenguaje común se reserva el nombre de acto justo para una acción que es justa, y el de acto de justicia para la reparación legal de la acción injusta que se ha cometido. Más adelante habremos de estudiar en cada uno de estos géneros la naturaleza y el número de sus especies y los objetos a que se refieren.

## De la intención como elemento necesario del delito y de la injusticia

Siendo los actos conformes a la justicia y los actos injustos lo que acabamos de decir, sólo se comete un delito o se hace un acto justo cuando se obra voluntariamente, lo mismo en uno que en otro caso. Pero cuando se obra sin quererlo, no es uno justo ni injusto a no ser indirectamente, porque al obrar así sólo ha sido uno justo o injusto por accidente. Lo que hay de voluntario o involuntario en la acción es lo que constituye la iniquidad o la justicia. Si la acción es voluntaria, es justiciable, y sólo por esto es una falta, es una injusticia. Por consiguiente, un acto podrá tener algo de injusto, pero no será aún un acto injusto, un delito propiamente dicho, si no está hecho con intención. Cuando digo voluntario, entiendo, como ya he dicho antes, una cosa que hace uno con conocimiento de causa, en circunstancias que sólo dependen de él, y sin ignorar ni la persona a que esta cosa se refiere, ni el medio que emplea, ni el fin que se propone. Por ejemplo, citaré el caso en que se sabe a quién se maltrata, con qué instrumento, por qué causa, sin que se produzca ninguna de estas condiciones por accidente, ni por fuerza mayor, como si alguno cogiendo vuestra mano os precisase a golpear a otro, porque en tal caso no pegaríais con voluntad ni dependería de vosotros el hecho. Podría suceder que la persona golpeada fuese vuestro padre, y que el que cogió vuestro brazo supiese que iba a ser el golpeado uno de los presentes pero ignorase que la persona golpeada fuese vuestro padre. Pueden hacerse otras hipótesis análogas en razón del motivo que hace obrar y de todas las demás circunstancias del acto. Desde el momento que se ignora lo que se hace, o que, aun no ignorándolo, el acto no depende de vosotros y os es impuesto por la fuerza, el acto es involuntario. Y así hay muchas cosas que están en el curso ordinario de la naturaleza, que nosotros hacemos y que sufrimos con pleno conocimiento de causa, sin que haya de nuestra parte nada de voluntario ni de involuntario: por ejemplo, envejecer y morir.

También en las acciones justas e injustas puede tener lugar el accidente. Si alguno, por ejemplo, entrega un depósito contra su voluntad bajo el imperio del temor, no podrá decirse que se conduce con justicia, ni que hace un acto justo, pues sólo lo es indirectamente y por accidente. Y lo mismo debe decirse del que se ve forzado por una necesidad absoluta y contra su voluntad a no devolver un depósito, que no es injusto ni comete un delito sino accidentalmente.

Entre las acciones voluntarias pueden distinguirse también las hechas sin preferencia y sin elección y las hechas como resultado de una elección ilustrada. Las acciones que hacemos con elección son aquellas a que ha precedido deliberación. Por consiguiente, en las relaciones sociales se puede dañar a los conciudadanos de tres maneras diferentes. En primer lugar, hay daños causados por ignorancia, los cuales son errores que se verifican siempre que se obra sin saber contra quién, cómo, ni con qué fin se hace aquello que se hace, y así, no se quería golpear ni con esta cosa, ni a este hombre, ni por esta causa, pero el hecho se ha verificado de distinta manera que como se pensaba; por ejemplo, se lanza un proyectil, no para herir, sino para causar una pequeña picadura. O bien, no era ésta la persona a quien se dirigía, ni tampoco era la manera como se la quería lastimar. Cuando el daño ha sido causado contra toda previsión racional, es una desgracia. Cuando no es éste precisamente el caso, pero sin embargo no hay maldad, es una falta, porque el autor del accidente ha cometido una falta si el principio del daño causado está en él, mientras que no es más que una desgracia cuando el principio viene de fuera. En segundo lugar, cuando se obra con pleno conocimiento de causa, aunque sin premeditación, se comete un acto injusto, un delito, y en esta clase deben colocarse todos los accidentes que tienen lugar entre los hombres como resultado de la cólera y de todas las pasiones que son necesarias o naturales en nosotros. Causando tales daños y cometiendo tales faltas, se hacen indudablemente actos injustos, que sin duda son injusticias, pero no por esto es el hombre que las comete esencialmente injusto, ni malo, porque el daño no procede precisamente de la perversidad de los que lo causan. En fin, cuando por el contrario se obra con designio premeditado, es uno completamente culpable y perverso. Encuentro que con mucha razón no se tienen por premeditadas las acciones cometidas bajo el influjo de los arrebatos del corazón, porque muchas veces la verdadera causa de la acción no es tanto el que obra por cólera como el que la ha provocado. En estas circunstancias no se discute ordinariamente sobre la realidad o la falsedad de la acción, sólo se discute sobre su justicia cruel. La cólera habitualmente no sale de quicio sino a la vista de la injusticia sufrida o que se cree cierta. En estos casos no se discute sobre el hecho, como sucede en el cumplimiento de los contratos en los cuales precisamente uno de los contratantes es hombre de mala fe, a menos que no se trate de un simple olvido. Pero en el presente caso no cabe desacuerdo acerca del hecho y sólo se disputa sobre su justicia. El que ha atacado, no lo niega, así que lo que uno de los querellantes sostiene es que se le ha faltado, y el otro sostiene que no.

Si se daña a otro con intención, se comete una injusticia, y el que comete injusticias de este género es verdaderamente injusto, ya peque su acción contra la proporción o contra la simple igualdad. Una observación análoga puede hacerse respecto al hombre justo. Es verdaderamente justo cuando realiza un acto justo después de una resolución anterior, y la acción no es justa sino en cuanto es voluntaria y libre. Respecto a los daños involuntarios, los unos son perdonables y otros no lo son. En efecto, se pueden perdonar todas las faltas que se cometen ignorando que se cometen, y lo mismo las que son efecto de la ignorancia. Pero todas las faltas que se cometen no precisamente por ignorancia, sino por la obcecación de una pasión que no es natural, ni digna del hombre, son faltas imperdonables.

## De algunas definiciones de la injusticia

Podría preguntarse si hemos definido exactamente lo que es sufrir o cometer una injusticia. Y ante todo: ¿comprendió Eurípides bien esta diferencia cuando pronunció estas notables palabras?:

«Yo soy el que ha inmolado a mi madre;
yo lo digo.
Ella y yo lo quisimos; sí, la orden de ella
ha procedido».

Pero, ¿es posible realmente que quiera nadie con plena voluntad causarse a sí mismo una injusticia? O más bien, ¿no se sufre siempre contra voluntad una injusticia, así como con voluntad se comete siempre? ¿Es posible que la injusticia que se sufre tenga indiferentemente uno u otro carácter, siendo toda injusticia que se comete necesariamente voluntaria? En otros términos, ¿la injusticia que se sufre puede ser tan pronto voluntaria como no serlo? Las mismas preguntas pueden hacerse con respecto a la justicia que a uno hacen los demás, porque como todo acto de justicia es siempre voluntario en el que lo ejecuta, parece que se puede igualmente oponer con razón, bajo el punto de vista de lo voluntario y de lo involuntario, la injusticia y la justicia que proceden de otro. Pero debe parecer bastante extraño sostener que la justicia, que a uno hace otro, es siempre voluntaria, puesto que muchos se encuentran con que se les hace justicia sin que lo hayan pedido y sin que lo quieran.

Otra pregunta que podría hacerse es si en todos los casos el que experimenta alguna cosa injusta es efectivamente tratado con injusticia, o bien, si sucede con la injusticia que se sufre lo que con la acción justa que se hace. Puede acontecer que accidentalmente y por efecto del azar se obtenga en uno u otro sentido una parte de justicia, y esta observación puede evidentemente aplicarse también a la injusticia y en los mismos términos, porque no es una misma cosa hacer actos de injusticia que ser injusto. Tampoco es una misma cosa sufrir actos de injusticia que sufrir una verdadera injusticia. Las mismas distinciones deben hacerse para la justicia que se hace a los demás o que se recibe de ellos, porque es imposible sufrir una injusticia sin que haya alguno que cometa una injusticia, ni obtener la justicia que os sea debida sin que haya alguien que realice un acto de justicia.

Pero, ya lo hemos dicho, para ser absolutamente culpable de una injusticia, basta hacer voluntariamente mal a otro, y hacerlo voluntariamente es saber contra quién, con qué y cómo se ha obrado. De aquí se sigue que el intemperante que con plena voluntad se daña a sí mismo experimenta voluntariamente un daño, y de esta manera puede uno hacerse culpable para condenar, porque es una cuestión que también se ha suscitado sobre si puede ser uno culpable para consigo mismo. Se puede suponer otra hipótesis: la de que por intemperancia puede uno experimentar voluntariamente una injusticia de parte de otro que la cometa no menos voluntariamente. En esta suposición también se sufriría voluntariamente una injusticia. Pero vale más reconocer que nuestra definición de lo injusto no es exacta y completa, y a las condiciones de saber a quién, con qué y cómo se daña es preciso añadir esta otra condición: que se obre contra la voluntad del que sufre la injusticia. Puede, pues, experimentarse daño por propia voluntad y hasta sufrir voluntariamente cosas injustas. Pero nadie se hace a sí mismo una injusticia verdadera, ni se injuria voluntariamente, porque nadie lo quiere realmente, ni aun el mismo intemperante que no es dueño de sí mismo. Lejos de esto, el intemperante obra contra su propia voluntad, puesto que nadie quiere jamás lo que no estima como un bien, pero el intemperante hace precisamente lo que cree que no debe hacerse.

No se experimenta una injusticia, un daño, porque uno done inconsideradamente sus propios bienes, como Homero dice de Glauco, que dio los suyos a Diómedes, cambiando:

«Oro por bronce, cien bueyes por nueve».

En este caso, donar sólo depende del que dona, pero sufrir una injusticia no depende de aquel que la sufre, sino que basta que haya alguno que la cometa con conocimiento.

En resumen, resulta que jamás se experimenta voluntariamente una injusticia.

De las cuestiones que hemos sentado, nos faltan dos que tratar que son las siguientes: saber quién es el que no tiene razón, si el que da a otro más que merece, o si el que recibe más que lo que le es debido, y en segundo lugar, saber si puede uno hacerse daño a sí mismo. Si el primer daño de que acaba de hablarse es posible, y si el que da más que lo que debe dar es el único culpable y no el que recibe más de lo que le es debido, se sigue de aquí que cuando con todo conocimiento de causa y por un acto de libre voluntad se da a otro más que uno se da a sí mismo, se comete una injusticia para consigo. A esto es a lo que están expuestas muchas veces las personas desinteresadas, pues el hombre delicado y pundonoroso se siente inclinado a disminuir siempre su parte personal. Pero esta cuestión, ¿es tan sencilla como aquí parece? Este hombre, si en el cambio gana otra clase de bien, la gloria, por ejemplo, o el verdadero honor, ¿no ha guardado para sí la parte más preciosa? Puede darse igualmente a esta dificultad una solución que se encontrará en nuestra definición de la injusticia. Este hombre no sufre nada contra su propia voluntad, por consiguiente, no experimenta una verdadera injusticia, puesto que así lo quiere; en el fondo sólo experimenta un simple daño. Es igualmente claro que el que hace la partición es el que no tiene razón, el cual no es siempre el que se aprovecha de ella. El que retiene la cosa injustamente dada no es el verdadero culpable, y sí lo es el que de su propia voluntad ha hecho esta inicua partición, es decir, aquel de quien procede el principio mismo del acto, y este principio está en el que arregla las partes, y no en el que las acepta.

Añadamos que, como la palabra *hacer* tiene muchas acepciones, y puede decirse en cierto sentido que las mismas cosas inanimadas dan la muerte, lo mismo que la mano obligada por fuerza superior y el servidor que no hace más que cumplir la orden de su señor, debe reconocerse que en muchos casos el que obra no es injusto, sino que sólo hace cosas injustas. Tomemos otro punto de vista: si el juez ha pronunciado una sentencia inicua sin conocer su error, puede no ser injusto en la esfera del derecho legal, y su juicio puede no ser injusto bajo este mismo concepto. Sin embargo, en un sentido, este juez es culpable, porque la justicia, tal como la ley la regula, es distinta de la suprema y absoluta justicia. Si el juez ha dictado una sentencia inicua, sabiendo que lo era, ha cometido un exceso, ya haya sido para favorecer una de las partes, ya para castigar la otra. En tal caso es absolutamente lo mismo que si el juez tomase personalmente su parte en la injusticia, y cuando inicuamente dicta fallos por tales motivos, es porque encuentra en ello un interés culpable, pues bien puede afirmarse que el que en semejante situación adjudica injustamente, por ejemplo, una finca, objeto de litigio, si no recibe parte de ella, ha recibido por lo menos dinero.

Los hombres imaginan que así como depende de ellos solos cometer una injusticia, es también cosa fácil ser justos; pero no hay nada de eso. Sin duda, seducir a la mujer de su vecino, dar golpes al que pasa, sobornar a un juez, es una cosa sencilla y que depende sólo de nosotros, pero ejecutar otros actos que piden ciertas disposiciones morales no es cosa tan fácil como se piensa, ni que dependa de nosotros únicamente. Asimismo se cree ordinariamente que conocer lo justo y lo injusto no exige una gran capacidad, porque no es difícil comprender las prescripciones que en esta materia contienen las leyes, pero las prescripciones legales sólo son indirectamente los actos de justicia que se tratan de llevar a cabo. Practicando estos actos de una cierta manera y repartiéndolos de cierto modo es como se llega a ejercer verdaderamente la justicia. Lo mismo que es obra muy difícil conocer lo que conviene a la salud de nuestro cuerpo, en materia de higiene y de medicina es cosa fácil conocer lo que es la miel, el vino, el elaboro, el cauterio, la amputación, pero saber precisamente hasta qué punto, para qué persona, en qué casos es preciso emplearlos como medios de curación, es una obra tal que basta por sí sola para formar un médico.

Como resultado de esta misma opinión, se supone también que no sería menos fácil al hombre justo el ser injusto, si quisiera. El justo, según se dice, lejos de encontrar menos, podría encontrar más medios de cometer todas estas iniquidades que los otros; podría vivir en adulterio; podría golpear a otro. El hombre de valor también podría en un combate arrojar su broquel y huir a la carrera en cualquier dirección. Mas para ser un cobarde, para ser culpable, no basta sólo hacer todas estas cosas; es preciso también hacerlas como resultado de una cierta disposición moral, así como suministrar la medicina y dar la salud no consiste sólo en cortar o no cortar, en dar medicamentos o no darlos, sino que el verdadero arte del médico consiste en hacer todas estas cosas en ciertas y determinadas circunstancias.

La justicia no tiene su verdadera aplicación sino entre seres que tienen una parte en los bienes absolutos, y que además pueden, por exceso o por defecto, tener demasiado o muy poco de ellos. Hay seres para quienes no hay exceso posible en cuanto a estos bienes; ésta es quizá la condición de los dioses. Hay otros, por el contrario, para quienes ninguna parte de estos bienes puede ser útil; éstos son los seres cuya perversidad es incurable y para quienes toda cosa se hace dañosa, cualquiera que ella sea. En fin, hay otros que participan de estos bienes hasta cierto punto, y esto es lo esencialmente propio del hombre.

## La equidad

Las consideraciones precedentes conducen naturalmente a tratar de la equidad y de lo equitativo, y a estudiar las relaciones de la equidad con la justicia y de lo equitativo con lo justo. Si se mira de cerca, se verá que no son cosas absolutamente idénticas, y que no son tampoco de un género esencialmente diferente. Bajo cierto punto de vista, no nos limitamos a alabar la equidad y al hombre que la practica, sino que extendemos nuestra alabanza a todas las acciones estimables, distintas de los actos de justicia. Y así, en lugar del término general de bueno, empleamos el término de equitativo, y hablando de una cosa, decimos que es más equitativa, en lugar de decir que es mejor. Pero bajo otro punto de vista, y consultando sólo la razón, no se comprende que lo equitativo, tan distinto de lo justo, pueda ser verdaderamente digno de estimación y de elogio, porque una de dos: o lo justo no es bueno, o lo equitativo no es justo, si es una cosa distinta de lo justo; o en fin, si ambas son buenas, necesariamente son idénticas. Tales son poco más o menos las fases diversas y bastante embarazosas bajo las cuales se presenta la cuestión de lo equitativo. Pero en cierto sentido, todas estas expresiones son lo que deben ser, y no tienen entre sí nada de contradictorio. Y así el hombre equitativo, que es mejor que el justo en una circunstancia dada, es justo igualmente, y no es porque sea de otro género que lo justo el que sea mejor en el caso dado. Lo equitativo y lo justo son una misma cosa, y siendo buenos ambos, la única diferencia que hay entre ellos es que lo equitativo es mejor aún. La dificultad está en que, lo equitativo, siendo lo justo, no es lo justo legal, lo justo según la ley, sino que es una dichosa rectificación de la justicia rigurosamente legal. La causa de esta diferencia es que la ley necesariamente es siempre general, y que hay ciertos objetos sobre los cuales no se puede estatuir convenientemente por medio de disposiciones generales. Y así, en todas las cuestiones respecto de las que es absolutamente inevitable decidir de una manera puramente general, sin que sea posible hacerlo bien, la ley se limita a los casos más ordinarios, sin que disimule los vacíos que deja. La ley por esto no es menos buena; la falta no está en ella, tampoco está en el legislador que dicta la ley, está por entero en la naturaleza misma de las cosas, porque ésta es precisamente la condición de todas las cosas prácticas. Por consiguiente, cuando la ley dispone de una manera general y en los casos particulares hay algo excepcional, entonces, viendo que el legislador calla o que se ha engañado por haber hablado en términos absolutos, es imprescindible corregirle y suplir su silencio, y hablar en su lugar, como él mismo lo haría si estuviera presente, es decir, haciendo la ley como él la habría hecho si hubiera podido conocer los casos particulares de que se trata.

Por lo tanto lo equitativo es también justo, y vale más que lo justo en ciertas circunstancias, no más que lo justo absoluto, pero es mejor al parecer que la falta que resulta de los términos absolutos que la ley se vio obligada a emplear. Lo propio de lo equitativo consiste precisamente en restablecer la ley en los puntos en que se ha engañado, a causa de la fórmula general de que se ha servido. Lo que hace también que no pueda ejecutarse todo en el estado por medio sólo de la ley es que, para ciertas cosas, es absolutamente imposible dictar una ley, y por consiguiente que es preciso recurrir a un decreto especial. Tratándose de cosas indeterminadas, la ley debe permanecer indeterminada como ellas, igual a la regla de plomo de que se sirven en la arquitectura de Lesbos, la cual, como es sabido, se amolda y se acomoda a la forma de la piedra que mide y no queda rígida, pues de este modo el decreto especial se acomoda a los diversos negocios que se presentan.

Se ve, pues, claramente, qué es lo equitativo y qué es lo justo, y a qué clase de lo justo es preferible lo equitativo. Esto prueba con no menos evidencia quién es el hombre equitativo: es el que prefiere por una libre elección de su razón y practica en su conducta actos del género que acabo de indicar, que no sostiene su derecho con extremado rigor, sino que por el contrario cede de él, aun cuando tenga en su favor el apoyo de la ley. Éste es el hombre equitativo, y esta disposición moral, esta virtud, es la equidad, que es una especie de justicia y no una virtud diferente de la justicia misma.

## Imposibilidad de que sea uno realmente injusto para consigo mismo

Conforme a lo que acabamos de decir, vamos a ver si puede uno ser o no ser culpable para consigo mismo. En el número de los deberes impuestos por la justicia es preciso poner todos los actos relativos a cada género de virtud, que están ordenados positivamente por la ley, y así la ley no ordena el suicidio, y lo que no ordena, lo prohíbe. Además, cuando en oposición a la ley uno causa un daño a otro sin tener la excusa de que se devuelve un daño recibido, se hace voluntariamente injusto y culpable. Voluntariamente quiere decir aquí que se sabe a quién, con qué y cómo se ha causado el daño. Pero el que se mata en un acceso de cólera, obra voluntariamente contra la ley, sobrada en este caso de razón; ejecuta un acto que la ley no le permite, y comete un acto culpable. ¿Pero contra quién? ¿Es contra la sociedad y no contra sí mismo? Porque, en fin, si sufre, sufre voluntariamente, y nadie se hace voluntariamente una injusticia. He aquí por qué la sociedad lo castiga, y una especie de deshonor acompaña al suicida, que es mirado como culpable para con la sociedad. Además no puede ser nadie injusto para consigo en el sentido en que dijímos que un hombre es injusto, sólo por cometer un acto de injusticia, sin ser por otra parte absolutamente perverso. La injusticia para consigo mismo es completamente diferente de esta clase de injusticia. El hombre que accidentalmente se hace culpable de un hecho malo es vicioso, como el cobarde de que hablamos antes, pero no por esto se hace, como no se hace éste, completamente vicioso. El hombre que es injusto para consigo no comete tampoco la injusticia como resultado de una absoluta perversidad; imputársela, sería suponer que se puede a la vez quitar y dar una misma cosa a una misma persona, lo cual es imposible, siendo siempre necesario que lo justo y lo injusto estén en muchos individuos. Además, es preciso que el acto injusto sea voluntario, que sea resultado de una libre preferencia y anterior a toda provocación, puesto que el que devuelve el mal que se le hace sin otro motivo que su propio sufrimiento, no puede pasar nunca por autor de una injusticia. Pero el que comete una injusticia consigo mismo, sufre y hace a la vez y al mismo tiempo las mismas cosas, y se seguiría que podría entonces imponerse uno mismo el sufrimiento de una injusticia por su propia voluntad. Añádase a todo esto que no se puede ser injusto y culpable sin cometer una de las injusticias o delitos particulares. Nadie es adúltero con su propia mujer; nadie se roba escalando su propia casa; nadie hurta sus propios bienes. En resumen, la cuestión de saber si uno puede hacerse injusticia a sí mismo, se resuelve por la definición que hemos dado de la injusticia que se sufre voluntariamente.

No es menos evidente que son dos cosas malas sufrir y cometer una injusticia. En efecto, es por una parte tener menos, y por la otra tener más que la parte media y justa; es haber perdido este apetecido medio, que constituye la salud en la medicina y la robustez normal en la gimnástica. Pero, en conjunto, cometer una injusticia es más malo que sufrirla, porque la injusticia que se comete va siempre acompañada de perversidad y es profundamente reprensible, y cuando digo perversidad entiendo, ya la perversidad completa y absoluta, ya un grado que se aproxima a ella mucho, además de que todo acto voluntario de injusticia supone necesariamente un fondo real de iniquidad. Por el contrario, cuando se sufre una injusticia, es siempre sin perversidad ni injusticia de nuestra parte. Así sufrir una injusticia es menos malo que cometerla, lo que no impide que indirectamente pueda ser algunas veces un mal mayor. Pero poco importa a la ciencia, que no debe ocuparse de estos detalles; la ciencia dice, por ejemplo, que una pleuresía es más grave que un paso dado en falso, y sin embargo puede suceder que indirectamente éste llegue a ser un mal mayor: por ejemplo, si a consecuencia de este accidente se cae en manos del enemigo y se pierde la vida.

Sólo por una simple metáfora o por la semejanza es como puede decirse que hay una justicia, no precisamente de uno para consigo mismo, sino de ciertas partes de nosotros para con otras ciertas partes; esta justicia no es la justicia absoluta, es solamente la justicia del dueño respecto del esclavo, y del padre respecto de su familia. En todas nuestras teorías la parte racional del alma se distingue y se separa de la parte irracional, y sólo tomando en cuenta esta distinción es como puede creerse posible la injusticia para consigo mismo. Y si en efecto sucede en estos fenómenos del alma que el hombre se ve muchas veces contrariado en sus propios deseos, es porque puede haber entre estas diversas partes de nuestra alma ciertas relaciones de justicia, como las hay entre el ser que manda y el que obedece.

He aquí lo que tengamos que decir relativamente a la justicia y a las otras virtudes morales.

# Teoría de las virtudes intelectuales en general

## DE LAS VIRTUDES INTELECTUALES EN GENERAL

Hemos dejado sentado más arriba que en todas las cosas es preciso tomar el justo medio, evitando ya el exceso, ya el defecto. Hagamos ver ahora con más minuciosidad que este medio es el deber que prescribe la recta razón. En todas las virtudes de que hemos hablado como en todas las demás, es preciso reconocer un fin, en el cual fija sus ojos todo hombre que sea verdaderamente racional, aumentando o disminuyendo en vista de él alternativamente sus esfuerzos. Además, en los medios hay cierto límite, que colocamos entre el exceso y el defecto, y estos medios son conformes a la recta razón.

Sin duda toda esta teoría es exacta, pero está lejos de ser perfectamente clara para todas las demás ocupaciones del espíritu, en que se trata también de ciencia; es igualmente cierto decir que no es preciso trabajar o descansar ni demasiado ni muy poco, sino mantenerse siempre en el medio y seguir el camino que nos indica la recta razón. Pero el que sólo tenga por guía para conducirse esta regla general, no adelantará mucho en razón de lo que debe practicar, y es como si, tratándose del cuerpo y de la salud, se os dijese que es preciso hacer todo lo que ordena la medicina y el que posea este arte. En igual forma tampoco basta que nuestras teorías sobre las cualidades morales del alma sean verdaderas; es preciso además determinar con precisión lo que debe entenderse por la recta razón y dar de ella una definición completa.

Ya hemos dividido las virtudes del alma, diciendo que unas son virtudes del corazón y otras virtudes del espíritu. Hemos tratado precedentemente de las virtudes morales; hablemos ahora de las otras, después de decir algunas palabras sobre el alma.

Más arriba hemos hecho ver que el alma tenía dos partes: una dotada de razón y otra irracional. Dividamos ahora de una manera análoga la parte que está dotada de razón, y supongamos que de estas dos partes, que son igualmente racionales, la una nos hace conocer aquellas cosas cuyos principios no pueden ser nunca distintos de lo que son, y la otra las cosas cuya existencia es contingente y variable. Es en efecto muy natural que para las cosas, cuyo género es diferente, haya igualmente en relación con ellas una parte del alma genéricamente diferente, puesto que el conocimiento de estas cosas se produce en cada una de las partes del alma por una especie de semejanza y de afinidad. De estas dos partes del alma, llamemos a la una parte científica, y, a la otra, parte razonadora y calculadora. En efecto, deliberar y calcular son en el fondo una misma cosa, y a nadie se le ocurre deliberar sobre cosas que no pueden ser de otra manera que como son, así que esta parte calculadora y razonadora es una subdivisión de la parte racional del alma.

Veamos, pues, con relación a estas dos partes así subdivididas, cuáles son las mejores disposiciones que cada una de ellas puede tener, puesto que en esto consiste precisamente la virtud de cada una, y ya que la virtud se aplica siempre a la obra que es especialmente propia de cada individuo.

Hay en el alma del hombre tres principios que disponen en él como dueños de la acción y de la verdad: estos son la sensación, el entendimiento y el instinto. De estos tres principios, la sensación no puede ser jamás para nosotros un principio de acción reflexiva. La prueba es que los animales tienen sensaciones, y, sin embargo, no tienen esta actividad reflexiva que sólo el hombre posee. Así como en los actos del entendimiento desempeñan su papel la afirmación y la negación, así en los actos del instinto desempeñan el suyo el atractivo y la aversión respecto de las cosas. De aquí se sigue que, siendo la virtud moral una cierta disposición que prefiere y escoge, y no siendo esta preferencia otra cosa que el instinto que reflexiona y que delibera, es imprescindible por los mismos motivos que la razón del hombre sea verdadera, y que su instinto sea bueno y recto siempre que la preferencia haya sido buena en sí misma, y que la razón apruebe por una parte las mismas cosas que busca por otra el instinto.

Tales son precisamente en la práctica de la vida la inteligencia y la verdad. Mas para la inteligencia puramente contemplativa y teórica, que no es práctica ni activa, el bien y el mal son lo verdadero que la verdad y el error, son el objeto único de todo acto de la inteligencia. Pero cuando se trata de unir la práctica a la inteligencia, el fin que el alma busca es la verdad que está de acuerdo con el instinto, o el deseo, que conforma con la regla. Así pues, el principio de la actividad es la preferencia reflexiva del alma, de donde procede el movimiento inicial; no es el fin a que se aspira, ni la causa final y el principio mismo de la preferencia; es el instinto, primero, y después el razonamiento que hace el alma en vista de algo que desea. No hay preferencia posible sin conocimiento y acto de conocimiento y sin una cierta disposición moral, puesto que no se puede hacer el bien, ni hacer tampoco lo contrario del bien en la esfera de la acción sin la intervención de la inteligencia y del corazón.

La inteligencia, tomada en sí misma, no pone nada en movimiento; lo que realmente mueve es esta inteligencia que tiene por mira algún objeto particular y que se hace práctica. Ella es entonces la que manda a esta otra parte de la inteligencia que ejecuta, porque desde el momento que se hace una cosa y que se hace para conseguir un fin, esta misma cosa que se hace no es precisamente el fin que se busca, es sólo relativa y depende siempre de alguna otra cosa. Pero no sucede así con la cosa que se quiere ejecutar, porque hacer el bien y conseguirlo es el fin que uno se propone, y a este fin es al que se aplica el instinto reflexivo. Y así, la preferencia del alma es un acto de inteligencia instintiva o del instinto inteligente, y el hombre es precisamente un principio de este género.

Lo pasado, la cosa hecha, no puede ser nunca objeto de la preferencia moral; por ejemplo, nadie prefiere haber saqueado Troya. Esto nace de que es imposible deliberar sobre un hecho realizado; sólo se delibera sobre el porvenir y sobre lo posible, porque lo que ha sucedido, es decir, lo pasado, no ha podido menos de haber pasado. Y así, el poeta Agathon ha tenido razón cuando ha dicho:

«En este punto ni el mismo Dios tiene libertad;
lo que fue, necesariamente ha sido».

Por lo tanto, la verdad es el objeto igualmente de las dos partes inteligentes del alma,y las disposiciones morales que obligan a una y a otra a buscar más seguramente la verdad, son precisamente las virtudes superiores de ambas.

## De los medios que tiene el alma para alcanzar la verdad de la ciencia

Para tratar de nuevo estas materias, tomemos las cosas desde más arriba.

Admitamos, por lo pronto, que los medios, con cuyo auxilio alcanza el alma la verdad, ya afirme, ya niegue, son cinco: el arte, la ciencia, la prudencia, la sabiduría y la inteligencia o el entendimiento. Dejemos aparte la conjetura y la opinión que pueden inducirnos a error.

Se dará uno muy claramente cuenta de lo que es la ciencia si desea tener de ella una noción precisa y dejar a un lado las probabilidades, atendiendo a esta sola observación: creemos todos que lo que sabemos no puede ser de otra manera que como es, y en cuanto a las cosas que pueden ser de otra manera, desde el instante que salen de la contemplación de nuestro espíritu, ignoramos completamente si existe realmente o no. La cosa que es sabida, que puede ser objeto de la ciencia, existe de toda necesidad, es eterna, porque todas las cosas que existen de una manera absoluta y necesaria, son eternas, así como las cosas eternas son increadas e imperecibles. Además toda ciencia parece susceptible de ser enseñada, y toda cosa que es sabida puede también aprenderse. Ahora bien, todo lo que se aprende, toda noción que se adquiere o que trasmite un maestro, tiene principios anteriormente conocidos, como ya lo explicamos en los *Analíticos,* porque todo conocimiento, cualquiera que él sea, es adquirido, ya por inducción, ya por silogismo. La inducción, además, es el principio de las proposiciones universales; el silogismo sale de los universales. Así hay principios de donde nace el silogismo, y para los cuales no hay silogismo posible; son, pues, el resultado de la inducción. En resumen, la ciencia es para el espíritu la facultad de demostrar regularmente las cosas con todos los caracteres que hemos indicado en los *Analíticos.* Y en efecto, desde el momento en que alguno tiene una creencia, cualquiera que sea su grado, y conoce los principios en virtud de los cuales cree, entonces tiene la ciencia, sabe, y si los principios no son para él más evidentes que la conclusión, entonces sólo tiene la ciencia indirectamente.

He aquí en nuestra opinión lo que debe entenderse por la ciencia.

## Del aire

En lo que puede ser de otra manera de como es, es preciso distinguir dos cosas: de una parte, la producción, es decir, lo que producimos exteriormente, y de otra, la acción, es decir, lo que sólo pasa en nuestro espíritu. Se ve que la producción y la acción son muy diferentes una de otra. En este punto nos referimos a lo que se ha dicho en nuestras obras exotéricas. Por consiguiente, la disposición moral que, auxiliada por la razón, nos hace obrar, es muy diferente de esta otra disposición que, auxiliada igualmente por la razón, nos hace producir las cosas. Estas dos disposiciones no están comprendidas recíprocamente la una en la otra; la acción no es la producción, como la producción no es la acción. Pero como existe un arte (tomemos por ejemplo el arte especial de la arquitectura), y este arte es el resultado de una facultad de producción de cierto género, ilustrada por la razón, y como además no hay arte que no sea una producción auxiliada por la razón, así como en nuestra inteligencia no hay una facultad productiva que no sea también un arte, se sigue de aquí que el arte se confunde en nosotros con la facultad que produce las cosas exteriormente, auxiliada por la verdadera razón. Todo arte, cualquiera que él sea, tiende a producir; sus esfuerzos y sus especulaciones sólo tienen un objeto, que es hacer nacer alguna de estas cosas que pueden indiferentemente existir o no existir, y cuyo principio está únicamente en el que hace la cosa y no en la cosa hecha. Así el arte no se refiere a las cosas que existen necesariamente o que se producen necesariamente, ni tampoco a las cosas que la naturaleza rige por sí sola, porque todas las cosas de este orden tienen en sí mismas el principio de su existencia. Por otra parte, siendo muy diferentes entre sí la producción y la acción, se sigue que el arte toca a la esfera de la producción y no a la de la acción propiamente dicha, y en cierto sentido puede decirse que la fortuna y el arte se aplican a los mismos objetos, como lo observa muy bien Agathon:

«La fortuna ama al arte; y el arte a la fortuna.».

El arte es, por consiguiente, cierta facultad de producir, dirigida por la razón verdadera, mientras que el defecto de arte, la incapacidad, es por el contrario una facultad de producir conducida sólo por una razón falsa, aplicada siempre a las cosas contingentes, que pueden ser de otra manera de como son.

## De la prudencia

En cuanto a la prudencia, puede formarse de ella una idea, considerando cuáles son los hombres a quienes se honra con el título de prudentes. El rasgo distintivo del hombre prudente es al parecer el ser capaz de deliberar y de juzgar de una manera conveniente sobre las cosas que pueden ser buenas y útiles para él, no bajo conceptos particulares, como la salud y el vigor del cuerpo, sino las que deben contribuir en general a su virtud y a su felicidad. La prueba es que decimos que son prudentes en tal negocio dado cuando han calculado bien para conseguir un objeto honroso, y siempre con relación a cosas que no dependen del arte que acabamos de definir. Y así puede decirse en una sola palabra que el hombre prudente es en general el que sabe deliberar bien. Nadie delibera sobre las cosas que no pueden ser distintas de como son, ni sobre las cosas que el hombre no puede hacer. Por consiguiente, si la ciencia es susceptible de demostración, y si la demostración no se aplica a cosas cuyos principios puedan ser de otra manera de como son, pudiendo ser todas las cosas de que aquí se trata también distintas, y no siendo posible la deliberación sobre cosas cuya existencia sea necesaria, se sigue de aquí que la prudencia no pertenece ni a la ciencia ni al arte. No pertenece a la ciencia, porque la cosa que es objeto de la acción puede ser distinta de lo que ella es. No pertenece al arte, porque el género a que pertenece la producción de las cosas es diferente de aquel a que pertenece la acción propiamente dicha. Resta, pues, que la prudencia sea una facultad que, descubriendo lo verdadero, obre con el auxilio de la razón en todas las cosas que son buenas o malas para el hombre, porque el objeto de la producción es siempre diferente de la cosa producida, y, por el contrario, el objeto de la acción es siempre la acción misma, puesto que el fin que ella se propone puede ser únicamente el obrar bien.

Esto nos hace ver que si consideramos a Pendes y a los personajes de esta condición como prudentes, es porque son capaces de ver lo que es bueno para los estadistas y para los hombres que ellos gobiernan, y ésta es la cualidad precisamente que reconocemos en los que llamamos jefes de familia y hombres de estado. La etimología de la palabra sabiduría, análoga a la de prudencia en la lengua griega, prueba claramente que entendemos por esta palabra la prudencia, la cual salva en cierta manera a los hombres. Ella es en efecto la que salva y sostiene nuestros juicios en este género. Y así, el placer y el dolor no destruyen ni trastornan todas las concepciones de nuestra inteligencia; nada absolutamente nos impide comprender, por ejemplo, que un triángulo tiene o no tiene sus ángulos iguales a dos rectos, pero turban nuestros juicios en lo referente a la acción moral. El principio de la acción moral, cualquiera que ella sea, es siempre la causa final en cuya vista nos determinamos a obrar. Pero este principio no aparece inmediatamente al juicio cuando el placer y el dolor lo han alterado y corrompido; el espíritu no ve entonces que es un deber aplicar este principio, y arreglar según él su conducta entera y todos sus deseos, porque el vicio destruye en nosotros el principio moral activo. Es necesario reconocer que la prudencia es esta cualidad que, guiada por la verdad y por la razón, determina nuestra conducta con respecto a las cosas que pueden ser buenas para el hombre. En el arte puede haber grados de virtud, pero no los hay en la prudencia. En el arte, el que se engaña, queriéndolo, es preferible al que se engaña sin quererlo; con la prudencia sucede todo lo contrario, lo mismo que con las demás virtudes. Por consiguiente, la prudencia es una virtud y no un arte. Como hay dos partes en el alma que están dotadas de razón, la prudencia sólo corresponde a la que tiene por divisa la opinión, porque la opinión, lo mismo que la prudencia, se aplica a todo lo que puede ser distinto de lo que es, es decir, a todo lo que es contingente. No puede decirse, sin embargo, que la prudencia sea una simple manera de ser que acompañe a la razón, y la prueba es que una manera de ser podría perderse por el olvido, mientras que la prudencia no se pierde ni se olvida jamás.

## De la ciencia y de la inteligencia

En cuanto a la ciencia es, como ya hemos dicho, la concepción de las cosas universales y de aquellas cuya asistencia es necesaria. Ahora bien, para todas las proposiciones que pueden ser demostradas y para toda ciencia, cualquiera que ella sea, hay principios, porque la ciencia va siempre acompañada de razonamiento, pero el principio mismo de lo que es conocido mediante la ciencia, ni la ciencia, ni el arte, ni la prudencia pueden revelárnoslo, porque, de una parte, el objeto de la ciencia puede ser demostrado, y, de otra, el arte y la prudencia sólo se aplican a las cosas que pueden ser distintas de como son. En cuanto a la sabiduría, tampoco se aplica a los principios de esta especie, porque el sabio en ciertos casos debe poder dar la demostración de lo que piensa. Pero si para las cosas que no pueden ser de otra manera que como son, y lo mismo para las que pueden ser distintas de como son, es decir, las cosas necesarias y las contingentes, las facultades mediante las que descubrimos la verdad, sin engañarnos nunca, son la ciencia, la prudencia, la sabiduría y la inteligencia, y si, por otra parte, ninguna de estas tres primeras facultades, es decir, la prudencia, la sabiduría y la ciencia, pueden conocer los principios, sólo resta que sea el entendimiento el único que se aplique a los principios y que los comprenda.

En cuanto a la sabia habilidad que se manifiesta en las artes, nosotros sólo la suponemos en los que ejercen cada una de estas artes con la mayor perfección. Así a Fidias se le llama hábil escultor, a

Policletes hábil estatuario, y no queremos designar aquí con esta palabra, sabia habilidad, otra cosa que el talento superior en el arte. Pero hay hombres, aunque son muy raros, que consideramos como sabios y hábiles de una manera general, no hábiles para tales cosas en particular, sino hábiles pura y simplemente, como lo dice Homero en su *Margites*:

«Los dioses no han hecho un labrador hábil,
ni tampoco un hombre hábil, rico en recursos».

Evidentemente la habilidad sabia o sabiduría debe ser considerada como el más alto grado de la perfección en todas las cosas que es posible saber. Es preciso que, el hombre verdaderamente hábil y sabio, no sólo conozca las verdades que se derivan de los primeros principios, sino que debe saber con toda verdad los principios mismos. Síguese de aquí que la sabiduría es un compuesto de la inteligencia y de la ciencia, y que es, puede decirse, la ciencia de las cosas más elevadas, la cual está a la cabeza de todas las demás ciencias. En efecto, sería un absurdo creer que la ciencia política, o la prudencia política, es la mayor de todas las ciencias, si no se creyese al mismo tiempo que el hombre de que se ocupa es lo más excelente que hay en el universo. Pero ciertos atributos, por ejemplo, lo sano y lo bueno, pueden variar según los diferentes seres a que se aplican, y así pueden variar de los hombres a los pescados, mientras que en otro orden de ideas lo blanco es siempre blanco y lo recto es siempre recto. Pues de igual modo en el presente caso habrá de convenirse en que lo que es sabio es siempre sabio, y que lo que no es más que prudente puede variar según los casos. Así, siempre que un hombre sabe discernir bien su interés en todo lo que le toca personalmente, se le llama prudente, y se siente uno dispuesto a confiarle el cuidado de las cosas de este género. Se va más lejos aún, y se concede igualmente el nombre de prudentes a ciertos animales, que al parecer tienen una previsión segura respecto de las cosas que se refieren a su propia subsistencia.

Por lo demás, es evidente que la política y la sabiduría no pueden confundirse. Si se entiende por sabiduría el discernimiento de la propia conveniencia, del propio interés, será preciso reconocer entonces muchas especies diferentes de sabiduría. Evidentemente, no puede haber una sola y misma sabiduría que sea posible aplicar a lo que es ventajoso y bueno para todos los seres. Ella difiere para cada uno de ellos, a no ser que se quiera sostener también que la medicina es una para todos los seres sin ninguna distinción. Y no importa decir que el hombre es el más perfecto de los seres, porque hay otros seres cuya naturaleza es más divina que la del hombre, como, por ejemplo, esos cuerpos brillantes de que el universo se compone.

Pero volviendo a lo que hemos dicho, es claro que la sabiduría es la unión de la ciencia y del entendimiento aplicada a todo lo que es por naturaleza más admirable y elevado. Y así se llama a un Anaxágoras, a un Tales y a los que se les parecen sabios y no sólo hombres prudentes. Porque en general se observa que son muy abandonados en lo referente a su propio interés, y se les considera como muy sabios en una multitud de cosas que no tienen utilidad inmediata, que son maravillosas, difíciles de conocer y hasta divinas, pero de las cuales ningún uso provechoso puede hacerse, porque estos grandes espíritus no buscan los bienes puramente humanos. La prudencia, por el contrario, sólo se aplica a las cosas esencialmente humanas, y a aquellas en las que la deliberación es para la razón del hombre, porque al parecer el objeto principal de la prudencia es deliberar bien, pero nunca se delibera sobre cosas que no pueden ser de otra manera que como son, ni sobre cosas en las que no hay un fin a que aspirar, es decir, un bien que pueda ser objeto de nuestra actividad, pudiendo decirse de manera general y absoluta que es hombre de buen consejo el que sabe encontrar mediante un razonamiento infalible lo que la humanidad debe hacer con más acierto en las cosas sometidas a su acción.

Pero la prudencia no se limita sólo a saber las fórmulas generales, sino que es preciso que sepa también todas las soluciones particulares, porque es práctica, porque obra, y la acción se aplica necesariamente al pormenor de las cosas. Por esta razón, ciertas gentes, que no saben nada, son muchas veces más prácticas y más aptas para obrar que los que saben; éste es un motivo, entre otros, de la ventana de los que tienen experiencia. Por ejemplo, supongamos que alguno sabe que las viandas ligeras son de fácil y sana digestión, pero que ignora cuáles son precisamente las viandas ligeras; no será éste el que restablezca la salud del enfermo, al paso que sepa que las viandas compuestas con carne de ave son especialmente ligeras y sanas.

La prudencia es esencialmente práctica y debe tener, por consiguiente, los dos órdenes de conocimientos, y tratándose de escoger entre ellos, debe preferirse el conocimiento particular y de pormenor, porque puede decirse que este último es en esto como la ciencia arquitectónica y fundamental.

## Relaciones de la prudencia con la ciencia política

En el fondo, la ciencia política y la prudencia son una sola y misma disposición moral, sólo que su manera de ser no es la misma. Así, en la ciencia, que gobierna al estado, debe distinguirse aquella prudencia reguladora de todo lo demás y arquitectónica, que es la que hace las leyes, y esta otra prudencia que, aplicándose a los hechos particulares, ha recibido el nombre común que tienen ambas, y se llama política. La ciencia política es a la vez práctica y deliberativa, porque el decreto prescribe el acto que el ciudadano debe ejecutar, y éste es el último término de la ciencia. Así que sólo los que dictan decretos pasan a los ojos del vago por hombres de estado, porque son los únicos que obran, a la manera que los artistas inferiores trabajan por sí mismos. Otra distinción es que la prudencia se aplica principalmente al individuo mismo y a uno sólo. Entonces recibe el nombre general de prudencia, pero según a lo que se aplica es o la economía, es decir, el gobierno de la familia, o la legislación, o, en fin, la política, en la cual pueden reconocerse también dos partes distintas: la que delibera sobre los negocios públicos y la que administra justicia. Así pues, saber tener en cuenta el propio interés personal es una especie de conocimiento, que por otra parte se diferencia mucho de la ciencia política. El que sabe bien lo que le conviene y se ocupa sin cesar de ello, pasa por hombre prudente, mientras que los políticos, los hombres de estado, tienen que cuidar de los intereses más diversos, lo cual ha obligado a Eurípides a decir en una de sus piezas:

> «Era yo prudente, yo que pude vivir también
> y gozar como un sabio, oscurecido entre las últimas clases, de estos bienes no menos
> grandes, que el cielo me hubiera dado.
> Pero a los ambiciosos que se toman tantos cuidados Júpiter los condena...»

Aquellos a quienes se llama prudentes sólo buscan su provecho personal, y se cree que obrando así cumplen su deber. De esta opinión nace su reputación de prudentes. Sin embargo, se puede sostener que, el individuo, no puede tener garantizados sus propios intereses sin la familia y sin el estado. Pero añado que saber dirigir convenientemente sus propios negocios es una cosa muy oscura y que reclama mucha atención; la prueba de esto es que los jóvenes pueden muy bien hacerse matemáticos, y hasta muy hábiles geómetras, pero no hay uno al parecer que sea prudente. La razón es muy sencilla: es que la prudencia sólo se aplica a los hechos particulares, y sólo la experiencia nos los da a conocer, y el joven carece de esta experiencia, porque ésta sólo la da el tiempo. Con este motivo también podría preguntarse en qué consiste que un joven puede hacerse matemático, mientras que no puede ser sabio, ni estar versado en el conocimiento de las leyes de la naturaleza. ¿No podría decirse que esto nace de que las matemáticas son una ciencia abstracta, mientras la ciencia de la sabiduría y de la naturaleza toman sus principios de la observación y de la experiencia? ¿No podría añadirse que en estas últimas los jóvenes no pueden tener opiniones personales, y que no hacen más que repetir lo que se les enseña mientras en las matemáticas la realidad no se les presenta con oscuridad alguna?. Además, puede decirse que el error en las cosas sobre que se delibera puede recaer, ya sobre el principio general que se busca, ya sobre el caso particular de que nos ocupamos. Así, por ejemplo, puede uno equivocarse creyendo que todas las aguas gruesas y pesadas son malas para beber, o creyendo que el agua misma de que se sirve es gruesa y mala.

Luego, evidentemente, la prudencia no es la ciencia, porque lo repito, la prudencia sólo afecta al término inferior y último de la escala, y este término es el acto particular que se debe ejecutar. La prudencia no es menos opuesta al entendimiento porque el entendimiento se aplica a los extremos, a los límites, donde ya no puede tener lugar el razonamiento, mientras que la prudencia se aplica al término inferior en el que no tiene ya cabida la ciencia, y sí sólo la sensación. Cuando digo sensación no entiendo la de las cosas puramente individuales, sino que entiendo esta especie de sensación que nos hace ver, por ejemplo, en las matemáticas, que el último elemento de las figuras planas es el triángulo, en el cual es preciso detenerse. A este género de sensación es al que se refiere más la prudencia, si bien constituye una especie diferente de la misma.

## De la deliberación

No deben confundirse estas dos cosas, examinar y deliberar, por más que deliberar sea en cierta manera examinar; pero, ¿cuáles son los caracteres de una buena y sabia deliberación? ¿Es una ciencia de cierto género, una opinión, un feliz hallazgo o algo distinto de todo esto? He aquí lo que tenemos que estudiar.

Por lo pronto, no es una ciencia, puesto que nada hay que indagar cuando ya se sabe. Una deliberación, por buena y sabia que sea, es siempre una deliberación, y el que delibera indaga y calcula. Tampoco puede decirse que una sabia deliberación sea una dichosa casualidad, un feliz hallazgo, porque el hallazgo feliz que hace el espíritu no admite razonamiento, es una cosa instantánea, mientras que cuando se delibera, se gasta muchas veces largo tiempo, y ordinariamente se dice que, si debe ejecutarse rápidamente la resolución que se ha tomado después de la deliberación, es preciso deliberar con calma y madurez. La sagacidad de espíritu también es una cosa distinta de la sabia deliberación, y se aproxima mucho al feliz hallazgo. La sabia deliberación tampoco se confunde con la simple opinión. Pero como el que delibera mal se engaña y se separa del recto camino, mientras que el que delibera bien delibera conforme a la recta razón, puede decirse que la sabia deliberación es una especie de reparación y de rectitud, que por otra parte no es la rectificación de la ciencia ni la de la opinión. Por lo pronto, la ciencia no tiene necesidad de que se la rectifique a no ser que incurra en error, pero la verdad es la rectitud de la opinión, que se ha filado en el espíritu respecto al objeto sobre el que ha recaído la opinión misma. Sin embargo, como no puede haber sabia deliberación sin razonamiento, resta que sea aquélla un acto razonado de inteligencia, porque todavía no es una afirmación. Por otro lado, la opinión tampoco es un examen del espíritu; es ya como una afirmación bastante precisa, mientras que el que delibera, hágalo bien o mal, busca siempre, lo repito, alguna cosa, y calcula razonando. En una palabra, la deliberación sabia y buena es en cierta manera la rectitud de la voluntad y de la simple deliberación.

Para comprenderla bien deberíamos estudiar primeramente qué es la deliberación en sí misma y a qué se aplica, pero la palabra rectitud puede tomarse en muchos sentidos, y es claro que todas las acepciones que tiene no pueden venir aquí bien. Así el vicioso y el malo podrán muy bien encontrar el medio del razonamiento, la solución que se han propuesto descubrir, y por consiguiente su deliberación podrá aparecer llena de rectitud en desquite del gran trabajo que se habrán tomado. Ahora bien, parece que el resultado de una sabia deliberación debe recaer siempre sobre algo bueno, puesto que la sabia deliberación es esta rectitud de la deliberación que descubre y aspira siempre al bien. Pero también se puede llegar hasta el bien por medio de un falso razonamiento, y encontrar precisamente lo que se buscaba sin haber empleado el medio legítimo. En este caso el término medio es falso, y por consiguiente no es ésta la sabia deliberación, puesto que aunque se ha conseguido el objeto que se buscaba no se tomó el camino que debía tomarse. Además, no obstante que en ambos casos se consiga el objeto, en este último se gasta mucho tiempo en deliberar, mientras que en el anterior, por el contrario, se toma una decisión instantáneamente. Ni en uno ni en otro, por tanto, hay una sabia deliberación.

Con respecto a nuestros intereses, una sabia deliberación es la rectitud que nos sirve para distinguir el objeto que debemos buscar, el medio que debemos de emplear y el tiempo en que es preciso que obremos. Por fin, puede suceder que se tome una sabia resolución, ya de una manera absoluta y general, ya de una manera especial para un fin particular. La deliberación absolutamente sabia es la que arregla la conducta del hombre en relación con el fin supremo y absoluto de la vida humana, mientras que en el segundo caso sólo recae sobre el objeto particular que busca. Pero si la sabia deliberación es el privilegio de las gentes sensatas y prudentes, se sigue de aquí que ella es la rectitud de juicio aplicada a un fin útil, del cual la prudencia nos ha dado concepto exacto y verdadero.

## De la inteligencia o comprensión de la inteligencia

Deben distinguirse la inteligencia para comprender las cosas y la ininteligencia, dos cualidades diferentes que hacen que a unos se llame hombres inteligentes y a otros ininteligentes. La inteligencia que comprende las cosas no puede confundirse ni con la ciencia ni con la opinión, porque de otra manera los hombres sin excepción alguna serían todos inteligentes. Tampoco se la puede confundir con una de las ciencias particulares, por ejemplo, con la medicina, porque entonces se ocuparía de las cosas que se refieren a la salud, ni con la geometría, porque entonces estudiaría las propiedades de las magnitudes. La inteligencia, en el sentido limitado en que nosotros la entendemos aquí, no se aplica tampoco a las cosas eternas e inmutables, ni a ninguna de las cosas que deben nacer y perecer. Tampoco se aplica a las cosas sobre las que pueda haber duda y deliberación. Se ocupa de los mismos objetos que la prudencia, y, sin embargo, la inteligencia, que comprende las cosas, y la prudencia, no son facultades idénticas. La prudencia es en cierto modo imperativa, puesto que su fin es prescribir lo que es preciso hacer o no hacer, mientras que la inteligencia, por el contrario, es puramente crítica y se limita a juzgar. He aquí por qué comprender las cosas se confunde con comprenderlas bien, y he aquí por qué los hombres que se llaman inteligentes son los que tienen una inteligencia exacta de las cosas que les interesa.

La inteligencia, por otra parte, no consiste en tener o adquirir prudencia, pero así como cuando se aprende una cosa se dice que se la comprende, que se tiene inteligencia de ella desde el momento que se puede utilizar la ciencia que se posee, en la misma forma la inteligencia sólo consiste en servirse del buen sentido, de la opinión para juzgar las cosas a que se aplica la prudencia cuando otro nos las refiere, y en juzgarlas convenientemente, porque juzgarlas convenientemente es juzgarlas bien. Y así, en la lengua griega, el nombre de comprensión o inteligencia, es decir, el nombre de esta cualidad que hace que digamos de algunos que son verdaderamente inteligentes, procede del nombre de esta inteligencia de las cosas que se muestra cuando se aprende, porque las más de las veces confundimos aprender y comprender.

En cuanto a lo que se llama sentido, y lo que hace que se diga de un hombre que es hombre de buen sentido y que tiene sentido, es simplemente el juicio recto de un hombre verdaderamente probo. La prueba es que en la lengua griega se designa con palabras casi semejantes al hombre de bien y al hombre que, internándose en el espíritu de los demás, se siente inclinado a perdonar, porque es honroso y conveniente en ciertos casos experimentar el sentimiento de la indulgencia que perdona las faltas. Pues bien, la indulgencia legítima no es más que el sentido juicioso y recto del hombre de bien, y el sentido recto del hombre de bien es el sentido de la verdad.

## Fin a que tienden todas las virtudes intelectuales

Todas las cualidades que acabamos de estudiar, es decir, el buen sentido, la inteligencia o capacidad de comprender bien las cosas, la prudencia y el entendimiento, tienden a un mismo fin. No debe extrañarse si se considera que de unos mismos individuos se dice indiferentemente que tienen buen sentido y entendimiento, o también que son prudentes e inteligentes. Todas estas facultades se aplican indistintamente a los términos extremos y a los hechos particulares. Cuando un hombre da pruebas de juicio en las cosas que son del dominio de la prudencia es porque es inteligente, tiene buen sentido y caso necesario sabe ser indulgente y perdonar, porque los procedimientos honrosos y benévolos son los que emplean todos los hombres verdaderamente buenos en sus relaciones con los demás hombres.

Todas las acciones que podemos ejecutar se aplican siempre a hechos particulares, es decir, a los términos extremos, y precisamente éstos son los que debe conocer el hombre dotado de prudencia. A la inteligencia que comprende las cosas, así como al buen sentido, corresponde entender únicamente en las cosas que debemos hacer, y a esto es a lo que yo llamo términos últimos y extremos.

En cuanto al entendimiento, se aplica a los extremos en uno y otro sentido, porque el entendimiento puede encaminarse igualmente a los términos superiores y primeros, y descender a los últimos, lo cual no puede hacer el razonamiento. Y así, en las demostraciones, el entendimiento considera los términos inmutables y primeros, mientras que el razonamiento, ocupándose de los casos en que es preciso obrar, sólo considera el último término, es decir, lo posible, y la otra proposición que deriva de una proposición más alta.

Porque estas proposiciones inferiores son los principios y hasta las causas del fin que nos proponemos al obrar, puesto que lo universal no es más que el resultado de los hechos particulares. Es preciso, pues, ante todo, conocer por la sensación estos hechos, y esta sensación es la que constituye después el entendimiento. Por esta causa, las cualidades de que acabamos de hablar parecen como meros dones de la naturaleza. Nunca la naturaleza hace al hombre sabio y prudente, pero ella es la que nos da buen sentido, penetración de espíritu y entendimiento. La prueba es que creemos que estas facultades corresponden a las diferentes edades de la vida, creemos que tal o cual edad tiene como patrimonio la razón y el juicio, como si la naturaleza fuese a nuestros ojos la única que puede proporcionarnos estas cualidades. He aquí también por qué el entendimiento es a la vez principio y fin, porque éstos son los elementos de donde se derivan las demostraciones, y a los cuales ellas se aplican.

Otra consecuencia de esto es que es preciso dar tanta importancia a las simples aserciones y opiniones de los hombres experimentados de edad o de prudencia, aunque no las acompañe la demostración, como a las demostraciones regulares, porque dichas personas tienen el ojo de la experiencia para descubrir y ver los principios.

He aquí lo que teníamos que decir para explicar la naturaleza de la sabiduría y de la prudencia, para mostrar los objetos a que una y otra se aplican, y para hacer ver que cada una de ellas es la virtud especial de una parte diferente del alma.

## De la utilidad práctica de las virtudes intelectuales

Podría preguntarse asimismo para qué son útiles estas cualidades. La sabiduría no considera nunca los medios de hacer al hombre dichoso, porque no intenta producir nada. En cuanto a la prudencia, posee, es cierto, estos medios, ¿pero con qué objeto? La prudencia, sin duda, se aplica a lo que es justo, a lo que es bello, y más aún a lo que es bueno para el hombre, y esto es precisamente lo que el hombre virtuoso debe hacer. Mas porque sepamos todas estas reglas no somos por eso en modo alguno más hábiles para practicarlas, si es cierto, como hemos dicho, que las virtudes son simples aptitudes morales. Sucede lo que con los ejercicios y remedios que procuran al cuerpo la salud y el vigor, que no son nada mientras no se ponen en práctica realmente, y mientras sólo se hable de ellos como consecuencias posibles de cierta aptitud, porque en realidad no gozamos más salud ni somos más fuertes simplemente porque poseamos la ciencia de la medicina y de la gimnástica. Si no basta para llamar a un hombre prudente que tenga conocimiento de las cosas que constituyen la prudencia, sino que para merecer este título debe ser prácticamente prudente, se sigue de aquí que la prudencia de ninguna utilidad sería a los hombres que son virtuosos, como no lo sería a los que no la poseen. En efecto, no importa que tengan personalmente prudencia, o que se dejen guiar por el dictamen de los que la tienen; esta obediencia bajo la dirección de otro puede bastarnos, como, por ejemplo, respecto de la salud; pero, porque queramos mantenernos sanos, no por eso nos ponemos a aprender la medicina. Añádase a esto que sería muy extraño que la prudencia, estando por debajo de la sabiduría, fuese sin embargo la directora y la dueña, porque la facultad activa y productora es la que debe mandar y ordenar en cada caso particular.

Pero estudiemos más de cerca estas dos virtudes, y profundicemos en las cuestiones que hasta ahora no hemos hecho más que indicar.

Ante todo decimos que necesariamente son por sí mismas apetecibles, puesto que son ambas virtudes de las dos partes del alma, y si no pueden producir nada, es porque ninguna de estas partes del alma puede tampoco producir. Luego si se dice que producen, no es al modo que la medicina produce la salud, sino como la salud misma produce la salud. De este modo la sabiduría es causa de felicidad, porque siendo una parte de la virtud total, hace al hombre dichoso por el solo hecho de poseerla y tenerla actualmente. Además la obra propia del hombre no se debe sino a la prudencia y a la virtud moral. La virtud moral hace que el fin a que se aspira sea bueno, y la prudencia hace que los medios que conducen a él lo sean igualmente. Es claro de otro lado que la cuarta parte del alma, es decir, la parte nutritiva, no puede tener semejante virtud, porque no depende de esta parte inferior obrar o no obrar en ninguna cosa.

En cuanto a lo que acabamos de decir, que la prudencia no hace que el hombre practique más el bien y lo justo, es preciso probar esta aserción, tomando las cosas de un punto más elevado y sentando el principio que sigue: así como dijimos de ciertas gentes que hacen cosas justas sin que realmente sean ellos justos, por ejemplo, cuando esos mismos observan todas las prescripciones de las leyes a pesar suyo, o ignorándolas, o por cualquiera otra causa, y no en vista de estas mismas prescripciones y practicando todo lo que es preciso y todo lo que un hombre virtuoso debe hacer, en la misma forma, a mi parecer, es preciso obrar en todas ocasiones con una cierta disposición moral para ser verdaderamente virtuoso. Entiendo que se debe obrar por libre elección y resolviéndose en vista de la naturaleza de los actos que se realizan. La virtud es la que hace esta elección laudable y buena, pero todo lo que se hace en consecuencia de esta elección previa no pertenece a la virtud, como que es del dominio de otra facultad. Este punto merece bien que se insista en él, a fin de ilustrarlo más. Existe en el hombre una facultad que se llama habilidad o aptitud, y que tiene por misión especial hacer todo lo que concurra al fin que uno se ha propuesto, y procurar todos los medios necesarios para conseguirlo. Si el acto es bueno, esta facultad es muy laudable; si es malo, la habilidad se convierte en bellaquería. Y así tenemos gran cuidado, cuando hablamos de los hombres prudentes, decir que son hábiles y no que son bellacos. La prudencia no es esta facultad, pero tampoco puede existir sin ella. Tampoco la prudencia, ojo del alma, puede ser todo lo que debe ser sin la virtud, como ya he dicho, y puede fácilmente observarse. Los razonamientos de nuestro espíritu son los que encierran el principio de los actos que realizamos más tarde.

Decimos siempre puesto que tal cosa es la que debemos proponernos, y que además es a nuestros ojos la mejor posible, etc. En realidad nada importa que la cosa sea esta o aquella, como por ejemplo, que sea la primera que nos depare la suerte. Pero sólo en el hombre virtuoso aparece la decisión con toda claridad. El vicio pervierte la razón, y nos induce a error sobre los principios que deben dirigir nuestras acciones. La consecuencia evidente de todo esto es la imposibilidad de ser realmente prudente cuando no es uno virtuoso.

## De las virtudes naturales

Estas consideraciones nos obligan a estudiar la virtud bajo un nuevo punto de vista. Puede distinguírsela en virtud adquirida y en virtud natural y espontánea, y se verá que las relaciones de la primera a la segunda son casi las mismas que las de la prudencia a la habilidad. Estas dos especies de virtud no son idénticas, sólo se parecen; están ligadas por la misma relación que media entre la virtud inspirada por la naturaleza y la virtud propiamente dicha. Todo el mundo cree, en efecto, que cada una de las cualidades morales que poseemos se encuentra hasta cierta cantidad en nosotros sólo por la influencia de la naturaleza. Y así, estamos predispuestos a ser equitativos y justos, sabios y valientes, y a desenvolver otras virtudes desde el primer momento de nuestra vida; mas, sin embargo, nosotros no desistimos por eso de buscar aún algo más, es decir, la virtud propiamente dicha. Queremos que todas estas cualidades estén en nosotros de otra manera de como la naturaleza las ha puesto, de modo que las disposiciones puramente naturales pueden encontrarse en los niños y hasta en los animales. Pero como están privadas del auxilio del entendimiento, parece que sólo existen para dañar. La más pequeña observación basta para verlo y para reconocer que en esto sucede lo que con un cuerpo muy pesado: que si echa a andar sin mirar, está expuesto a bruscas caídas por faltarle la vista. Pero cuando el agente está dotado de entendimiento, hay ya una gran diferencia en la manera de obrar. Su disposición moral, permaneciendo igual, se convertirá en virtud en el sentido propio de la palabra. Y así puede decirse que, lo mismo que para esta parte del alma, que sólo tiene de su parte la opinión, hay dos cualidades distintas, la habilidad y la prudencia, en la misma forma hay dos en la parte moral: una, que es la virtud puramente natural y espontánea, y otra, que es la virtud propiamente dicha; virtud superior que no se produce sin la reflexión y la prudencia.

He aquí por qué ha podido decirse que todas las virtudes intelectuales no son en su fondo más que especies diversas de la prudencia, y Sócrates tenía en parte razón y en parte no en sus análisis. Se engañaba al creer que todas las virtudes son solamente especies diversas de la prudencia, pero tenía razón al decir que no existen sin la prudencia y la reflexión. Y la prueba es que hoy, cuando se define la virtud y se expresa que es un hábito moral, nunca deja de añadirse qué hábito, es decir, el hábito conforme a la recta razón, y conforme a la recta razón quiere decir conforme a la prudencia. Así todo el mundo parece haber adivinado en cierta manera que, esta disposición moral, que es conforme a la prudencia, es la verdadera virtud.

Es preciso, no obstante, extender un poco esta definición modificándola. La virtud no es sólo la disposición moral que es conforme a la recta razón, sino que es igualmente la disposición moral que aplica la recta razón que ella posee, y la recta razón, bajo este punto de vista, es precisamente la prudencia. En una palabra, Sócrates pensaba que las virtudes eran todas especies diversas de la razón, porque, según él, eran todas especies de ciencias, y nosotros pensamos que no hay virtud que no vaya acompañada de la razón.

Resulta demostrado, conforme a lo que queda dicho, que no se puede, hablando propiamente, ser bueno sin prudencia, y que no se puede ser prudente sin virtud moral. Estas consideraciones nos servirán también para juzgar la teoría según la cual «las virtudes pueden estar separadas unas de otras, puesto que un solo y mismo individuo, cualesquiera que sean las dotes con que le haya favorecido la naturaleza, nunca las posee todas sin excepción, y que puede tener ya una sin tener aún otra». Esta observación, es preciso decirlo, es verdadera respecto de las virtudes puramente naturales, pero no lo es respecto de las demás que hacen que el hombre que las posee pueda ser llamado absolutamente bueno, porque este hombre tendrá todas las virtudes desde el momento que tenga la prudencia, la cual por sí sola las comprende todas.

Es cierto también que, esta alta virtud, aun cuando no se practicara en la vida, no nos sería por eso menos necesaria, puesto que es la virtud propia de una de las partes del alma, y no hay elección racional de parte de nuestra voluntad sin la prudencia, ni la hay tampoco sin la virtud, como que es ésta el fin mismo a que debemos aspirar, y aquélla la que nos obliga a practicar todo lo necesario para conseguir este fin. Pero por útil que sea la prudencia, no puede decirse que domina como soberana sobre la sabiduría esta parte del alma que vale más que ella, del mismo modo que la medicina no dispone soberanamente de la salud, y que sin hacer uso de ella se limita a descubrir los medios de asegurárnosla, limitándose a prescribir cierto régimen en bien de la salud, pero sin prescribir nada a la salud misma. Por fin, atribuir esta superioridad a la prudencia, valdría tanto como si se pretendiese que la política mandara hasta a los dioses mismos, porque ella es la que ordena sin excepción todo lo que se hace en el estado.

# Teoría de la intemperancia y del placer

## NUEVO OBJETO DE ESTUDIO. EL VICIO, LA INTEMPERANCIA Y LA BRUTALIDAD

Después de todo lo que precede, es preciso decir, tomando otro punto de partida para nuevas consideraciones, que en materia de costumbres se deben evitar sobre todo tres clases de escollos, que son el vicio, la intemperancia que no puede dominarse y la grosería que nos rebaja al nivel de las bestias. Los contrarios de dos de estos tres términos son evidentes: de una parte, la virtud es lo contrario del vicio, y de otra, la templanza, que nos asegura el dominio de nosotros mismos, es lo contrario de la intemperancia que nos lo quita. Pero en cuanto a la cualidad contraria a la grosería brutal, el único nombre propio de ella es el de virtud sobrehumana, heroica y divina, y este fue indudablemente el pensamiento de Homero cuando, en su poema, representa a Príamo alabando la perfecta virtud de Rector, diciendo de él:

«Parecía más bien
hijo de un Dios que de un mortal».

Luego si es cierto, como se dice, que los hombres se elevan al rango de dioses mediante una prodigiosa virtud, una disposición moral de este género deberá mirársela como lo opuesto a la grosería brutal de que acabamos de hablar. En efecto, ni el vicio ni la virtud pertenecen al bruto ni a Dios, y si esta disposición heroica está por encima de la virtud ordinaria, la grosería brutal es una cosa muy diferente del vicio mismo. Sin duda es raro encontrar en la vida un hombre divino usando de la expresión favorita de los espartanos, que dicen ordinariamente cuando hablan de alguno digno de admiración: «es un hombre divino»; pero el hombre brutal y completamente incontinente no es menos raro entre los hombres, y sólo podrá encontrársele entre los bárbaros. A veces esta grosería brutal es el resultado de enfermedades y de achaques, y se reserva este nombre injurioso para los hombres cuyos vicios no tienen límites.

Más tarde diremos algo sobre esta lamentable disposición. Ya hablamos anteriormente del vicio, y sólo resta que hablemos aquí de la intemperancia, de la molicie y de la incontinencia, oponiendo a ellas la templanza que sabe amaestrar las pasiones y la firmeza que sabe resistirlas. Uniremos estos dos estudios, porque no se crea que cada una de estas disposiciones, buenas o malas, se confunde completamente con la virtud y el vicio, ni que sean de una especie enteramente diferente. En este punto es preciso hacer lo mismo que se ha hecho en todas las demás indagaciones: hacer constar primero los hechos tales como se observan, y después de haber presentado las cuestiones que ellos suscitan, demostrar por este método las opiniones más generalmente recibidas acerca de estas pasiones, y si no pueden recorrerse todas, indicar por lo menos las mas principales, porque una vez que se han resuelto los puntos verdaderamente difíciles, quedando sólo los admitidos por todo el mundo, puede considerarse la materia como suficientemente demostrada.

Así, es doctrina admitida que la templanza que se domina y la firmeza que sabe soportarlo todo, son incontentablemente cualidades buenas y dignas de estimación. La intemperancia y la molicie, por el contrario, son cualidades más y reprensibles. Todo el mundo sabe que el hombre templado que se domina es al mismo tiempo hombre que se guía constantemente por la razón, mientras que el intemperante es hombre que se olvida de la razón, despreciándola. El intemperante se deja arrastrar por su pasión, sabiendo que lo que hace es culpable; el hombre templado, por el contrario, sabe que los deseos que asaltan su corazón son malos.

## Explicación de la intemperancia

La primera cuestión que puede suscitarse aquí es saber cómo es posible que un hombre que juzga sanamente lo que hace se deje arrastrar por la intemperancia. Hay quien sostiene que no es posible que el intemperante sepa ciertamente lo que hace, por parecer increíble, como lo creía Sócrates, que en el hombre pueda haber algo que domine el conocimiento y que le arrastre a una degradación digna sólo del más vil esclavo. Sócrates combatía en absoluto la opinión de que el intemperante supiese exactamente lo que hacía, y negaba la posibilidad misma de la intemperancia, sosteniendo que nadie obra con pleno conocimiento contra el bien que conoce, y que si se separa de él, es sólo por ignorancia. Esta aserción es manifiestamente contraria a los hechos, tales como se presentan a nuestra vista, y aun admitiendo que ésta de la intemperancia sea simplemente efecto de la ignorancia, todavía sería preciso explicar el modo especial de ignorancia de que se habla, porque es evidente que el intemperante, antes de dejarse cegar por la pasión que experimenta, no cree que sea esta excusable. Hay gentes que aceptan en ciertos puntos esta teoría de Sócrates y la desechan en otros en que no están de acuerdo con él. Dicen con aquél que no hay en el hombre nada que sea más poderoso que la ciencia, pero no convienen en que el hombre no obre nunca de un modo contrario a lo que le parece mejor, y apoyándose en este principio, sostienen que el intemperante, cuando se ve arrastrado por los placeres que lo dominan, no tiene verdaderamente ciencia, y sí sólo la simple opinión. Y si, como se dice, es la opinión y no la ciencia, si eso es una débil y no una poderosa concepción del espíritu la que lucha en nosotros contra la pasión, como nos sucede en las vacilaciones y en las perplejidades de la duda, debe perdonarse al intemperante el no saber sostenerse contra los deseos violentos que lo solicitan, mientras que no hay indulgencia posible para la perversidad, ni para ninguno de los demás actos que son verdaderamente dignos de censura. Sólo la prudencia es la que resiste entonces, porque es la más fuerte de todas nuestras virtudes.

Pero esto no es sostenible, puesto que resultaría que el mismo hombre sería a la vez prudente e intemperante, y nadie podrá pretender que un hombre prudente y sabio pueda voluntariamente cometer las acciones más culpables. A esto añado que, anteriormente, hemos ya demostrado que el hombre prudente descubre sobre todo su carácter en la acción, y que en relación con los términos últimos, es decir, con los hechos particulares, posee además todas las demás virtudes. Por otra parte, si no es uno verdaderamente temperante sino cuando siente deseos violentos y malos, contra los cuales lucha, se sigue de aquí que el hombre digno del nombre de prudente no puede ser temperante, así como el temperante no puede ser prudente. No es propio del prudente sentir pasiones violentas ni pasiones malas, y, sin embargo, la existencia de éstas es una condición necesaria, porque si estas pasiones son buenas, la disposición moral que impide seguirlas es mala, y por consiguiente, podría decirse que la temperancia no es laudable en todos los casos sin excepción. Por otra parte, si las pasiones son débiles y no son malas, no hay ningún mérito en vencerlas, así como si son malas y débiles, ningún mérito hay en dominarlas. Si la templanza o dominación sobre sí mismo hace que uno se mantenga firme en toda opinión una vez que se ha arraigado en el espíritu, esta cualidad se hace mala, si, por ejemplo, nos compromete a sostenernos en una opinión falsa; y recíprocamente, si la intemperancia nos hace salir siempre de la resolución que habíamos tomado, podrá tropezarse alguna vez con una intemperancia laudable. Por ejemplo, en el *Filoctetes* de Sófocles ésta es la posición de Neoptolemo, y es preciso alabarle por no haberse atenido a la resolución que Ulises le había inspirado, por causarle disgusto la mentira. Hay más; el razonamiento sofístico, cuando llega a engañar por medio de la mentira, no hace más que crear la duda en el espíritu del oyente. Los sofistas se proponen probar paradojas para justificar su gran habilidad cuando salen triunfantes, pero los razonamientos que forman no son más que una ocasión de dudas y de embarazo, porque el pensamiento se encuentra encadenado en cierta manera, no pudiendo fijarse en una conclusión que le repugna, ni pudiendo tampoco avanzar, porque no sabe cómo resolver el argumento que se le presenta.

Razonando de esta manera se puede llegar a esta paradoja: la sinrazón mezclada con la intemperancia es una virtud. Me explicaré: el intemperante, cegado por el vicio que lo domina, hace todo lo contrario de lo que piensa, y si piensa que ciertas cosas realmente buenas son malas, y por consiguiente que no deben hacerse, hará en definitiva el bien y no el mal. Bajo otro punto de vista, el hombre que obra como resultado de una convicción muy precisa, y que busca el placer por la libre elección de su voluntad, puede parecer por encima del hombre que no busca el placer como resultado de un razonamiento, sino por el sólo efecto de su intemperancia. El primero es sin duda alguna más fácil de curar, porque podría mudar su manera de ver, pero el intemperante, que no se domina, está completamente en el caso de nuestro proverbio: no hay necesidad de beber cuando nos ahoga el agua. Si no hubiese obrado como resultado de una convicción, podría cesar de hacer lo que hace mudando de convicción, pero en nuestra hipótesis existe una convicción muy formal y hace todo lo contrario de lo que debería hacer. Por fin, si la temperancia y la intemperancia pueden producirse en toda clase de cosas, ¿qué deberá entenderse cuando se dice de un hombre, en absoluto, que es intemperante? Porque nadie puede tener todas las intemperancias posibles sin excepción, y, sin embargo, decimos de una manera absoluta de ciertas gentes que son intemperantes.

Tales son las cuestiones diversas que pueden suscitarse aquí. Entre ellas hay algunas que es preciso resolver, y otras que deberán dejarse a un lado, porque la solución de una duda que se discute no debe consistir sino en el descubrimiento de la verdad.

## De la ignorancia del intemperante

El primer punto que es preciso aclarar es el de si el intemperante sabe o no sabe lo que hace, y si lo sabe, cómo lo sabe. Enseguida determinaremos con relación a qué cosas puede ser temperante o intemperante; quiero decir, si con relación a toda especie de placer y a toda especie de dolor, o bien solamente a algunos placeres y a algunos dolores determinados. La temperancia que domina las pasiones, y la firmeza que hace que se sufra todo con constancia, ¿son una sola y misma cosa? ¿Son cosas diferentes? A estas preguntas se pueden añadir otras del mismo género, que tocan igualmente a la materia que aquí estudiamos.

Comencemos este examen preguntándonos si el hombre templado y el intemperante difieren entre sí por sus actos solamente, o si es por la disposición moral en que están cuando obran. Quiero decir, si el intemperante es intemperante únicamente porque ejecuta ciertos actos, o si lo es más bien por la manera como los ejecuta. Preguntémonos igualmente, admitiendo que esta primera solución sea falsa, si el intemperante es intemperante por estos dos motivos a la vez. Veremos enseguida si la intemperancia y la templanza pueden o no aplicarse a todo. Así el hombre a quien se llama intemperante de una manera general y absoluta, no lo es, sin embargo, en todo sin excepción, lo es sólo respecto de las cosas que despiertan las pasiones del incontinente. No se le llama intemperante porque de una manera general cometa los mismos actos que el incontinente, porque entonces la intemperancia se confundiría por completo con la incontinencia, sino que se le llama así porque lo es respecto de estos actos mismos de una manera particular. El incontinente se ve en efecto conducido a cometer faltas mediante su libre elección, creyendo que es preciso ir siempre tras el placer del momento. El otro, por el contrario, no tiene pensamiento fijo, pero no por eso persigue menos el placer que le sale al encuentro. Poco importa por lo demás para la cuestión que sea la simple opinión, la opinión verdadera y no la ciencia propiamente dicha, la que haga caer a los hombres en la intemperancia. Sucede más de una vez que teniendo acerca de las cosas una simple opinión, no se experimenta, sin embargo, la menor duda, y se cree que se saben perfectamente mediante la ciencia más acabada.

Si se pretende, pues, que produce siempre una débil creencia lo que sólo es una opinión, y que desde aquel acto se siente uno más dispuesto a obrar contra su propio pensamiento, se deduciría de aquí que no hay diferencia entre la ciencia y la opinión, puesto que hay gentes que no creen lo que es en ellos una opinión con menos firmeza que los que creen porque lo saben de ciencia cierta, como lo prueba bien el ejemplo de Heráclito. Pero saber, en nuestra opinión, puede tener dos sentidos diversos; se dice del que tiene la ciencia y no se sirve de ella que sabe, así como se dice lo mismo del que hace uso de ella. Por lo tanto será muy diferente ejecutar un acto culpable, teniendo la ciencia de lo que se hace, pero sin ponerla en aquel momento en uso con la intervención del espíritu, y ejecutarlo, teniendo esta ciencia y viendo actualmente la falta que se comete. En este último caso la falta es todo lo grave que puede ser, mientras que no tiene esta gravedad cuando no se ve lo que se hace.

Esto consiste en que las proposiciones y las premisas que determinan nuestras acciones son de dos clases, y puede suceder que, aún conociendo unas y otras, se obre todavía contra la ciencia que se posee. Se aplica bien la proposición general, pero se olvida la proposición particular, y los actos que tenemos que practicar en la vida son siempre casos particulares. Hasta en lo general pueden distinguirse diferencias: tan pronto afecta al individuo como se aplica a la cosa en lugar de a la persona. Tomemos por ejemplo esta proposición general: «Las sustancias secas convienen a todos los hombres». La proposición particular puede ser indiferentemente una de éstas: «Es así que este individuo es hombre», o bien: «Es así que tal sustancia es seca, luego...». Pero es posible que no sepamos si tal sustancia es una sustancia seca, o si lo sabemos, que en el momento actual no tengamos la ciencia de ello. Es difícil señalar toda la diferencia que separa estas dos clases de proposiciones, y por consiguiente, puede suceder que en un caso no sea absurdo creer que ella es de tal o cual manera, y que en otro resulte un grandísimo absurdo de creerlo.

Aún se puede obtener la ciencia de una manera distinta de todas las que acabamos de indicar. Así, cuando se tiene la ciencia y no se sirve de ella, puede haber una gran diferencia según el estado en que uno se encuentre, de tal manera que puede decirse en cierto modo a la vez que se la tiene y no se la tiene: por ejemplo, en el sueño, en la locura o en la embriaguez. Añádase a esto que las pasiones, cuando nos dominan, producen efectos del todo semejantes. Los arranques de cólera, los deseos del amor y las demás afecciones de este género trastornan con señales evidentes hasta nuestro cuerpo, y llegan a veces a hacernos perder el juicio. Evidentemente es preciso confesar que los intemperantes que no saben dominarse están poco más o menos en el mismo caso. El que en estado semejante hagan razonamientos inspirados por la verdadera ciencia, no es una prueba de que estén en su sana razón. Hay gentes que, en medio del desorden producido por estas pasiones, os podrán dar demostraciones regulares, y hasta os recitarán versos de Empédocles, como esos escolares que, cuando empiezan a aprender, encadenan perfectamente los razonamientos que se les enseña, pero que no poseen aún la ciencia, porque para tenerla realmente es preciso identificarse con ella, y para esto se necesita tiempo. Los intemperantes realmente hablan de moral en tales ocasiones como los actores recitan su papel en el teatro.

Por lo demás, aún podría encontrarse una causa completamente natural de estos fenómenos, y he aquí la explicación. En el razonamiento que obliga a obrar hay, en primer lugar, el pensamiento general, y después una segunda proposición que se aplica a hechos particulares, que sólo dependen de la sensación que nos los revela. Cuando de la reunión de ambas se forma en el espíritu una proposición única, necesariamente el alma afirma la conclusión que de ellas sale, y, en el caso en que se trata de producir algo, es preciso que obre en consecuencia sobre la marcha. Supongamos, por ejemplo, esta proposición general: «Es preciso gustar de todo lo que es dulce», y añadamos esta proposición particular: «Es así que tal cosa especial y particular es dulce»; necesariamente, el que puede obrar y no está impedido de hacerlo, obrará inmediatamente, en consecuencia de la conclusión que saca y tan pronto como la ha deducido.

Supongamos, por el contrario, que tenemos en el espíritu un pensamiento general que nos impide gustar del placer, y que a su lado otro pensamiento igualmente general nos dice: «Todo lo que es dulce es agradable al paladar», con la proposición particular de que tal cosa que tenemos a la vista es dulce. Si este último pensamiento está actualmente en nuestro espíritu y el deseo se encuentra excitado en nosotros, sucede entonces que un pensamiento nos dice que huyamos del objeto, pero el deseo nos arrastra, puesto que todas y cada una de las partes de nuestra alma tienen el poder de ponernos en movimiento. Por consiguiente, casi puede decirse que en este caso son la razón y el juicio los que hacen al hombre intemperante, no que el juicio sea contrario en sí mismo a la razón, sino que indirectamente viene a serlo, porque no es el juicio precisamente, y sí el deseo, el que es contrario a la recta razón. Lo que hace que las bestias no sean intemperantes, propiamente hablando, es que no tienen concepciones generales; sólo tienen la apariencia y el recuerdo de las cosas particulares.

¿Cómo se disipará la ignorancia del intemperante? ¿Cómo el intemperante, después de haber perdido el dominio sobre sí mismo, volverá a la ciencia? La explicación que puede darse aquí es exactamente la misma que para el hombre embriagado y para el que duerme, y como no hay nada que sea especial a la pasión de la intemperancia, los que principalmente deben ser consultados en esta materia son los fisiólogos.

Pero como la última proposición es el juicio formado sobre el objeto sensible, y ella es la dueña en definitiva de nuestras acciones, es preciso que el que está en el acceso de la pasión no conozca esta proposición, o bien que la conozca de manera que no tenga de ella verdadera ciencia, aun conociéndola. Entonces es cuando repite sus bellos discursos, como el hombre ebrio de antes repetia los versos de Empédocles, y su error procede de que el último término no es general, y no lleva consigo la ciencia como la lleva el término universal. Entonces pasa realmente el fenómeno que Sócrates indicaba en sus indagaciones. La pasión y sus efectos no se producen en tanto que la ciencia, que debe ser para nosotros la verdadera ciencia, la ciencia propiamente dicha, está presente en el alma, y esta ciencia nunca es arrastrada ni vencida por la pasión. La pasión sólo triunfa de la ciencia debida a la sensibilidad.

He aquí lo que teníamos que decir acerca de si el intemperante, al cometer su falta, sabe o no que la comete, y cómo puede cometerla, sabiendo positivamente que la comete.

## Especies de placeres y penas con relación a la intemperancia

¿Es posible decir en absoluto que alguno es intemperante?, ¿o bien, todos los que lo son, lo son siempre de una manera relativa y particular? Y si se puede ser absolutamente intemperante, ¿cuáles son los objetos a que se aplica la intemperancia entendida de esta manera?

He aquí las cuestiones que trataremos a continuación de las precedentes.

Por lo pronto, es una cosa muy clara que en los placeres y en las penas es donde el hombre es templado y firme, o intemperante y débil. Pero entre las cosas que nos procuran placer, unas son necesarias; otras, son en sí permitidas a nuestros deseos, pero pueden ser llevadas al exceso. Los placeres necesarios son los del cuerpo, y llamo así los que se refieren a la alimentación, al uso de Venus y a todas las necesidades análogas del cuerpo, respecto a las cuales puede haber, como ya hemos dicho, o el exceso de la incontinencia o la reserva de la sobriedad. Otros placeres, por el contrario, no tienen nada de necesarios, pero son dignos por sí mismos de ser buscados por nosotros; por ejemplo, la victoria en las luchas que sostenemos, los honores, la riqueza y todas las demás cosas de esta especie que producen a la vez provecho y placer. Pero no llamamos intemperantes de una manera general y absoluta a todos los que se entregan a estos placeres más allá de lo que permite la recta razón para cada uno de ellos, sino que añadimos una designación especial diciendo que son intemperantes en cuestión de dinero, de ganancias, de honor o de cólera. Jamás se los llama con el término absoluto intemperantes, porque se ve claramente que se diferencian entre sí, y que el nombre común que se les da sólo se funda en una relación de semejanza. Así, para designar al hombre, se añadía al nombre genérico de hombre, que era el suyo, la indicación más especial de vencedor en los juegos olímpicos. El nombre especial que se le daba a este atleta se diferenciaba muy poco del nombre general de la especie, sin embargo, este nombre era distinto. Lo cual prueba claramente que lo mismo sucede con la intemperancia, que no sólo se la censura como una falta, sino también como un vicio, ya se la considere de una manera absoluta o simplemente como un acto particular. Pero ninguno de los que acabamos de indicar pueden ser calificados de intemperantes con una denominación absoluta.

No sucede lo mismo en cuanto a los goces del cuerpo, respecto a los cuales puede decirse de un hombre que es sobrio o incontinente. El que busca en estos goces los placeres y los lleva hasta el exceso, y huye sin concierto de las sensaciones penosas, de la sed y el hambre, del calor y del frio, en una palabra, el que busca o teme todas las sensaciones del tacto o del gusto, no por una libre elección de su voluntad, sino contra su propia voluntad y contra su intención, a un hombre semejante se le llama intemperante, sin añadir nada a este nombre, a diferencia de lo que se hace cuando se quiere calificar de intemperante a uno por tales o cuáles cosas especiales, por ejemplo, en lo referente a la cólera. Y así del primero sólo se dice, sencillamente y de una manera absoluta, que es intemperante. Si se pudiera dudar de esto, bastaría observar que la idea de la molicie se aplica igualmente a los goces corporales, y que no se aplica a ningún otro de estos últimos goces de que acabamos de hablar. He aquí por qué colocamos al intemperante y al disoluto, al templado y al prudente, en el mismo rango, sin mezclar con ellos a los que se entregan a esos últimos placeres. Y es que el disoluto y el intemperante, el prudente y el templado, están, si puede decirse así, en relación con los mismos placeres y con las mismas penas, pero si están en relación con las mismas cosas, no lo están todos de la misma manera; unos se conducen, como lo hacen, por elección, y otros carecen de la facultad de poder hacer una elección razonada. Así nos sentimos más inclinados a tener por más disoluto al hombre que, sin deseos o conducido sólo por débiles deseos, se entrega a excesos y huye de temores ligeros, que al que obra arrastrado por los más violentos deseos. ¿Qué haría, en efecto, ese hombre sin pasiones, si le sobreviniese un deseo fogoso como los de la juventud o el sufrimiento punzante que nos causa la imperiosa exigencia de nuestras necesidades?

Por esto deben hacerse algunas distinciones en los deseos que nos animan y en los placeres que gustamos. Unos son en su clase bellos y laudables, puesto que, entre las cosas que nos agradan, hay algunas que por su naturaleza merecen que se las busque; otros son enteramente contrarios a aquéllos, y otros, en fin, son intermedios, según la división que hemos hecho anteriormente; tales son, por ejemplo, el dinero, las utilidades, la victoria, el honor y otras condiciones del mismo orden, cosas todas que, en cuanto son indiferentes e intermedias, no es reprensible dejarse impresionar por ellas, amarlas y desearlas, y sólo lo es el quererlas de cierta manera, llevando el amor por ellas hasta el exceso. Y así se censura a los que, traspasando los límites de la razón y obcecados por sus deseos, buscan sin moderación alguna de estas cosas, no obstante, ser bellas y buenas por naturaleza: por ejemplo, los que se ocupan con más ardor y afecto del que conviene de la gloria, de sus hijos o de sus padres también. Todos estos sentimientos son muy buenos, y dignos de estimación los que los experimentan, pero cabe tambien el exceso en estos sentimientos, si se llega, como Niobé, hasta el punto de combatir a los dioses, o si se ama a su padre como Satiro, llamado Filopato, que llevaba esta afección hasta una extravagancia insensata. Ningún mal ni perversidad hay ciertamente en estas pasiones, porque todas ellas, lo repito, merecen muy legítimamente por lo que son en sí y por su naturaleza nuestra aprobación, pero, los excesos a que pueden conducir, son malos y deben evitarse.

Tampoco puede emplearse el término sencillo de intemperancia en todos estos diferentes casos. La intemperancia no es cosa de que se deba simplemente huir, sino que además pertenece a la clase de aquellas que son dignas de censura y de desprecio. Pero cuando se emplea la palabra intemperancia porque la pasión de que se trate presenta alguna semejanza con ella, se procura añadir para cada caso particular la clase especial de intemperancia de que se quiere hablar. Es exactamente lo mismo que cuando se dice: «un mal médico, un mal actor» hablando de un hombre a quien no podría aplicarse la calificación de malo pura y simplemente. Pues de igual modo que en estos dos casos no se puede usar una expresión de censura general, porque en cada uno de estos individuos hay, no un vicio absoluto, sino sólo una especie de vicio que se parece al general hasta cierto punto, del mismo modo debe entenderse, cuando se habla de intemperancia y de templanza, que se trata únicamente de las que se aplican a las mismas cosas que la sobriedad y la incontinencia. Por una especie de analogía y de asimilación hablamos de intemperancia con aplicación a la cólera, y debe entonces añadirse que es uno intemperante en materia de cólera, como se dice igualmente que lo es en cuestiones de gloria o en cuanto a intereses.

## De las cosas que son naturalmente agradables y de las que se hacen tales mediante el hábito

Como ya he dicho, hay cosas que agradan naturalmente, y de ellas, unas son agradables absolutamente y de una manera general, y otras, sólo lo son según las diversas especies de animales, y tambien según las razas de hombres. Hay cosas que naturalmente no son agradables, pero que se hacen tales por efecto de privaciones o como resultado del hábito y hasta por depravación de los gustos naturales. Y puede creerse que hay disposiciones morales que corresponden a cada una de estas aberraciones físicas. Quiero hablar de esas tendencias brutales y feroces, como, por ejemplo, la de aquella mujer abominable que, según se cuenta, hacía abortar a las mujeres encintas para devorar los fetos que arrancaba de su seno, como también las de algunas razas de salvajes de las orillas del Ponto que, al parecer, tienen el horrible placer de comer, éstos la vianda cruda, aquéllos la carne humana; las de otras que se sirven recíprocamente a sus hijos en los horribles festines que se ofrecen unos a otros, y tambien las atrocidades que se refieren de Fálaris. Todos éstos son gustos feroces y dignos de brutos. A veces son el resultado de enfermedad o de la locura, como la de aquel hombre que, después de haber inmolado a su madre a los dioses, la devoró, o como aquel esclavo que comió el corazón de su compañero de esclavitud. Hay gustos de otro género que son igualmente como enfermedades o que sólo nacen de un hábito necio: por ejemplo, arrancarse los cabellos, comerse las uñas, comer carbón o tierra, así como tambien cohabitar unos hombres con los otros. Estos gustos depravados son unas veces instintivos y otras resultado de hábitos contraídos desde la infancia. Cuando estos extravíos sólo tienen por causa la naturaleza, los que los experimentan no pueden ser realmente llamados intemperantes, así como no puede echarse en cara a las mujeres el no buscar los hombres para casarse en vez de ser ellas buscadas por ellos. Otro tanto debe decirse de los que se han hecho enfermizos y viciosos como resultado de un largo hábito. Pero estos gustos monstruosos están fuera de todos los límites del vicio propiamente dicho, como sucede a la ferocidad misma. Y ya se triunfe, ya se sucumba, no hay en estos casos verdaderamente templanza ni intemperancia, absolutamente hablando; no hay más que una cierta afinidad que ya hemos indicado, diciendo que el que en la cólera se deja ir hasta los últimos excesos de esta pasión, debe calificársele conforme a esta pasión misma, y no debe llamársele por esto intemperante de una manera absoluta. En efecto, todas estos excesos viciosos, irracionales, cobardes, desarreglados, crueles, son efecto ya de una naturaleza brutal, ya de una verdadera enfermedad. Y así, un hombre que está organizado de tal manera por la naturaleza que a todo tiene miedo, hasta al ruido de un ratón, es cobarde de un modo verdaderamente propio de una bestia. Otro, por resultado de una enfermedad, tiene un terror invencible a los gatos. Entre los que están tocados de demencia, unos, que han perdido la razón por el sólo efecto de la naturaleza y que sólo viven la vida de los sentidos, son verdaderos brutos, como ciertas razas de bárbaros de países lejanos; otros, que han caído en este estado a consecuencia de una enfermedad, como la epilepsia o la locura, son verdaderos enfermos. A veces puede uno tener simplemente estos gustos espantosos sin ser dominado por ellos: por ejemplo, hubiera sido posible a Fálaris contener los horribles deseos que le llevaban a devorar los hijos o a satisfacer contra naturaleza las necesidades del amor. A veces también se tienen estos gustos deplorables y se sucumbe a ellos.

Por lo tanto, así como la perversidad en el hombre puede llamársela perversidad en absoluto, o designarla por una adición que indique, por ejemplo, que es brutal o enfermiza, sin tomar por tanto esta palabra de una manera absoluta, en igual forma es evidente que la intemperancia es ya brutal, ya enfermiza, y cuando se toma esta palabra en un sentido absoluto, designa simplemente la intemperancia relativa a la incontinencia por demás ordinaria entre los hombres.

En resumen, se ve que la intemperancia y la templanza sólo se extienden a las cosas a que se pueden aplicar igualmente las ideas de incontinencia y de sobriedad, y que si para las cosas diferentes de éstas se emplea también la palabra intemperancia, es bajo otro punto de vista y por simple metáfora, pero no de una manera absoluta.

## La intemperacia en la cólera es menos culpable que la intemperancia en los deseos

Hagamos ver también que es menos vergonzoso ceder con intemperancia a la cólera que dejarse dominar por el empuje de los deseos. A mi parecer, la cólera que nos inflama el corazón escucha aún la razón hasta cierto punto, sólo que la escucha mal, al modo de esos servidores que llevados de un excesivo celo corren antes de haber oído lo que se les dice y se engañan después al cumplir con la orden que se les encomienda; o como los perros que, antes de ver si es conocido el que llega, ladran sólo por haber oído el ruido. Esto es lo que hace el corazón, que cediendo a su ardor y a su impetuosidad natural y sin oír de la razón más que alguna cosa y no la orden entera que ella daba, se precipita a la venganza. El razonamiento o la imaginación le han revelado que existe un insulto o un desdén, y en el momento, el corazón, deduciendo por una especie de silogismo que es preciso combatir a este enemigo, se enfurece y ataca en el acto. En cuanto al deseo, basta que la razón o la sensibilidad le digan que tal objeto es agradable para que se lance en el momento a su goce.

Así, la cólera, hasta cierto punto, obedece más a la razón. El deseo no la obedece en nada; es más vergonzoso que la cólera, porque el intemperante en la cólera se deja conducir hasta cierto grado por la razón, mientras que el otro, que no sabe domar sus deseos, se ve dominado por ellos y no cede nada a aquélla. Por otra parte admite siempre más excusa seguir los movimientos naturales, como es siempre más disculpable ceder a estas pasiones que son patrimonio común de todos los hombres, cuando como los demás uno cede a ellas. La cólera misma con sus violencias es algo más natural que los arrebatos producidos por estos deseos, que nos conducen a cometer excesos y que no responden a necesidades precisas. Es como aquel hombre que creía excusarse de haber golpeado a su padre, diciendo: «Mi padre pegaba al suyo, su padre pegaba igualmente a nuestro abuelo, y este recién nacido, añadía, mostrando a su hijo, este inocente a su vez me pegará a mí cuando sea grande, porque es esto entre nosotros un hábito de familia». También puede citarse aquel desgraciado que, arrastrado por su hijo, decía a éste que se detuviera al umbral de la puerta, porque su padre, cuando le había arrastrado a él, jamás había pasado del mismo.

Puede añadirse que los más culpables son en general los que disimulan sus designios y sus travesuras. El hombre que obra arrastrado por el corazón no oculta sus proyectos, y lo mismo hace la cólera, la cual se pone siempre en evidencia. El deseo es, por el contrario, como Venus, si hemos de creer los retratos que de ella se hacen:

«La pérfida Cipride que sabe urdir artificios».

O también como el ceñidor de que habla Homero:

«Este divino talismán... Lazo en que podía caer hasta el corazón de un sabio».

Por consiguiente, si esta clase de intemperancia disimulada es más culpable y más vergonzosa que la de la cólera, podría casi decirse que es la intemperancia absoluta y el vicio propiamente dicho. Pero hay más: no se sufre cuando se dirige un insulto a otro, pero cuando se obra movido por la cólera se obra siempre con un vivo sufrimiento, mientras que el que insulta sólo encuentra placer en ello. Luego, si las acciones contra las que puede uno indignarse con más razón, son también las más culpables, la intemperancia, resultado del deseo, será más culpable que la intemperancia en la cólera, porque no hay insulto en la cólera.

Concluyamos, pues, de nuevo, que la intemperancia a que nos arrastran los deseos es más vergonzosa que la de la cólera, y que la templanza, así como la intemperancia, se aplica a las pasiones y a los placeres puramente corporales.

Estos puntos están ya puestos muy en claro. Pero es preciso además recordar aquí cuáles son las diferentes especies de placeres. Como ya se dijo al principio de la discusión, unos son propios del hombre y son naturales en su género y en su intensidad; otros son placeres brutales; otros, en fin, no son más que resultado de dolencias o efecto de enfermedades. Las ideas de sobriedad y de incontinencia no pueden aplicarse más que a los primeros, y he aquí por qué no puede decirse de los animales, sino por metáfora, que son sobrios o incontinentes, como cuando se quiere señalar una especie de animales respecto de otra por la diferencia de sus condiciones de incontinencia, de lascivia o de voracidad. La causa de esto es que los animales no tienen libre albedrío, ni razonamiento, y son extraños a la naturaleza racional, poco más o menos como los dementes entre los hombres. La brutalidad, por otra parte, es un mal menor que el vicio, por más que sus efectos sean más terribles; el principio superior no está pervertido en el bruto como lo está en el hombre vicioso, pero es que el bruto no lo posee. Es como si se comparara un ser animado con otro inanimado, para saber cuál de los dos es el más vicioso, porque un ser es siempre menos malo y menos pernicioso cuando no tiene el principio que corrompe al otro, y este principio en el caso actual es la inteligencia. También puede decirse que es como si se quisiera comparar la injusticia con el hombre injusto; en ciertos conceptos se encontraría, alternativamente, que uno de los dos términos es más malo que el otro. Pero un hombre malo puede hacer diez mil veces más mal que una bestia feroz.

## Diversas disposiciones de los individuos relativamente a la templanza y a la incontinencia

En cuanto a los placeres y a los sufrimientos, a los deseos y a las aversiones que corresponden a los sentidos del tacto y del gusto, a los cuales hemos limitado más arriba las ideas de incontinencia y de sobriedad, puede suceder que, según los individuos, uno sucumba a los ataques de los que los demás hombres triunfan muy comúnmente, y a la inversa, que uno triunfe de aquellos en que los más de los hombres sucumben. En semejantes casos y con relación a los placeres, es uno intemperante en el primero y templado en el segundo, en la misma forma que, respecto a los dolores, el uno es débil y blando, y el otro enérgico y paciente. La disposición moral de la mayoría de los hombres ocupa un medio entre estos dos extremos, bien que se inclinen en general más del lado menos bueno.

En cuanto a los placeres, ya hemos dicho que pueden distinguirse los que son necesarios y los que no lo son, o por lo menos lo son sólo bajo cierto punto de vista. Pero el exceso no es más necesario que la abstinencia, y otro tanto puede decirse respecto de los deseos y de las penas que el hombre experimenta. El que se entrega al exceso en los placeres, o los persigue con exceso por una libre determinación, sólo por ellos mismos y no con la mira de ningún otro resultado, éste es verdaderamente incontinente y disoluto. Este hombre, como consecuencia necesaria de su carácter, jamás se arrepentirá, y por consiguiente, es incurable. El hombre que, por el contrario, se abstiene y se priva hasta con obstinación del placer, es el opuesto a aquél, y el que ocupa entre los dos un justo medio, es el hombre prudente y sobrio. La misma observación puede hacerse respecto al que huye de los dolores del cuerpo, no porque carezca de resistencia para sufrirlos, sino porque quiere evitarlos de propósito deliberado. Entre los que obran en este punto sin voluntad reflexiva, puede distinguirse el hombre que es arrastrado por el placer, y el que lo busca para subtraerse al dolor que sus deseos le causan, y debe tenerse muy en cuenta la gran diferencia que hay entre uno y otro. Todo el mundo considerará más reprensible al que, sin ningún deseo o solicitado por deseos muy débiles, cometa algún acto vergonzoso, que el que se ve arrastrado a cometerlo por deseos invencibles. Por esto todos tienen por más culpable al que pega sin cólera que al que pega colérico. ¿Qué no haría ese hombre de sangre fría si llegara a verse arrastrado por la pasión? He aquí por qué el incontinente es más vicioso que el intemperante que no se domina, y estos dos vicios extremos que indicábamos antes son la molicie de una parte y la incontinencia de otra.

Si el hombre templado es lo opuesto al intemperante, el hombre tierno y paciente es lo opuesto al hombre débil y blando. La firmeza consiste en resistir, y la templanza en dominar sus pasiones, pero es preciso notar la diferencia que hay entre dominar y resistir, lo mismo que entre no ser vencido y triunfar, y también es necesario colocar la templanza por encima de la firmeza que resiste y sostiene. El que sucumbe en lo que los más de los hombres resisten o pueden resistir, es de un carácter blando y débil, porque el decaimiento es una de las especies de la molicie. Uno, por ejemplo, se deja llevar su capa por no tomarse el trabajo de recogerla; otro se da aires de enfermo sin creerse sin embargo muy digno de lástima, por más que imite a los que realmente lo son. Lo mismo sucede con la templanza y la intemperancia. No nos sorprende ver un hombre vencido, sea por los goces excesivos, sea por dolores violentos; por el contrario, se siente uno inclinado a perdonarlo si ha resistido en un principio con todas sus fuerzas, como el Filoctetes de Teodectes herido por la serpiente, o como Cerción en el Alope de Carcino, o como aquellos que, después de esforzarse en reprimir una carcajada, rompen a reír de repente, con gran ruido, como sucedió a Xenofanto. Pero cuando se deja uno vencer en los casos en que los más de los hombres pueden resistir, y no es capaz de sostener la lucha, entonces no tiene defensa, a menos que esta debilidad nazca de una organización particular o de alguna enfermedad, como en los reyes de los Escitas, en quienes la molicie era una herencia de familia, o como las mujeres que son naturalmente mucho más débiles que los hombres. La pasión desenfrenada de las diversiones y de los juegos podría aparecer como una especie de intemperancia, pero pertenece más bien a la molicie. El juego es un desahogo, puesto que es un descanso; el que gusta demasiado de los juegos, debe ser incluido entre los hombres dados con exceso al reposo y al abandono.

Por lo demás, puede haber dos causas de intemperancia: el arrebato y la debilidad. Unos, después de haber tomado una resolución, no saben sostenerse en ella, porque la pasión los domina; otros se ven arrastrados por la pasión, porque no han reflexionado lo que hacen. Otros también, complacientes consigo mismos, pero no complacientes para con sus camaradas, sienten de antemano y prevén el asalto de la pasión, se vigilan a sí propios, mantienen despierta su razón, y no se dejan vencer por las emociones que les asaltan, ya sean agradables o ya penosas. En general los hombres vivos y melancólicos son los que sobre todo se dejan arrastrar por esta intemperancia, que puede llamarse intemperancia por arrebato. Unos por el ardor de su naturaleza, otros por la violencia de sus sensaciones, son incapaces todos de esperar las órdenes de la razón, porque sólo atienden a su imaginación y a sus impresiones.

## Comparación de la intemperancia con el espíritu de incontinencia

La incontinencia, como ya he dicho, no crea remordimientos; el incontinente permanece fiel a la elección reflexiva que ha hecho. Pero, por el contrario, no hay hombre intemperante que no se arrepienta de sus debilidades, y así el intemperante no es por entero lo que podría creerse en vista de lo dicho más arriba. El uno es incurable, el otro puede curarse de su vicio. La perversidad que campea en los incontinentes se parece bastante a la hidropesía y a la tisis, es decir, a las enfermedades crónicas; la intemperancia se parece más bien a un ataque de epilepsia. La una es constante, la otra no es un vicio continuo. En una palabra, la intemperancia y el vicio propiamente dicho son de un género enteramente diferente. La perversidad, la incontinencia, se oculta a sí misma y se desconoce; la intemperancia no puede ignorarse. De semejantes hombres, son menos malos quizá los que salen fuera de sí a causa de la violencia de las pasiones; valen más que los que conservan su razón y sin embargo no se someten a ella. Estos últimos se dejan vencer por una pasión que es menos fuerte y por la que no son sorprendidos sin haber reflexionado antes, al contrario de lo que sucede a los otros. El intemperante se parece mucho a los que se embriagan en un instante con poco vino, con menos de lo que acostumbran a beber los demás hombres.

Por lo tanto, según se ve, la intemperancia no es precisamente la perversidad, pero en cierto sentido se confunde con ella. En efecto, si la intemperancia existe contra la voluntad del que se entrega a ella, y si la perversidad es, por el contrario, resultado de una voluntad reflexiva, la intemperancia y la perversidad producen consecuencias que en la práctica son completamente semejantes. Es el dicho de Demodoco contra los milesios. «Los milesios, decía, no son locos, pero obran como tales.» En igual forma los intemperantes no son precisamente perversos e injustos, y, sin embargo, cometen actos perversos. El uno está formado de tal manera que persigue los placeres sensuales excesivos y contrarios a la recta razón, sin estar convencido de que obra bien, mientras que el otro tiene esta convicción, porque no está organizado sino para ir en busca de los placeres. El uno puede volver fácilmente al buen camino, mientras el otro vivirá siempre extraviado, porque entre la virtud y el vicio hay esta diferencia: que el vicio destruye el principio moral, mientras que la virtud lo desenvuelve y conserva. Tratándose de la acción, el principio que hace obrar es el objeto final a que se aspira, como en las matemáticas los principios son las hipótesis que se dan desde luego por sentadas. No es el razonamiento el que en este último caso nos enseña los principios. Tampoco es el razonamiento el que nos los enseña en la conducta de la vida, sino que la virtud, sea que la naturaleza nos la haya dado, sea que la hayamos adquirido mediante el hábito, es la que nos enseña a juzgar bien del principio de nuestros actos. El que sabe discernirlo bien es el hombre prudente y sobrio; el incontinente es el que hace todo lo contrario. Hay hombres que, bajo el influjo de una pasión, pueden traspasar todos los límites contra las órdenes de la recta razón, dejándose dominar por aquélla lo bastante para no seguir las reglas de la razón perfecta, pero no lo domina tan ciegamente que llegue a persuadirse de que es cosa buena dar rienda suelta a los placeres que lo arrastran. Éste es precisamente el intemperante, el cual aparece menos degradado que el incontinente, y no es absolutamente perverso, porque el principio, que es lo más precioso en el hombre, subsiste y sobrevive en él. El otro, de un carácter completamente opuesto, se ha conservado en su estado natural, si no ha salido de él ni aun en medio del extravío de la pasión.

En vista de lo que precede se puede concluir evidentemente que, la disposión moral del intemperante, es todavía buena, y que la del incontinente es completamente mala.

## El hombre templado sólo obedece a la razón

Veamos otras cuestiones que pueden presentarse aún. ¿Es hombre templado y dueño de sí el que obedece a una razón cualquiera y persevera en la resolución que ha tomado, sea esta o aquella? ¿O lo es sólo el hombre que obedece a la recta razón? Por otra parte, ¿es el intemperante el que no se atiene a la resolución que ha tomado, cualquiera que ella sea, o el razonamiento hecho cualquiera que él sea también? ¿O es el intemperante sólo el que se atiene a una razón falsa y a una resolución que no es buena, como dijimos anteriormente? O más bien, ¿no deberá decirse que el hombre templado es el que accidentalmente puede dejarse llevar de una razón cualquiera, pero que esencialmente se atiene a la verdadera razón y a la voluntad recta, que es la única que debe guiarle? ¿El intemperante no es aquel que no sabe sostenerse firmemente en la razón verdadera y en la sana resolución? Expliquémonos. Cuando se prefiere o cuando se busca una cosa en vista de otra, se busca y se prefiere esta última cosa esencialmente por sí misma, mientras que sólo se busca la primera accidentalmente y de una manera indirecta. La palabra esencialmente, por sí, expresa en este caso la idea de lo absoluto, de tal manera que es posible que debido a una razón cualquiera y con relación a ella uno persista y el otro no persista, pero absolutamente hablando, es en definitiva y únicamente la razón verdadera la que el uno sigue y de la que el otro se separa.

Hay personas que se mantienen firmemente en su opinión, y a las cuales se llama pertinaces, como sucede con aquellos espíritus que no se dejan convencer y que difícilmente y con grandísimo trabajo se puede hacer que muden de convicciones. Este carácter tiene algunos puntos de semejanza con el del hombre templado, que siempre es dueño de sí mismo, como el pródigo con el liberal y como el temerario con el valiente. Pero difieren sin embargo bajo muchos conceptos. El uno, el templado, no muda de opinión sólo bajo la influencia de la pasión o el deseo. Pero si llegan el caso y la ocasión de hacerlo, el hombre templado, que sabe dominarse, no desea otra cosa que mudar de opinión. El otro, por el contrario, el pertinaz, no se deja ganar por la razón, porque frecuentemente los pertinaces no se preocupan sino de sus deseos, dejándose llevar por las opiniones que les agradan.

En general, son pertinaces las personas prevenidas con alguna opinión personal, los ignorantes y las gentes groseras. Se aferran a su propia opinión mediante los lazos del placer y del dolor, se muestran gozosos de su triunfo cuando los argumentos de otro no consiguen que mudéis de opinión, y se manifiestan disgustados si vuestro dictamen ha sido desechado, como los decretos que no son sancionados por el pueblo. Así, los pertinaces tienen más relación con el intemperante que no sabe dominarse que con el templado que es siempre dueño de sí mismo. Hay casos en que se puede renunciar a la idea que se había concebido al principio, sin que sea efecto de una debilidad o de una intemperancia que haga perder el dominio de sí mismo. En este caso se encuentra Neoptolemo en el Filoctetes de Sófocles; es verdad que es el placer el que lo arrastra a no mantenerse en su primera resolución, pero fue un placer noble, puesto que era en el acto digno de alabanza decir la verdad, a pesar de los consejos de Ulises que le sugería que dijera una mentira. Y así, no puede decirse de uno que sea incontinente, vicioso e intemperante sólo porque obre bajo la influencia del placer; lo es cuando el placer que le arrastre tiene algo de vergonzoso.

Puesto que puede suceder que se busquen menos de lo que es regular los placeres del cuerpo, y que en esta reserva excesiva se falte igualmente a las reglas de la razón, el hombre verdaderamente templado, que se domina siempre, representará el carácter intermedio entre el que acabamos de indicar y el intemperante. Si el intemperante no obedece a la razón, es porque tiene algo más de lo que debía tener; el otro, por el contrario, tiene algo menos, mientras que el hombre verdaderamente templado subsiste siempre fiel a la razón y no cambia jamás bajo ninguna influencia. Y como la templanza es una cualidad laudable, es preciso, al parecer, que las dos cualidades contrarias sean reprensibles, y así es en efecto como se las juzga a ambas ordinariamente. Sólo que, como la una se muestra en pocas personas y raras veces, resulta de aquí, que así como la sobriedad parece ser la única opuesta a la incontinencia, de igual modo la templanza parece ser la única opuesta a la intemperancia.

Por otra parte, como muchas veces se denominan las cosas en vista de las semejanzas que tienen entre sí, se ha dicho, por asimilación a la templanza ordinaria, la templanza del hombre prudente, pero ésta no es más que una aparente similitud. Es cierto que el hombre templado es incapaz de hacer nada contra la razón, dejándose llevar de los placeres corporales, y que en este concepto es la virtud del hombre verdaderamente prudente, pero hay entre ellos esta diferencia, y es que el uno tiene deseos viciosos y el otro no; el uno está constituido de manera que no puede experimentar placeres contra la razón, mientras que el otro puede experimentar un placer de este género sin dejarse por eso arrastrar por él. También bajo este concepto el intemperante y el incontinente se parecen, bien que sean diferentes bajo muchos puntos de vista, pues ambos buscan los placeres del cuerpo, pero el uno se entrega a ellos creyendo que así debe hacerlo, y el otro lo hace creyendo que no debe hacerse.

## La prudencia y la intemperancia son incompatibles

No es posible que un mismo hombre sea a la vez prudente e intemperante, porque, como ya se ha demostrado, el hombre prudente es al mismo tiempo de costumbres irreprensibles. Para ser verdaderamente prudente, no basta saber lo que se debe hacer, sino que es preciso además obrar y practicar. Pero el intemperante está lejos de obrar con prudencia, aunque por otra parte en nada se oponga esto a que sea muy hábil, aun siendo intemperante. Lo que hace que puedan algunos parecer prudentes, siendo intemperantes, consiste en que la habilidad difiere de la prudencia de la manera que hemos explicado en nuestros precedentes estudios, donde hemos hecho ver que si se cotejan bajo la relación de la inteligencia y del razonamiento, son moralmente diferentes por los motivos que los determinan. El intemperante tampoco puede ser considerado como un hombre que sabe con exactitud y que ve claramente lo que hace, porque se parece más bien al hombre que duerme o que está embriagado. Hay ciertamente acto de voluntad de su parte, porque sabe hasta cierto punto lo que hace y por qué lo hace, sin embargo, no es un ser corrompido, porque su voluntad aparece limitada. Por consiguiente, es preciso decir de él que es vicioso a medias y que no es absolutamente culpable e injusto, puesto que no intenta engañar a nadie. En efecto, entre los intemperantes de diferentes matices, puede observarse que uno carece de fuerza para sostenerse en los proyectos que ha concebido, y que otro de un carácter melancólico ni aun forma proyectos. En el fondo, el intemperante se parece a un estado, donde se ordena todo lo que se debe ordenar y que tiene excelentes leyes, pero que no aplica ninguna, según el gracioso dicho de Anaxándrides:

> «Así lo quiere el estado, que piensa muy poco en las leyes.»

En cuanto al hombre verdaderamente vicioso, se parece por el contrario al estado que aplica sus leyes, pero leyes que son detestables.

La intemperancia y la templanza se dicen siempre de los actos que traspasan los límites de los que no salen habitualmente la mayoría de los hombres. El hombre templado se queda más acá, el intemperante se va más allá respecto del poder de dominar sus pasiones que tienen los más de los hombres. Estas intemperancias de los caracteres melancólicos son más fáciles de curar que las intemperancias de esos caracteres que tienen la voluntad de obedecer a la razón, pero que no saben obedecerla con constancia. Entre los intemperantes, los que lo son por hábito curan más fácilmente que los que lo son por temperamento, porque el hábito es más fácil de mudar que la naturaleza. Pero también es cierto que por esto mismo es muy difícil perder el hábito, porque se parece a la naturaleza, como decía Eveno:

> «El gusto, mi querido amigo, cuando dura mucho tiempo puede muy bien concluir por ser nuestra naturaleza.»

En resumen, hemos explicado lo que son la templanza y la intemperancia, la firmeza y la molicie, y hemos hecho ver cuáles son las relaciones que mantienen entre sí estas disposiciones.

## Naturaleza de placer

Cuando se quiere tratar filosóficamente la ciencia política, debe estudiarse a fondo la naturaleza del placer y del dolor, porque el filósofo político es el que señala el fin superior, en vista del cual y fijando siempre en el nuestras miradas podemos decir de cada cosa, de una manera absoluta, que es buena o que es mala. Bajo otro aspecto no es menos necesario estudiar este importante asunto, puesto que hemos reconocido que los fundamentos de la virtud y del vicio son los placeres y las penas. Y esto es tan cierto que, en el lenguaje ordinario, casi nunca se separa la felicidad del placer, y he aquí por qué, en la lengua griega, la palabra que expresa la felicidad se deriva de la que expresa el goce.

Entre las diversas opiniones emitidas en esta materia, hay una que sostiene que el placer no puede ser jamás un bien, ni en sí, ni tampoco indirectamente, y que el bien y el placer de ninguna manera son una misma cosa. Otros piensan, por el contrario, que hay algunos placeres que pueden ser bienes, pero que los más de ellos son malos. Por fin, una tercera teoría sostiene que, aun cuando todos los placeres sean bienes, el placer, sin embargo, no puede ser jamás el bien supremo.

En general, puede decirse que el placer no es un bien, porque todo placer es un fenómeno sensible que se desenvuelve para llegar a un cierto estado natural, y que ninguna generación, ningún fenómeno que se produce, es homogéneo con el fin a que tiende; por ejemplo, la construcción de la casa nunca puede confundirse con la casa misma. Por otra parte, el hombre templado y sobrio huye de los placeres; el hombre prudente sólo anhela la ausencia del dolor y no precisamente el placer. Añádase a esto que los placeres nos impiden pensar y reflexionar, y nos lo impiden tanto más cuanto más vivos son, como, por ejemplo, los placeres del amor. ¿Quién podría pensar en semejantes momentos? Además, no hay arte posible del placer, mientras que todo bien es el producto de un arte regular. Por fin, los niños y los animales buscan igualmente el placer. Lo que prueba, se dice también, que no todos los placeres son buenos, es que algunos son vergonzosos; los hay que todo el mundo condena, los hay que son hasta dañinos al que llega a gustarlos, y más de un placer puede causarnos enfermedades.

Por lo tanto, el placer no es el bien supremo; no es un fin, no es más que un fenómeno, una simple generación. Tales son poco más o menos todas las teorías emitidas sobre esta materia.

Pero de todo esto no resulta ciertamente que el placer no pueda ser por estos motivos ni un bien, ni tampoco el bien supremo. He aquí las pruebas. Ante todo, pudiendo tomarse el bien en dos sentidos muy diferentes, y pudiendo ser absoluto o relativo, es decir, bajo cierta relación, se sigue que la naturaleza del placer y las cualidades que lo hacen posible, así como el movimiento que produce y las causas que lo engendran, deben presentar diferencias no menos numerosas. Entre los placeres que parecen malos, unos son malos absolutamente y otros lo son relativamente a tal o cual individuo, mientras que son aceptables para otro. Háylos que no son aceptables completamente para tal individuo, pero que no lo son en tal momento y por algunos cortos instantes, por más que no deban buscarse por lo que son en sí. También hay otros que no son verdaderos placeres, que sólo tienen la apariencia de tales. De esta clase son todos los que van acompañados de un dolor, y que sólo tienen por objeto la curación de ciertos males, como, por ejemplo, los placeres de los enfermos. Además es preciso distinguir en el bien, de una parte, el acto mismo, el hecho mismo del bien, y de otra, la disposición que hace que se le sienta. Los placeres, que nos vuelven a nuestro estado natural, sólo son placeres indirectamente, bien que se sostenga que el acto propio del placer consiste en los deseos que producen una disposición y una naturaleza en cierto estado de sufrimiento. Sin embargo, hay placeres en los que la pena y el deseo no entran para nada; tales son, por ejemplo, los actos del pensamiento contemplativo respecto de los que nuestra naturaleza ciertamente no experimenta ninguna necesidad. La prueba es que no se siente el mismo placer cuando la naturaleza satisface una necesidad que cuando está en baja. Así, cuando la naturaleza está en su estado normal, los placeres que experimentamos son placeres, absolutamente hablando. Cuando se satisface una necesidad, podemos considerar como placeres las cosas más contrarias al placer, y entonces, por ejemplo, nos gustan las cosas más ácidas y más amargas, por más que no sean buenas ni por su naturaleza ni en absoluto. Tampoco son verdaderos placeres los que estas cosas nos procuran, porque las relaciones que tienen entre sí las cosas agradables son igualmente las relaciones de los placeres que ellas producen en nosotros.

Además, no es absolutamente necesario que haya algo superior al placer, en el sentido en que se sostiene a veces que en las cosas el fin es superior a su generación, porque no todos los placeres son generaciones. Tampoco van todos acompañados de generación, sino que son más bien acto y fin, todo a la vez. Tampoco se verifican porque ciertas cosas se produzcan en torno nuestro, sino más bien porque nosotros mismos hacemos cierto uso de ellos. Por otra parte, el fin no es en todos los placeres una cosa diferente de los placeres mismos; el fin difiere sólo en los placeres que si no sirven para completar y perfeccionar la naturaleza. Y así es un error pretender que el placer es una generación sensible, una producción de ciertos fenómenos que nuestros sentidos pueden experimentar. Sería preciso decir más bien que el placer es el acto de una cualidad conforme a la naturaleza, y en lugar de llamarla sensible, será mejor llamarla una generación a la cual ningún obstáculo se opone. Si el placer nos parece una especie de generación, es porque es bueno, hablando propiamente, y el acto de una cosa nos produce el efecto de una generación, aun cuando sea una cosa distinta.

Pero sostener que los placeres son malos porque generalmente hay algunos que pueden alterar la salud, es lo mismo que si se pretendiese que, ciertas cosas que son buenas para la salud, son malas para ganar dinero. Los placeres y los remedios son sin duda en este sentido malos, los unos y los otros, pero esto no quiere decir que lo sean realmente, puesto que el pensamiento mismo y la contemplación pueden dañar a veces la salud.

El placer tampoco pone trabas, como se pretende, al ejercicio de la razón. En el placer, que viene naturalmente de cada una de las facultades, no puede ser un obstáculo alguna de ellas. Los que les ponen trabas son los placeres exteriores, porque los placeres, que nacen en nosotros de la aplicación del espíritu y del estudio, lejos de dañarnos, no hacen más que hacernos más capaces de pensar y de estudiar con más provecho.

La razón, por lo demás, admite muy bien que no puede existir un arte del placer. Tampoco puede haber arte para ningún otro acto, porque el arte se aplica únicamente a la potencia, a la facultad que nos pone en estado de poder hacer alguna cosa, lo cual no impide que ciertas artes, el arte de la perfumería y el arte de la cocina, por ejemplo, no estén destinados especialmente a proporcionarnos placer.

En cuanto a las demás objeciones que se hacen al placer, a saber que el hombre sobrio huye de él, que el hombre prudente sólo busca una vida exenta de dolor, y, en fin, que los niños y los animales buscan también el placer; a todas estas objeciones daremos aquí una misma contestación. Bastará recordar que antes hemos dicho cómo los placeres son buenos en general, absolutamente hablando, y cómo no todos los placeres lo son. Precisamente estos últimos son los que buscan los niños y los animales. El hombre prudente y sabio busca la ausencia de las penas que causan estos mismos placeres, es decir, que huye siempre de estos placeres, que van acompañados necesariamente del deseo y del dolor; en otros términos, huye de los placeres del cuerpo y huye de todos los excesos de estos placeres a que el incontinente se entrega. El hombre prudente y sobrio huye de estos placeres peligrosos, porque también tiene los que la sabiduría sola puede proporcionar.

## Opiniones comúnmente seguidas sobre el dolor y el placer

Por otra parte, convengo con todo el mundo en que el dolor es un mal y que es preciso evitarlo. Tan pronto es un mal absoluto como es sólo un mal relativo, porque se nos presenta como obstáculo para hacer ciertas cosas. Ahora bien, lo contrario a aquello de que debe huírse en tanto que merece y que es un mal, lo contrario de esto, repito, es el bienestar. Es impensable que el placer sea un bien de cierta especie. Pero la solución de este problema no es la que Espeusipo daba cuando sostenía que, siendo el término más grande contrario a la vez al más pequeño y al igual, lo mismo sucedía con el placer que tiene dos contrarios: el dolor y además lo que no es dolor ni placer, porque Espeusipo no llega verdaderamente a decir que el placer sea una especie de mal.

Pero es muy posible que haya un cierto placer que sea el bien supremo, aunque haya algunos placeres que sean malos, así como puede haber una ciencia que sea la ciencia suprema, por más que haya algunas que sean malas. Debiendo desenvolverse sin trabas los actos de cada una de nuestras facultades, quizá la felicidad debe ser necesariamente el acto de todas las facultades reunidas, o por lo menos el acto de una de entre ellas, y esta actividad es para el hombre el más apetecible de los bienes desde el momento en que ningún obstáculo la estorba ni nada la detiene. Pues he aquí precisamente el placer, y por consiguiente, un cierto placer podría ser el bien supremo si fuese el placer absoluto, aunque por otra parte muchos placeres sean malos. Por esto cree todo el mundo que la vida dichosa es una vida de placer, y que el placer va siempre entremezclado con la felicidad. Confieso que no falta en esto razón. Ningún acto es completo desde el momento en que encuentra un obstáculo, pero la felicidad es una cosa completa, y así el hombre, para ser verdaderamente dichoso, tiene necesidad de los bienes del cuerpo y de los bienes exteriores, y hasta de los bienes de fortuna, para no encontrar por estos lados ningún obstáculo. Pero llegar a sostener que un hombre condenado al tormento u oprimido con las más terribles desgracias no es por eso menos feliz, con tal que sea virtuoso, equivale a sostener con conciencia o sin ella una opinión que carece de sentido. Por otra parte, de que sea indispensable para la felicidad unir a otros bienes los bienes de la fortuna, no se sigue precisamente que haya necesidad, como lo hacen ciertas gentes, de confundir la dicha con la prosperidad, porque no hay nada de eso. Una prosperidad excesiva se convierte en un obstáculo verdadero, y quizá entonces no hay razón para llamarla prosperidad, debiendo ser determinado el límite de ésta por sus relaciones con la felicidad. Si todos los seres, los animales y los hombres, buscan el placer, esto debería probarnos que el placer, en cierto sentido, es el bien supremo:

> «No; una palabra tantas veces repetida por los pueblos, nunca es completamente contraria a la verdad.»

Pero como el estado natural y el mejor estado de los diferentes seres no es el mismo para todos, ni en realidad, ni tampoco en apariencia, se sigue de aquí que no todos buscan el mismo placer, por más que todos sin excepción busquen el placer. Quizá no buscan precisamente el placer que creen buscar y que designarían en caso necesario, si tuvieran que nombrarle, y quizá guiados naturalmente por este instinto divino que todos tienen en sí mismos, no hacen en el fondo más que buscar un placer idéntico. Pero los placeres del cuerpo han recibido en el lenguaje ordinario este nombre común, porque son de los que más gozan los hombres y de los que todos pueden participar. Como son estos placeres los únicos que en general se conocen, se imaginan las gentes que son también los únicos que existen. Asimismo se ve claramente que si el placer y el acto que le produce no son bienes, no será posible que el hombre dichoso viva con placer. En efecto, ¿qué necesidad puede tener del placer, si el placer no es un bien? Pero, ¿será posible que el hombre dichoso viva al mismo tiempo en medio del dolor? Y si el dolor no es un mal, ni un bien, desde el momento que el placer no es tampoco lo uno ni lo otro, ¿para qué ha de huir de él? De aquí resultaría que la vida del hombre virtuoso no proporciona más placer que la de cualquier otro, si se admite que los actos que lleva a cabo tampoco se lo proporcionan.

## De los placeres del cuerpo

Con respecto a los placeres del cuerpo es preciso examinar lo que son, para responder a los que pretenden que ciertos placeres son muy apetecibles; por ejemplo, los placeres honestos, pero que no lo son nunca los placeres del cuerpo, ni en general los que busca el incontinente. En este caso, ¿cómo podría sostenerse que los dolores, que son contrarios a estos placeres, son malos? ¿No es el bien lo contrario del mal? ¿O es preciso limitarse a decir que los placeres necesarios son buenos sólo en el sentido de que lo que no es malo es bueno? ¿O habremos de creer que sólo son buenos hasta cierto punto? En efecto, en todas las disposiciones morales, en todos los movimientos en que no puede haber exceso de bien, el exceso de placer es igualmente posible. Luego el exceso es posible en los bienes corporales, y el vicio bajo esta relación consiste precisamente en buscar el exceso, y no en buscar sólo los placeres absolutamente necesarios. Todos los hombres, sin excepción, encuentran cierto goce en tomar alimento, en beber vino y en los placeres del amor, pero no todos gozan de estos placeres con medida, como es debido. Con el dolor sucede todo lo contrario; no se evita sólo el exceso, se lo evita en absoluto, porque el dolor no es lo contrario del exceso de placer, a menos que alguno busque el exceso de dolor, como otros buscan el exceso del placer.

Pero no basta encontrar la verdad, es preciso además explicar la causa del error. Es éste un medio de afirmarse en la convicción que se tiene, y cuando se ve claramente por qué una cosa ha podido parecernos verdadera, sin serlo en realidad, se siente uno tanto más identificado con la verdad que se ha descubierto. Por esto estamos en el caso de indagar en qué consiste que los placeres del cuerpo excitan más nuestros deseos que todos los demás.

El primer motivo es que lo propio del placer es desterrar el dolor, y que muchas veces en el dolor excesivo se busca, como medio de curación, un placer no menos excesivo, que no es en general otro que el del cuerpo. Pero estos son remedios violentos, y lo que hace que se los tome con tanto ardor es que, por naturaleza, son a propósito para borrar las emociones contrarias. No es por esto por lo que el placer corporal nos parece más aún que es un bien; existen siempre dos motivos para condenarlo, como ya hemos dicho. El primero es que los actos del placer, comprendido de esta manera, sólo son propios de una naturaleza degradada, ya procedan de la organización y del nacimiento, como los placeres brutales, ya resulten del hábito, como los placeres de los hombres corrompidos. El segundo motivo es que los remedios anuncian siempre una necesidad de que se adolece, y que vale siempre más ser que devenir. Estos placeres sólo tienen lugar cuando los que los gustan intentan recobrar su estado natural, y así sólo son buenos indirectamente. Además, a causa de su misma vivacidad, sólo se buscan por los que no pueden apreciar otros, y equivale, si puede decirse así, a prepararse de antemano a sentir una sed insaciable. Cuando estos placeres no tienen malas consecuencias, no es reprensible aprovecharlos, pero si se hacen dañinos, es un error llevarlos más adelante, y lo que explica que se haga es que, los que se abandonan a ellos, no tienen otros goces de que disfrutar. En cuanto a este estado neutro, que no es ni de placer ni de dolor, se convierte naturalmente para la mayor parte de los hombres en un verdadero estado de sufrimiento, porque el ser animado se fatiga sin cesar, como lo prueba sobradamente el estudio de la naturaleza, donde se demuestra que hasta la simple sensación de ver y el de oír es una fatiga, que sólo mediante el hábito, como se ha dicho, podemos soportar. El desenvolvimiento y crecimiento del cuerpo durante la juventud nos ponen en un estado muy parecido al de los hombres embriagados, y así la juventud rebosa en felicidad y en placer. Pero los hombres que son de naturaleza melancólica, tienen siempre, por su misma organización, necesidad de remedios que los cure. Su cuerpo se ve continuamente roído por la acritud de su constitución, están siempre violentamente excitados, y para ellos el placer mata el dolor, ya sea directamente contrario, o ya sea un placer cualquiera con tal que sea violento. Esto motiva el que los hombres de este temperamento se hagan muchas veces incontinentes y viciosos.

Por el contrario, los placeres que no van acompañados de algún dolor, jamás son excesivos. Son placeres verdaderamente agradables por su naturaleza misma y no accidentalmente. Entiendo por placeres accidentales los que se toman como remedios a ciertos males, y únicamente porque nos curan, dando una cierta actividad a la parte sana de nuestra organización, nos parecen agradables. Pero las cosas realmente y de suyo agradables son las que producen en nosotros la actividad propia de una naturaleza que permanece completamente sana.

Por otra parte, si no hay nada en el mundo que pueda agradarnos igualmente siempre, es porque nuestra naturaleza no es simple, y que hay además en ella algún otro elemento que nos hace sin cesar perecibles. Así, cuando una de las dos partes de nuestro ser hace un acto cualquiera, podía decirse que, respecto a la otra naturaleza que está en nosotros, este acto es contra naturaleza, y cuando hay igualdad entre los dos, el acto realizado no nos parece penoso ni agradable. Si hubiese un ser cuya naturaleza fuese perfectamente simple, el mismo acto sería siempre para el origen del placer más perfecto. He aquí cómo Dios goza eternamente de un placer único y absoluto, porque el acto no está sólo en el movimiento, sino que está también en la inmovilidad y en la inercia, y el placer se encuentra más en el reposo que en el movimiento. Si la mudanza, como dice el poeta, tiene para el hombre encantos incomparables, sólo es efecto de una imperfección nuestra. Lo mismo que el hombre, el malo gusta mudar sin cesar, y nuestra naturaleza tiene necesidad de cambio, porque no es simple ni pura.

Aquí concluye lo que teníamos que decir de la templanza y de la intemperancia, del placer y del dolor. Después de haber explicado la naturaleza de cada una de estas afecciones y hecho ver cómo las unas son bienes y las otras males, sólo nos resta hablar de la amistad.

# Teoría de la amistad

## CARACTERES GENERALES DE LA AMISTAD

A todo lo que precede debe seguir una teoría de la amistad, porque ella es una especie de virtud, o por lo menos, va siempre escoltada por la virtud. Es además una de las necesidades más apremiantes de la vida; nadie aceptaría ésta sin amigos, aun cuando poseyera todos los demás bienes. Cuanto más rico es uno y más poder y más autoridad ejerce, tanto más experimenta la necesidad de tener amigos en torno suyo. ¿De qué sirve toda esa prosperidad, si no puede unirse a ella la beneficencia que se ejerce sobre todo y del modo más laudable con las personas que se aman? Además, ¿cómo administrar y conservar tantos bienes sin amigos que los auxilien? Cuanto mayor es la fortuna tanto más expuesta se halla. Todo el mundo conviene en que los amigos son el único asilo adonde podemos refugiarnos en la miseria y en los reveses de todos géneros. Cuando somos jóvenes, reclamamos de la amistad que nos libre de cometer faltas dándonos consejos; cuando viejos, reclamamos de ella los cuidados y auxilios necesarios para suplir nuestra actividad, puesto que la debilidad senil produce tanto desfallecimiento, por fin, cuando estamos en toda nuestra fuerza, recurrimos a ella para realizar acciones brillantes, como dice Diomedes:

> «Dos decididos compañeros, cuando marchan juntos, son capaces de pensar y hacer muchas cosas».

Añádase a esto que, por una ley de la naturaleza, el amor es al parecer un sentimiento innato en el corazón del ser que engendra respecto del ser que ha engendrado, y este sentimiento existe no sólo entre los hombres, sino también en los pájaros y en la mayoría de los animales que se aman mutuamente, cuando son de la misma especie, pero se manifiesta principalmente entre los hombres, y tributamos alabanzas a los que se llaman filántropos o amigos de los hombres. Todo el que haya hecho largos viajes ha podido ver por todas partes cuán simpático y cuán amigo es el hombre del hombre; podría hasta decirse que la amistad es el lazo de los estados, y que los legisladores se ocupan de ella más que de la justicia. La concordia de los ciudadanos no carece de semejanza con la amistad, y la concordia es la que las leyes quieren establecer ante todo, así como ante todo quieren desterrar la discordia, que es la más fatal enemiga de la sociedad. Cuando los hombres se aman unos a otros, no es necesaria la justicia. Pero, aunque sean justos, aun así tienen necesidad de la amistad, e indudablemente no hay nada más justo en el mundo que la justicia que se inspira en la benevolencia y en la afección. La amistad no sólo es necesaria, sino que además es bella y honrosa. Alabamos a los que aman a sus amigos, porque el cariño que se dispensa a los amigos nos parece uno de los más nobles sentimientos que nuestro corazón puede abrigar. Así hay muchos que creen que se puede confundir el título de hombre virtuoso con el de amante.

Muchas son las cuestiones que se han suscitado sobre la amistad. Unos han pretendido que consiste en cierta semejanza, y que los seres que se parecen son amigos, y de aquí han venido estos proverbios: el semejante busca su semejante, el grajo busca a los grajos, y tantos otros que tienen el mismo sentido. Otra opinión completamente opuesta es la que sostiene por el contrario que, los que se parecen, son opuestos entre sí, a la manera de los alfareros que se detestan siempre mutuamente. También hay teorías que intentan dar a la amistad un origen más alto y más aproximado a los fenómenos naturales. Así, Eurípides nos dice que «la tierra desecada ama la lluvia, y que el cielo brillante gusta, cuando está lleno de agua, de precipitarse sobre la tierra». Por su parte Heráclito pretende que «solamente lo rebelde, lo opuesto, es útil; que la más bella armonía no sale sino de los contrastes y de las diferencias, y que todo en el universo ha nacido de la discordia». También hay otros, entre los cuales puede citarse a Empédocles, que se colocan en un punto de vista completamente contrario, y que sostienen, como dijimos antes, que lo semejante busca a lo semejante.

Dejemos aparte aquellas de estas diversas cuestiones que tienen carácter físico, porque son extrañas al objeto que aquí tratamos, y examinemos todas las que se refieren directamente al hombre, y que tienden a dar razón de su carácter moral y de sus pasiones. He aquí, por ejemplo, las cuestiones que podemos discutir: ¿puede existir la amistad entre todos los hombres sin excepción? ¿O acaso, cuando los hombres son viciosos, son incapaces de practicar la amistad? ¿Hay una sola especie de amistad? ¿Pueden distinguirse muchas? A nuestro parecer, cuando se sostiene que no hay más que una sola, que varía simplemente en el más y en el menos, no se aduce en apoyo de tal afirmación una prueba bastante sólida, puesto que hasta las cosas que son de un género diferente son susceptibles también del más y del menos. Pero éste es punto que ya hemos tratado anteriormente.

## DEL OBJETO DE LA AMISTAD

Todas las cuestiones que acabamos de indicar quedarán bien pronto aclaradas, tan pronto como sepamos cuál es el objeto propio de la amistad, el objeto digno de ser amado. Evidentemente no pueden ser amadas todas las cosas; sólo se ama el objeto amable, es decir, el bien, o lo agradable, o lo útil. Pero como lo útil no es más que lo que proporciona un bien o un placer, resulta de aquí que lo bueno y lo agradable, en tanto que objetos últimos que se proponen al amor, pueden pasar por las dos únicas cosas a que se dirige el amor. Pero aquí se presenta una cuestión: ¿es el bien absoluto, el verdadero bien, el que aman los hombres? ¿O sólo aman lo que es bien para ellos? Estas dos cosas, en efecto, pueden no estar siempre de acuerdo. La misma cuestión tiene lugar respecto de lo agradable que del placer. Además, cada uno de nosotros, parece amar lo que es bien para él, y podría decirse de una manera absoluta que, siendo el bien el objeto amable, el objeto que es amado, lo que cada cual ama, es lo que es bueno para él. Añádase que el hombre no ama lo que es realmente bueno para él, sino lo que le parece ser bueno. Esto, sin embargo, no puede dar lugar a ninguna diferencia seria, y de buen grado diríamos que el objeto amable es el que nos parece ser bueno para nosotros.

Hay, por consiguiente, tres causas que hacen que se ame. Pero jamás se aplicará el nombre de amistad al amor o al gusto que se tiene a veces por las cosas inanimadas, porque es demasiado claro que no puede haber de parte de ellas reciprocidad de afección, como tampoco se puede querer para ellas el bien. ¡Sería cosa singular, por ejemplo, querer el bien del vino que se bebe! Todo lo que puede decirse es que se desea que el vino se conserve para poderlo beber cuando se quiera. Respecto al amigo sucede todo lo contrario; se dice que es preciso desear el bien únicamente para él, y se llaman benévolos los corazones que quieren de este modo el bien de otro, aunque la persona amada no les corresponda. La benevolencia, cuando es recíproca, debe ser considerada como si fuera amistad. ¿Pero no debe añadirse que para ser verdaderamente la amistad, esta benevolencia no debe ser ignorada por aquellos con quienes se tiene? Así sucede muchas veces, que es uno benévolo con gentes que no ha visto jamás, pero se supone que son hombres de bien o que pueden sernos útiles, y entonces el sentimiento es poco más o menos el mismo que si uno de esos desconocidos hubiese manifestado ya la misma afección que vosotros habéis manifestado por él. He aquí, pues, gentes que son ciertamente benévolas recíprocamente. ¿Pero cómo se puede dar el título de amigos a gentes cuya reciprocidad de sentimientos no se conoce? Para que sean verdaderos amigos, es preciso que tengan los unos para con los otros sentimientos de benevolencia, que se deseen el bien, y que no ignoren el bien que se desean mutuamente por una de las razones que acabamos de hablar.

## Especies de amistad

Los motivos de afección son de diferentes especies, lo repito, y por consiguiente los amores y las amistades que causan deben diferir igualmente. Así hay tres especies de amistad que responden a los tres motivos de afección, y para cada una de ellas debe haber reciprocidad de amor, el cual no ha de quedar oculto a ninguno de los dos que lo experimentan. Los que se aman quieren el bien recíproco en el sentido mismo del motivo porque se aman; por ejemplo, los que se aman por interés, por la utilidad que pueden sacar el uno del otro, no se aman por sus personas precisamente, sino en tanto que sacan algún bien y algún provecho de sus relaciones mutuas. Lo mismo sucede con los que sólo se aman por el placer. Si aman a personas de costumbres también ligeras, no es a causa del carácter de éstas, sino únicamente por los placeres que les proporcionan. Por consiguiente, cuando se ama por interés y por utilidad, sólo se busca en el fondo el propio bien personal. Cuando se ama por placer, sólo se busca realmente el placer mismo. En estos dos casos, no se ama aquel que se ama por lo que es realmente, sino que se le ama sólo en tanto que es útil y agradable. Estas amistades sólo son amistades indirectas y accidentales, pues no se ama porque el hombre amado tenga tales o cuales cualidades, cualesquiera que por otra parte sean ellas, sino que se le ama en un caso por el provecho que procura y por el bien que facilite, y en otro por el placer que proporciona.

Las amistades de este género se rompen muy fácilmente, porque estos pretendidos amigos no subsisten largo tiempo semejantes a sí mismos. Tan pronto como tales amigos dejan de ser útiles o no presentan el aliciente del placer, se cesa al momento de amarles. Lo útil, el interés, no tiene nada de fijo, y varía de un instante a otro de una manera completa. Llegando a desaparecer el motivo que los hacía amigos, la amistad desaparece en el acto con la única causa que la había formado.

La amistad, entendida de esta manera, parece encontrarse principalmente en los hombres de mucha edad; la ancianidad no va en busca de lo agradable, sólo busca lo que es útil. También es éste el defecto de los hombres que están en toda la fuerza de la edad y de los jóvenes, cuando sólo buscan su interés personal. Los amigos de esta clase no tienen gusto, ni poco ni mucho, en vivir habitualmente juntos. Lejos de esto gustan poco el uno del otro, y no advierten la necesidad de una comunicación íntima fuera de los momentos en que deben satisfacer recíprocamente su interés. Se complacen puramente mientras dura la esperanza de sacar alguna ventaja el uno del otro. En esta clase de relaciones es donde debe colocarse también la hospitalidad. El placer parece ser el único que inspira las amistades de los jóvenes; ellos viven dominados por la pasión y sólo buscan el placer, y aun puede decirse el placer del momento. Con el tiempo, los placeres cambian y se hacen distintos. Así es que los jóvenes contraen de relámpago sus relaciones amistosas, y cesan del mismo modo en ellas. La amistad pasa con el placer a que debía su nacimiento, y el cambio de este placer es muy rápido. Los jóvenes se ven arrastrados por el amor, y el amor las más de las veces no se produce sino bajo el imperio de la pasión y del placer. He aquí por qué aman tan pronto y tan pronto cesan de amar, como que cambian veinte veces de gusto en un mismo día, pero no por eso dejan de querer pasar todos los días y vivir constantemente con el objeto amado, porque de este modo se produce y se comprende la amistad en la juventud.

La amistad perfecta es la de los hombres virtuosos y que se parecen por su virtud, porque se desean mutuamente el bien en tanto que son buenos, y yo añado que son buenos por sí mismos. Los que quieren el bien para sus amigos por motivos tan nobles son los amigos por excelencia. De suyo, por su propia naturaleza, y no accidentalmente, es como se encuentran en tan dichosa disposición. De aquí resulta que la amistad de estos corazones generosos subsiste todo el tiempo que son ellos buenos y virtuosos, porque la virtud es una cosa sólida y durable. Cada uno de los amigos es bueno absolutamente en sí, y es bueno igualmente para su amigo, porque los buenos son a la vez y absolutamente buenos y útiles los unos para los otros. También se puede añadir que son mutuamente agradables, y esto se comprende sin dificultad. Si los buenos son agradables absolutamente y si lo son también los unos para con los otros, es porque los actos propios, así como los actos que se parecen a los nuestros, nos causan siempre placer, y que las acciones de los hombres virtuosos son virtuosas también o por lo menos son semejantes entre sí. Una amistad de esta clase es durable, como puede fácilmente concebirse, puesto que reúne todas las condiciones que deben encontrarse en los verdaderos amigos Y así toda amistad se forma con la mira de alguna ventaja o con la mira del placer, sea absolutamente, sea por lo menos con relación al que ama, y además sólo se forma a condición de una cierta semejanza. Todas estas circunstancias se encuentran esencialmente en el caso que indicamos aquí; en esta amistad hay semejanza al mismo tiempo que hay todo lo demás, es decir, que de una y otra parte son absolutamente buenos y absolutamente agradables. Nada hay en el mundo más digno de ser amado que esto, y en las personas de este mérito es donde se encuentra generalmente la amistad, y la más perfecta. Es muy claro, por otra parte, que amistades tan nobles han de ser raras, porque hay pocos hombres de este carácter. Para formarse estos lazos se necesita además tiempo y hábito. El proverbio tiene razón cuando dice que no pueden conocerse mutuamente los amigos, «antes de haber consumido juntos una talega de sal». Tampoco pueden dos aceptarse ni ser amigos antes de haberse mostrado uno y otro dignos del mutuo afecto, ni antes de haberse establecido entre ellos una recíproca confianza. Cuando dos crean amistades tan rápidas, desean indudablemente hacerse amigos, pero no lo son y no lo llegan a ser verdaderamente sino a condición de ser dignos de la amistad y de conocerse bien mutuamente. El deseo de ser amigo puede ser rápido, pero la amistad no lo es. La amistad sólo es completa cuando media el concurso del tiempo y de todas las demás circunstancias que hemos indicado, y gracias a estas relaciones llega a ser igual y semejante por ambas partes, condición que debe existir también cuando se trata de verdaderos amigos.

## Comparación de las tres especies de amistad

La amistad, que se forma por placer, tiene algo que la asemeja a la amistad perfecta, porque los buenos se complacen también unos a otros. Asimismo puede decirse que, la que se contrae con miras de interés y de utilidad, no deja de tener relación con la amistad por virtud, puesto que los buenos son también justos entre sí. Lo que principalmente puede hacer durar las amistades fundadas en el placer y en el interés, es que se establezca una completa igualdad entre uno y otro amigo, por ejemplo, en cuanto al placer. Pero el lazo no se afianza sólo por este motivo; puede afianzarse también por ser debida esta igualdad que los aproxima a un mismo origen, como sucede cuando ambos son de buena sociedad, y no como entre el amante y aquel a quien se ama, porque los que se aman bajo este último concepto no tienen ambos los mismos placeres, puesto que el uno se complace en amar y el otro en recibir los cuidados de su amante. Cuando la edad de la hermosura llega a pasar, también la amistad desaparece; este no tiene ya placer en ver a su antiguo amigo, ni aquel le tiene en recibir sus atenciones. Muchos, sin embargo, cuando hay entre ellos conformidad de hábitos, permanecen unidos aún si en una larga intimidad ha contraído cada cual afecto al carácter del otro.

En cuanto a los que no buscan un cambio de placeres en sus relaciones amorosas, sino que sólo ven el interés, son menos amigos y lo son por menos tiempo. Los que son amigos por puro interés cesan de serlo con el interés mismo que les había aproximado, porque en realidad no eran amigos, y sólo lo eran del provecho que podrían sacar.

Por lo tanto, el placer y el interés pueden hacer que los hombres malos sean amigos unos de otros, y también que los hombres de bien sean amigos de hombres viciosos, y que los que no son ni lo uno ni lo otro se hagan amigos de los unos o de los otros indiferentemente. No es menos evidente que los buenos son los únicos que se hacen amigos por sus amigos mismos, porque los malos no se aman entre sí si no encuentran en ello algún provecho

Hay más; sólo la amistad de los buenos es inaccesible a la calumnia, porque no pueden creerse fácilmente las aserciones de nadie contra un hombre que durante largo tiempo se ha conocido y experimentado. Los corazones de esta especie se fían plenamente el uno del otro; no han pensado jamás en hacerse el menor daño, y tienen todas las demás cualidades profundamente estimables que se encuentran en la verdadera amistad, mientras que nada obsta a que las amistades de otra especie sean objeto de semejantes ataques.

Puesto que en el lenguaje ordinario se llaman amigos a todos aquellos que sólo lo son por interés, como los estados, cuyas alianzas militares sólo se hacen en interés de los contratantes, y puesto que también se llaman amigos a los que sólo se aman por placer, como sucede con los jóvenes, será preciso quizá que nosotros demos también el nombre de amigos a los que se aman por estos motivos. Pero entonces tendremos cuidado de distinguir muchas especies de amistad. La primera y la verdadera amistad será para nosotros la de los hombres virtuosos y buenos, que se aman en tanto que son buenos y virtuosos. Las otras amistades sólo son amistades por su semejanza con ésta. Los que son amigos por estos motivos interiores, lo son siempre bajo la influencia de algo bueno, así como de algo semejante que hay entre ellos y que los aproxima, porque el placer es un bien a los ojos de los que lo buscan. Pero si estas amistades por interés y por placer no unen estrechamente los corazones, es raro igualmente que se encuentren juntas en los mismos individuos, porque las cosas pendientes del azar y del accidente no se unen entre sí sino muy imperfectamente.

Dividiéndose la amistad en las especies que hemos indicado, sólo queda que los hombres malos se hagan amigos por interés o por placer, porque sólo tienen entre sí estos puntos de semejanza. Los buenos, por el contrario, se hacen amigos por sí mismos, es decir, en tanto que son buenos. Sólo éstos, absolutamente hablando, son amigos, porque los demás lo son muy directamente y por la semejanza que en ciertos conceptos tienen con los verdaderos amigos.

## Distinción de la disposición moral y del acto mismo con relación a la amistad

Así como en la virtud es preciso hacer distinciones, y unos son llamados virtuosos simplemente a causa de la disposición moral en que están, y otros porque son virtuosos en los actos y en los hechos, lo mismo tiene lugar respecto a la amistad. Unos gozan actualmente del placer de vivir con sus amigos y procurarles bien; otros, separados de ellos por un accidente, como cuando los separa el sueño, o por la distancia, no obran por el momento a manera de amigos, pero están sin embargo en disposición de obrar mostrando la más sincera amistad. Esto nace de que la distancia de los lugares no destruye absolutamente la amistad, destruye solamente el acto, el hecho actual. Es cierto, sin embargo, que si la ausencia es de larga duración, debe naturalmente causar el olvido de la amistad. De aquí, el proverbio:

«Con frecuencia un largo silencio ha destruido la amistad».

En general, los ancianos y los extravagantes se sienten muy poco inclinados a la amistad, porque el sentimiento del placer tiene poco influjo en ellos. Ahora bien, nadie va a pasar el tiempo con quien le sea desagradable o no le cause placer, y la naturaleza del hombre lo inclina a evitar lo que le es penoso y a buscar lo que le agrada. En cuanto a los que se dispensan mutuamente una buena acogida, pero que no viven habitualmente juntos, se les puede clasificar más bien entre los hombres que están ligados por una benevolencia recíproca que no entre los unidos por una verdadera amistad. Lo que más caracteriza a los amigos es la vida común. Cuando uno está necesitado, se desea esta mancomunidad por la utilidad que de ello se saca, y cuando se vive con desahogo, también se desea por el placer de pasar el tiempo con las personas que se aman. Nada conviene menos a la amistad que el aislamiento, pero no es posible vivir juntos sin la precisa condición de complacerse y de participar poco más o menos de los mismos gustos, acuerdo que se produce de ordinario entre los verdaderos camaradas.

La amistad por excelencia es, pues, la de los hombres virtuosos. No temamos decirlo muchas veces: el bien absoluto, el placer absoluto, son los verdaderamente dignos de ser amados y de ser buscados por nosotros. Pero como a cada uno le parece merecer mejor su amor lo que él mismo posee, el hombre de bien es para el hombre de bien a la vez lo más agradable y lo más bueno.

El afecto o el gusto parece más bien un sentimiento pasajero, y la amistad una manera de ser constante. El afecto o el gusto puede recaer también sobre cosas inanimadas, pero la reciprocidad en la amistad no es más que el resultado de una preferencia voluntaria, y la preferencia afecta siempre a una cierta manera de ser moral. Si se quiere el bien para aquellos a quienes se ama, es únicamente por ellos, es decir, no por un sentimiento pasajero, sino por una manera de ser moral que se conserva respecto de ellos. Amando a su amigo, ama uno su propio bien, el bien de sí mismo, porque el hombre bueno y virtuoso, cuando se ha hecho amigo de alguno, viene a ser él mismo como un bien para aquél que ama. Y así por una y otra parte se ama su bien personal, y sin embargo se hace entre ellos un cambio que es perfectamente igual en la intención de los dos amigos y en la especie de los servicios cambiados, porque la igualdad se llama también amistad, y todas estas condiciones se encuentran sobre todo en la amistad de los hombres de bien. Si la amistad se produce con menos frecuencia entre los melancólicos y los ancianos, es porque son gentes de mal humor, que encuentran menos placer en las relaciones que en consecuencia de un trato recíproco, y las cuales son, sin embargo, a la vez el resultado y la causa principal de la amistad. Precisamente por esto los jóvenes se hacen siempre amigos, mientras que los ancianos no. No es posible hacerse amigo de las personas que desagradan. La misma observación puede hacerse respecto de los excéntricos. Pero es posible que éstos sean benévolos los unos para con los otros, que quieran recíprocamente el bien, y que se los encuentre siempre que se trate de hacer y recibir servicios, mas no son precisamente amigos, porque no viven juntos, ni se gustan mutuamente, condiciones que, al parecer, son indispensables para que exista la amistad.

## La verdadera amistad no se extiende a más de una persona

No es posible ser amado por muchos con una perfecta amistad, lo mismo que no lo es amar a muchos a la vez. La verdadera amistad es una especie de exceso en su género, es una afección que supera a todas las demás, y se dirige por su misma naturaleza a un solo individuo, porque no es muy fácil que muchas personas agraden a la vez tan vivamente, ni quizá sería bueno. Es preciso también haberse conocido y experimentado mutuamente y tener una perfecta conformidad de carácter, lo cual es siempre muy difícil. Pero cuando no hay de por medio otra cosa que el interés o el placer, es posible agradar a un crecido número de personas, porque hay siempre muchos dispuestos a contraer estas relaciones, y los servicios que se cambian de esta suerte pueden no durar más que un instante. Que estas dos especies de amistad, la que se produce por el placer, se parece más a la amistad verdadera cuando las condiciones que la hacen nacer son las mismas por una y otra parte, y los dos amigos gustan uno de otro o se complacen en las mismas diversiones. Esto es lo que forma las amistades entre los jóvenes, porque en ellas es donde precisamente reinan la liberalidad y la generosidad de corazón. Por el contrario, la amistad por interés es sólo digna del alma de los mercaderes.

Los hombres afortunados no tienen necesidad de relaciones útiles, pero necesitan relaciones agradables, y por esta causa quieren vivir habitualmente con algunas personas. Como el fastidio de la vida se quiere siempre evitar, y nadie soportaría continuamente ni aún el bien, si el bien le fuese penoso, los ricos buscan amigos que les sean agradables. Quizá les convendría más buscar en sus amigos la virtud al lado del placer, porque entonces reunirían todo lo que se necesita para que haya verdadera amistad. Pero cuando se ocupa una elevada posición, se tienen generalmente amigos de muy diversas clases. Unos son amigos útiles, otros amigos agradables, y como es muy raro que unas mismas personas tengan a la vez ambas cualidades, los opulentos se cuidan poco de buscar amigos agradables que estén al mismo tiempo dotados de virtud, ni amigos útiles con el único objeto de hacer grandes y bellas cosas. Pensando en sus placeres, sólo quieren amigos dóciles y amables, o bien gentes hábiles y dispuestas siempre a ejecutar lo que se les mande.

Mas estas cualidades, el placer y la virtud, no se reúnen frecuentemente en el mismo individuo. Se ha dicho con razón que el hombre virtuoso es a la vez agradable y útil, pero jamás un amigo tan perfecto se une a un hombre que lo supera en posición, a menos que él no supere igualmente en virtud a este hombre opulento, de otra manera no compensaría su inferioridad con una igualdad proporcional. Pero no hay muchos hombres que se hagan amigos con estas condiciones.

Las amistades de que acabamos de hablar están fundadas también en la igualdad. Los dos amigos se hacen los mismos servicios, y están animados el uno para con el otro de las mismas intenciones, o por lo menos cambian entre sí una ventaja por otra ventaja, por ejemplo, el placer por la utilidad, pero ya hemos hecho observar que estas amistades son menos verdaderas y menos durables. Como tienen semejanza y desemejanza a la vez con una sola y misma cosa, es decir, con la amistad fundada en la virtud, parecen a la vez que son y que no son amistades. Por su semejanza con la amistad virtuosa parecen amistades verdaderas; la una tiene lo agradable, la otra lo útil, doble ventaja que se encuentra igualmente en la amistad virtuosa. Mas como de otra parte ésta se encuentra fuera del alcance de la calumnia y es durable, mientras que aquellas dos amistades inferiores pasan pronto y difieren aún en muchos puntos, puede también sostenerse que no son amistades; tan grande es su desemejanza con la amistad verdadera.

## De la amistad o afección respecto de los superiores

Hay también otra especie de amistad que depende de la superioridad misma de una de las dos personas por ella unidas: por ejemplo, la amistad del padre con el hijo, y en general del de mayor edad con el más joven, del marido con su mujer, y de un jefe cualquiera con sus subordinados. Entre todas estas afecciones hay ciertas diferencias, porque no es una misma la afección, por ejemplo, de los padres por los hijos que la de los jefes por sus subalternos. Ni es idéntica la afección del padre por el hijo a la del hijo por el padre, ni la del marido por la mujer a la de la mujer por el marido. Cada uno de estos seres tiene su virtud propia y su función, y como los motivos que excitan su amor son diferentes, sus afecciones y sus amistades no lo son menos. No son, pues, sentimientos idénticos los que se producen por una y otra parte, ni habría necesidad tampoco de tratar de producirlos. Cuando los hijos tributan a sus padres lo que se debe a aquellos de quienes han recibido la existencia, y los padres hacen lo mismo respecto de sus hijos, la afección, la amistad, es entre ellos perfectamente sólida y todo lo que debe ser. En todas estas afecciones en que existe cierta superioridad de una parte, es preciso también que el sentimiento amoroso sea proporcionado a la posición del que lo experimenta; así, por ejemplo, el superior debe ser amado más vivamente que él ama. Y lo mismo pasa con el ser que es más útil, así como con todos aquellos que tienen alguna preeminencia, porque cuando la afección está en relación con el mérito de cada uno de los individuos, se convierte en una especie de igualdad, condición esencial de la amistad.

Pero la igualdad no es la misma en el orden de la justicia que en el orden de la amistad. La igualdad, que ocupa el primer puesto en materia de justicia, es la que está en relación con el mérito de los individuos, y ocupa el segundo la que está en relación con la cantidad. En la amistad sucede todo lo contrario; la cantidad es la que ocupa el primer lugar y el mérito el segundo. Esto puede observarse sin dificultad en los casos en que existe entre los individuos una gran distancia en cuanto a virtud, vicio, riqueza o cualquier otra cosa; entonces cesan de ser amigos y no se creen capaces de serlo. Donde aparece de una manera patente es respecto a los dioses, puesto que tienen una superioridad infinita en toda especie de bienes. Algo semejante puede verse respecto a los reyes. Se está tan por bajo de ellos respecto a riqueza, que se hace imposible la amistad con los mismos, a la manera que los que no tienen ningún mérito no conciben que puedan ellos llegar a ser amigos de los hombres más eminentes y más sabios.

No podría ponerse un límite preciso en todos estos casos ni decir exactamente el punto hasta donde se puede ser amigo. Ciertamente es posible quitar mucho a las condiciones que forman la amistad sin que ésta deje de producirse, pero cuando la distancia es tan excesivamente grande como la que media entre los dioses y el hombre, la amistad no puede ya subsistir. He aquí cómo ha podido suscitarse la cuestión de saber si los amigos deben desear realmente a sus amigos los más grandes bienes, por ejemplo, el llegar a ser dioses, porque entonces cesarían de tenerlos por amigos, ni si deben desearles ninguna clase de bienes, aún cuando los amigos desean el bien para los que aman. Pero si ha habido razón para decir que el amigo quiere el bien de su amigo por el amigo mismo, es preciso añadir que este amigo debe permanecer en el estado en que se encuentra, porque en tanto que hombre se desearán para él los más grandes bienes. Y aún no deberá desear uno que los adquiera todos sin excepción, puesto que en general se quiere el bien ante todo para sí mismo.

## En general se prefiere ser amado que amar

La mayoría de los hombres, movidos por una especie de ambición, prefieren que se les ame más bien que amar ellos mismos. De aquí por qué los hombres en general gustan de los aduladores; el adulador es un amigo respecto del cual es uno superior, o por lo menos finge él que es inferior, así como que ama más que es amado. Pero cuando uno es amado, está muy cerca de ser estimado, y la estimación es lo que desean la mayoría de los hombres. Si tanto valor se da a la estimación es por sus consecuencias indirectas. El vulgo no se satisface tanto por la consideración que merezca de parte de los que están en elevada posición como por las esperanzas que esta consideración hace concebir. Se espera obtener todo lo que se quiera de estos personajes cuando uno lo necesite, y se regocija con las muestras de consideración que recibe considerándolas como señal de una futura benevolencia. Pero cuando se desea la estimación de los hombres de bien y previsores, se quiere que se afiance en ellos la opinión que acerca de su persona se les ha inspirado. Nos es sumamente grato entonces que se reconozca nuestra virtud, porque tenemos fe en la palabra de los que expresan este juicio de nosotros, y nos lisonjea también ser amados por ellos por este amor y sólo por él, y llegamos hasta decir que estamos dispuestos a preferir la afección a la estimación, haciéndosenos en tal caso la amistad apetecible únicamente por sí sola.

La amistad, por lo demás, parece consistir más bien en amar que en ser amado. Lo prueba el placer que sienten las madres al prodigar su amor. Se ha visto a muchas que, debiendo abandonar a sus hijos, se complacían en amarlos todavía sólo por ser suyos, y sin esperar una afección recíproca, imposible en semejantes criaturas, contentándose con ver que sus hijos crecen, y queriéndolos con no menos pasión a pesar de no poder éstos por su ignorancia dar nada de lo que se debe a una madre.

Consistiendo la amistad más bien en amar que en ser amado, y siendo a nuestros ojos dignos de alabanza los que aman a sus amigos, parece que amar debe de ser la gran virtud de los amigos. Por consiguiente, siempre que el afecto descanse en el mérito de los dos amigos, éstos serán constantes y su relación será sólida y durable. Por esto personas, por otra parte muy desiguales, pueden ser amigas, porque la mutua estimación las hace iguales. Ahora bien, la igualdad y la semejanza constituyen la amistad, sobre todo cuando esta semejanza es la de la virtud, porque entonces siendo los dos amigos constantes, como lo son ya de suyo, lo son igualmente el uno para con el otro. Jamás tienen necesidad de solicitar uno de otro vergonzosos servicios, ni nunca se los prestan; podría decirse que más bien los impiden, porque es propio de los hombres virtuosos evitar el incurrir ellos mismos en falta, y caso necesario saber impedir las de sus amigos. Semejante constancia no se encuentra en los hombres malos. No subsistiendo ni un solo instante semejantes a sí mismos, sólo son amigos por el momento, y no les agrada asociar otra cosa que su mutua perversidad. Los amigos que están ligados por interés o por placer son constantes por algún tiempo más, es decir, lo son mientras pueden sacar uno de otro placer o provecho. La amistad por interés nace principalmente del contraste: por ejemplo, entre el pobre y el rico, el ignorante y el sabio. Como se carece de algo que se desea, está uno dispuesto, con tal de obtenerlo, a dar en cambio cualquiera otra cosa. Se podría muy bien colocar en esta clase al amante y al objeto amado, lo mismo que lo bello y lo feo cuando se juntan. He aquí lo que algunas veces pone en ridículo a los amantes: creer que deben ser amados como ellos aman. Indudablemente si son igualmente dignos de ser amados, tienen razón para exigir la recíproca, pero si no tienen nada que merezca verdaderamente el afecto, su exigencia es ridícula. Por otra parte puede suceder que lo contrario no desee precisamente su contrario en sí mismo, y que sólo lo desee indirectamente. En realidad, el deseo tiende únicamente al término medio porque en él se encuentra verdaderamente el bien; por ejemplo, tomándolo de otro orden de ideas, lo seco no tiende a hacerse húmedo, tiende a un estado intermedio, y lo mismo sucede con lo caliente y con todo lo demás. Pero no nos internemos en esta materia, que es demasiado extraña a la que queremos tratar aquí.

## Relaciones de la justicia y de la amistad bajo todas sus formas

Al parecer, como ya se dijo al principio, la amistad y la justicia afectan a unos mismos objetos y se aplican a los mismos seres. En toda asociación, cualquiera que ella sea, se encuentran a la vez la justicia y la amistad hasta cierto grado. Se tratan como amigos los que navegan juntos, los que juntos combaten en la guerra, en una palabra, todos los que están asociados de uno u otro modo. A todo lo que se extiende la asociación se extiende la amistad, porque éstos son los límites de la justicia misma. El proverbio que dice: «todo es común entre amigos», es muy exacto, puesto que la amistad consiste principalmente en la asociación y en la mancomunidad. Todo es común igualmente entre hermanos y hasta entre camaradas. En las demás relaciones, la propiedad de cada cual está separada, pero se comunica por otra parte un poco más a estos, un poco menos a aquellos, porque las amistades son también más o menos vivas. Las relaciones de justicia y de derecho no difieren menos, pues que no son unas mismas las que tienen los padres con los hijos, los hermanos entre sí, los camaradas con sus compañeros ni los ciudadanos con sus conciudadanos. Estas reflexiones se pueden aplicar a las demás especies de amistad. Las injusticias son igualmente diferentes en estas relaciones, y adquieren tanta más importancia según que recaen sobre amigos más o menos íntimos. Por ejemplo, es más grave despojar a un camarada de su fortuna que a un simple ciudadano; es más grave abandonar a un hermano que a un extraño, y golpear a un padre que a cualquier otra persona. El deber de la justicia se aumenta naturalmente con la amistad, porque una y otra se aplican a los mismos seres y tienden a ser iguales.

Por lo demás todas las asociaciones particulares no son sino porciones de la gran asociación política. Se reúnen los hombres siempre para satisfacer algún interés general, y cada cual saca de la asociación una parte de lo que es útil para su propia existencia. La asociación política tiene evidentemente como único fin el interés común, lo mismo en el principio, al constituirse, que después, al sostenerse. Éste es el objetivo único de los legisladores, y lo justo, según ellos, es lo que conforma con esta utilidad general. Las demás asociaciones sólo tienden a satisfacer partes de este interés total. Así los marinos sirven al estado en todo lo concerniente a la navegación, sea con relación a la producción de las riquezas, sea bajo cualquier otro aspecto. Los soldados le sirven en todo lo referente a la guerra, ya los mueva el deseo de lucro o de la victoria, ya lo hagan por puro amor patrio. Otro tanto puede decirse de los asociados de una misma tribu, de un mismo cantón. Algunas de estas asociaciones sólo tienen al parecer por objeto el placer; por ejemplo las de los banquetes solemnes y las de las comidas en que cada cual contribuye con su parte. Se forman para ofrecer un sacrificio en común o por el simple placer de verse juntos, pero todas estas asociaciones están comprendidas en la asociación política, puesto que esta última no busca simplemente la utilidad actual, sino que busca la utilidad entera de los ciudadanos. Haciendo sacrificios, se tributa homenaje a los dioses en estas reuniones solemnes, y al mismo tiempo se da a todos un rato de solaz que es muy grato. Antiguamente, los sacrificios y las reuniones sagradas tenían lugar después de la recolección de los frutos, por ser la época más desocupada del año, y eran como el ofrecimiento de las primicias que se hacía al cielo.

Resulta, pues, que todas las asociaciones especiales son partes de la asociación política, y por consiguiente todas las relaciones y amistades revisten el carácter de estas diferentes asociaciones.

## Consideraciones generales sobre las diversas formas de gobiernos

Hay tres especies de constituciones y otras tantas desviaciones, que son como alteraciones viciosas de cada una de aquéllas. Las dos primeras son el reinado y la aristocracia, y la tercera es la constitución, que por estar fundada sobre un censo más o menos elevado puede llamárscla timocracia, y que habitualmente se la denomina república. El mejor de estos gobiernos es el reinado; el peor la timocracia. La desviación del reinado es la tiranía. Ambas, tiranía y reinado, son monarquías, pero no por eso dejan de ser muy diferentes. El tirano no tiene otra mira que su interés personal; el rey sólo se fija en el de sus súbditos; no es verdadero rey si no es perfectamente independiente y superior al resto de los ciudadanos en toda clase de bienes y cualidades. Ahora bien, un hombre colocado en tan elevadas condiciones no tiene necesidad de nada, no puede pensar nunca en su utilidad particular, y sí sólo en la de los súbditos que gobierna. Un rey que no tenga esta virtud no será más que un rey de circunstancias hecho tal por la elección de los ciudadanos. La tiranía es enteramente lo contrario de este verdadero reinado. El tirano sólo busca su interés personal, y esto basta para probar evidentemente cuán posible es que este gobierno sea el peor de todos, porque en todos géneros lo opuesto a lo mejor es lo peor.

El reinado, cuando se corrompe, se convierte en tiranía, porque la tiranía no es más que la perversión del reinado, y un rey se convierte en un tirano. También muchas veces el gobierno pasa de la aristocracia a la oligarquía por la corrupción de los gobernantes, que se reparten entre sí la fortuna pública contra toda justicia, que conservan para sí solos la totalidad o, por lo menos, la mayor parte de los bienes sociales, que mantienen siempre el poder en las mismas manos y ponen la riqueza por encima de todo lo demás. En lugar de gobernar los ciudadanos más dignos y más honrados, son unos cuantos depravados los que gobiernan. En fin, la institución se trasforma de timocracia en democracia, dos formas políticas que se tocan y son limítrofes. La timocracia se acomoda bastante bien a la multitud, y todos los que están comprendidos en el censo fijado son por esto sólo iguales. La democracia es por otra parte la menos mala de estas desviaciones constitucionales, porque se aleja muy poco de la forma de la república.

Tales son las leyes del cambio que sufren frecuentemente los estados; experimentando de este modo modificaciones sucesivas se separan lo menos posible y lo más fácilmente de su principio.

En la familia misma pueden encontrarse semejanzas y como modelos de estos diversos gobiernos. La asociación del padre con los hijos tiene la forma de reinado, porque el padre cuida de sus hijos, y por esto Homero ha podido llamar a Júpiter «el padre de los hombres y de los dioses». Y así el reinado tiende a ser un poder paternal. Entre los persas, por el contrario, el poder del padre sobre su familia es un poder tiránico; los hijos son para ellos esclavos, y el poder de dueño sobre sus esclavos es tiránico necesariamente, pues en esta asociación sólo se toma en cuenta el interés del dueño. Por lo demás esta autoridad me parece legítima y buena, pero la autoridad paterna, como la practican los persas, es completamente falsa, porque el poder debe variar cuando los individuos varían. La asociación del marido y de la mujer constituye una forma de gobierno aristocrático. El hombre manda en ella conforme es justo, pero sólo en las cosas en que el hombre debe mandar y abandonando a la mujer lo que corresponde a su sexo. Pero cuando el hombre pretende decidir soberanamente de todo sin excepción, se convierte la asociación en oligarquía, y obra entonces contra derecho, desconoce su misión, y ya no manda en nombre de su superioridad natural. A veces son las mujeres las que mandan, cuando llevan al matrimonio grandes riquezas. Pero estas dominaciones singulares no proceden del mérito, no son más que el resultado de la fortuna y de la fuerza que ella da, exactamente como sucede en las monarquías. La asociación de los hermanos representa el gobierno timocrático, porque son iguales, salvo que haya entre ellos una gran diferencia de edad. En cuanto a la democracia, se encuentra sobre todo en las familias y en las casas que no tienen dueño que las gobierne, porque entonces son todos iguales, y lo mismo sucede en aquellas en que el jefe es demasiado débil y deja cada cual hacer todo cuanto quiere.

## Relación entre los sentimientos de amistad y de justicia bajo todas las formas de gobierno

La amistad reina en cada uno de estos estados o gobiernos en la misma forma que la justicia, y así el rey ama a sus súbditos a causa de su superioridad, que le permite ser benéfico con ellos, porque hace felices a aquellos a quienes gobierna, una vez que, gracias a las virtudes que lo distinguen, se ocupa en hacerlos dichosos con el mismo esmero que el pastor cuida de su ganado. En este sentido Homero llama a Agamenón «pastor de los pueblos». Tal es igualmente el poder paterno, consistiendo la única diferencia en que sus beneficios son mayores aún. El padre es el autor de la vida, es decir, de lo que se mira como el mayor de los bienes; el padre es el que proporciona alimento y educación a los hijos, cuidados que pueden correr igualmente a cargo de los ascendientes de más edad que el padre, porque la naturaleza quiere que el padre mande a sus hijos, los ascendientes a sus descendientes, y el rey a sus súbditos. Estos sentimientos de afecto y de amistad dependen de la superioridad de una de las partes, y esto es lo que nos obliga a honrar a nuestros padres. La justicia, como sucede con el afecto, no es igual en todas estas relaciones, pero se proporciona al mérito de cada uno, absolutamente del mismo modo que lo hace la afección. Y así, el amor del marido por su mujer es un sentimiento semejante al que reina en la aristocracia. En esta unión, las principales ventajas se atribuyen al mérito y recaen en el más digno, y cada cual tiene lo que le corresponde. De este modo también se distribuye en estas relaciones la justicia. La amistad de los hermanos se parece a la de los camaradas: son iguales y poco más o menos de la misma edad, y por tanto tienen de ordinario la misma educación y las mismas costumbres. En el gobierno timocrático, el afecto que se tienen entre sí los ciudadanos se parece al que existe entre los hermanos; los ciudadanos tienden todos a ser iguales y hombres de bien, el mando es alternativo y perfectamente igual, y tal es igualmente el afecto que los ciudadanos se tienen mutuamente.

Pero en las formas degeneradas de estos gobiernos, como la justicia decrece por grados, la afección y la amistad muestran igualmente las mismas fases, y donde menos se encuentra aquélla es en la peor de todas estas formas políticas. Así en la tiranía no hay, o por lo menos apenas se encuentra, la amistad, porque donde no hay algo de común entre el jefe y los subordinados no hay afección posible, ni tampoco justicia. Entre ellos no hay otra relación que la del artesano con los instrumentos de su trabajo, la del alma con el cuerpo, la del dueño con el esclavo. Todas estas cosas son muy útiles sin duda para los que se sirven de ellas, pero no hay amistad posible con las cosas inanimadas, como no hay justicia para ellas, como no la hay de parte del hombre para el caballo o para el buey, ni de parte del dueño para el esclavo, en tanto que es esclavo. Esto nace de que no hay nada de común entre estos seres; el esclavo no es más que un instrumento animado, lo mismo que el instrumento es un esclavo inanimado. En tanto que esclavo no puede existir amistad con él, y sólo puede tener lugar en tanto que hombre. En efecto, se establecen relaciones de justicia entre un hombre y otro con tal que puedan ambos tomar parte en la formación de una ley o de una convención, pero las relaciones de amistad son posibles sólo en tanto que son hombres los que la contraen. En las tiranías, los sentimientos de amistad y de justicia tienen escasa expansión. Por el contrario, en la democracia se desarrollan todo lo posible, porque son muchas las cosas comunes entre ciudadanos que son todos iguales.

## DE LAS AFECCIONES DE LA FAMILIA

Toda amistad descansa en una asociación, como ya hemos dicho, pero quizá pueda distinguirse entre las demás afecciones la que nace del parentesco o la que procede de una unión voluntaria entre compañeros. En cuanto al lazo que une los ciudadanos entre sí, o que se establece entre los miembros de una misma tribu o entre los pasajeros durante la navegación, así como respecto de todas las uniones análogas, todas éstas son relaciones de mera asociación más bien que otra cosa. Parecen como consecuencia de cierto contrato, y aún se podrían colocar en la misma clase las relaciones que resultan de la hospitalidad.

La amistad, la afección que nace del parentesco, tiene también muchas expresiones, pero todos los afectos de este género se derivan de la paternal. Los padres aman a sus hijos considerándolos como una parte de sí mismos, y los hijos aman a sus padres, estimando que les son deudores de todo lo que son. Pero los padres saben que los hijos han salido de ellos, mucho mejor de lo que los seres por ellos producidos saben que proceden de sus padres. El ser de quien procede la vida está más íntimamente ligado al que ha engendrado que el que ha recibido la vida lo está a aquel a quien debe la existencia. El ser que sale de otro ser pertenece a aquel de quien nace, como nos pertenece una parte de nuestro cuerpo, un diente, un cabello, en general como una cosa cualquiera pertenece al que la posee. Pero el ser que ha dado la existencia no pertenece absolutamente a los seres que proceden de él, o por lo menos, les pertenece menos estrechamente. Sólo después de mucho tiempo puede pertenecerles. Por el contrario, los padres aman a sus hijos inmediatamente y desde el acto de nacer, mientras que los hijos no aman a sus padres sino después de muchos adelantos, de mucho tiempo, y cuando han adquirido inteligencia y sensibilidad. Esto explica también por qué las madres aman con más ternura. Así, los padres aman a sus hijos como a sí mismos; los seres que salen de ellos son en cierta manera otros ellos, cuya existencia está como desprendida de la suya, pero los hijos aman a sus padres sólo como nacidos de los mismos.

Los hermanos se aman entre sí, porque la naturaleza ha querido que nacieran de los mismos padres. Su paridad, relativamente a los padres de quienes han recibido a existencia, es causa de la paridad de afección que se manifiesta entre ellos. Y así se dice que son de la misma sangre, del mismo tronco, y otras expresiones análogas, y realmente son en cierto modo de la misma e idéntica sustancia, si bien seres separados. Además la comunidad de educación y la conformidad de la edad contribuyen mucho a desenvolver la amistad que les une.

«Se complacen fácilmente los que son de la misma edad».

Cuando se tienen las mismas inclinaciones, no cuesta trabajo hacerse camaradas. He aquí por qué la amistad fraternal se parece mucho a la de los camaradas. Con respecto a los primos y parientes de los demás grados, el cariño que se tienen no tiene otro origen que el proceder de un tronco común. Unos se hacen más íntimos, otros viven más alejados, según que el jefe de la familia es más próximo o más remoto.

El amor de los hijos para con sus padres y de los hombres para con los dioses es como el cumplimiento de un deber respecto de un ser superior y benéfico. Los padres y los dioses nos han hecho el mayor de los beneficios, porque son los autores de nuestra existencia; nos crían y después de nuestro nacimiento nos aseguran la educación. Si por otra parte esta afección de los miembros de la familia les procura en general más goces y utilidad que las afecciones extrañas, es porque la vida es más común entre ellos. En la afección fraternal hay todo lo que puede haber en la afección de los camaradas, y además es tanto más viva cuanto más sanos son los corazones y se parecen más en general. Tanto más se arraiga el cariño cuanto más íntimamente se vive desde la infancia, pues, procediendo de los mismos padres, se tienen las mismas costumbres, se alimentan y se instruyen de la misma manera, y las pruebas que reciben uno de otro llegan a crear lazos tan múltiples como sólidos.

Los sentimientos de afecto son proporcionados en los demás grados de parentesco. La afección entre marido y mujer es evidentemente un efecto directo de la naturaleza. El hombre, por naturaleza, se siente más inclinado a unirse de dos en dos que a hacerlo con sus semejantes mediante la asociación política. La familia es anterior al estado, y es aún más necesaria que el estado, porque la procreación es un hecho más común que la asociación entre los animales. En todos los demás animales la aproximación de los sexos no tiene otro objeto ni otro alcance. Por el contrario, la especie humana cohabita no sólo para tener hijos, sino también para sostener todas las demás relaciones de la vida. Bien pronto las funciones se dividen, pues que la del hombre y la de la mujer son muy diferentes, y los esposos se completan mutuamente, poniendo en común sus cualidades propias. Ésta es precisamente la causa, porque en esta afección se encuentran a la vez lo útil y lo agradable. Esta amistad puede ser la de la virtud si los esposos son ambos probos, porque cada uno de ellos tiene su virtud especial y por esta razón pueden complacerse mutuamente. Los hijos en general constituyen un lazo más entre los cónyuges, y así se explica por qué éstos se separan más fácilmente cuando no los tienen, porque los hijos son un bien común de los dos esposos, y todo lo que es común es prenda de unión.

Pero indagar cómo deben vivir el marido y la mujer y, en general, el amigo con su amigo, es absolutamente lo mismo que indagar cómo deben ser justos el uno para el otro. Por lo demás es claro que no son las mismas reglas de conducta las que deben observarse con un amigo, con un extraño, con un camarada o con un simple compañero que por azar y por poco tiempo hemos conocido.

## De las quejas y reclamaciones con relación a las distintas clases de amistad

Las amistades son de tres especies, como dijimos al principio, y en cada una de ellas los amigos pueden ser completamente iguales o el uno superior al otro. Así los que son igualmente buenos pueden ser amigos, pero el mejor puede hacerse también amigo de otro que sea menos bueno. Lo mismo sucede con los que se unen por placer, y lo mismo, en fin, con los que se ligan por interés, y cuyos servicios pueden ser iguales o diferentes por razón de su importancia. Cuando los dos amigos son iguales, es preciso en virtud de esta misma igualdad que sean también iguales en su recíproca afección, así como en todo lo demás. Pero cuando los amigos son desiguales, sólo se conserva la amistad mediante una afección que debe ser proporcionada a la superioridad de uno de ellos.

Las quejas y las recriminaciones sólo se producen en la amistad por interés, o por lo menos es en la que se producen con más frecuencia, lo cual se concibe sin dificultad. Los que son amigos por virtud sólo se proponen hacerse un bien recíproco, porque esto es lo propio de la virtud y de la amistad. Cuando no hay otro motivo de división que esta noble lucha, no hay que temer que haya entre ellos quejas ni luchas. Nadie lleva a mal que se le ame ni que se le hagan favores, y si está dotado de buen gusto, toma el desquite volviendo servicios por servicios. El mismo que tiene la superioridad, si obtiene en el fondo lo que desea, ningún cargo podrá dirigir a su amigo, puesto que uno y otro desean únicamente el bien. Tampoco ha lugar a disputas en las amistades por placer, porque ambos tienen igualmente lo que desean, si no aspiran a otra cosa que al placer de vivir juntos, y sería perfectamente ridículo echar en cara al amigo el no tener gusto en esta relación íntima, pues se puede siempre dejar de vivir con él.

Pero la amistad por interés está muy expuesta, lo repito, a quejas y disgustos. Como no hay en ella otro vínculo que el interés, se apetece siempre más de lo que se tiene y se imagina recibir menos que lo que es debido. De aquí entonces las quejas, porque no se obtiene todo lo que se desea y todo lo que con motivo se creía merecer, mientras que por su parte a los que dan les es imposible satisfacer nunca con sus dones las necesidades ilimitadas de los que los reciben. Así como dentro de lo justo puede distinguirse un aspecto doble, lo justo que no está escrito y lo justo legal, en igual forma se puede distinguir en la amistad o relación interesada el lazo puramente moral y el lazo legal. Las recriminaciones y los cargos se suscitan principalmente cuando, después de contraída la amistad, se cesa en ella bajo el influjo de una relación que no se comprendía por ambas partes de la misma manera. La relación legal, la que se funda en estipulaciones expresas, es ya puramente mercantil, como cuando se hace trato con dinero en mano, ya un poco más liberal, como cuando se hace a plazo. Pero por ambas partes siempre hay el convenio de entregar más tarde tal cosa por otra. La deuda en este caso es perfectamente clara y no puede dar lugar a la menor disputa, pero el plazo que se concede prueba el afecto y la confianza que se tiene en aquel con quien se trata. Por esto en algunos países no se da acción jurídica para hacer efectivos estos contratos a plazo, porque se supone siempre que los que contraen mostrando esa confianza deben tenerse un afecto recíproco.

En cuanto a la relación moral en este género, no descansa sobre convenciones positivas. En este caso parece hacerse un don como el que se hace a un amigo, o por lo menos tiene algo de análogo, pero realmente se espera recibir el equivalente de lo que se ha dado y quizá más, porque no ha sido una pura donación, sino más bien un préstamo el que se ha hecho. Cuando el convenio no se realiza en los mismos términos en que primitivamente se creyó que se realizaría, se suscitan quejas, y si las reclamaciones son tan frecuentes en la vida, nace de que ordinariamente todos los hombres o por lo menos la mayoría tienen verdaderamente la intención de obrar bien, pero en realidad lo que buscan es su utilidad. Y si es cosa bella hacer un bien sin pensar en recibir nada, en cambio siempre es provechoso recibir un servicio.

Siempre que se pueda, debe devolverse, según los casos, todo eso que se ha recibido, y es preciso volverlo de buen grado. Jamás debe uno hacerse amigo de otro con repugnancia, y por esto, si uno devolviera de mal grado lo recibido, parecería indicar que se había equivocado al contraer tal amistad, y además parecería también resultar que había recibido un servicio de una persona de quien no debió aceptarlo; no se habría recibido entonces el servicio de un amigo o de una persona que os había servido por la simple satisfacción de servir. Es preciso cumplir siempre las obligaciones que se han contraído, como si hubiera habido convenios terminantes. Debe manifestarse además que no habría dudado un momento en devolver el servicio si hubiera estado en disposición de poderlo verificar: así como que está persuadido de que si no le fuera posible pagar, tampoco al que ha prestado se le ocurriría exigir la deuda. Pero tan pronto como se puede, repito, es preciso corresponder, pues al principio es cuando se debe examinar de quién se recibió el servicio y bajo qué condiciones, para saber fijamente si se quiere o no aceptarlo y sufrir sus consecuencias.

Pero aquí se suscita una duda: ¿debe graduarse el valor de un servicio por la utilidad que reporta al que lo recibe y deberá a su vez prestar precisamente otro proporcionado? ¿O bien debe tenerse en cuenta tan sólo la generosidad del que presta el servicio? Los favorecidos en general se sienten inclinados a sostener que lo que reciben de sus bienhechores no tiene para éstos la menor importancia, y que otros muchos pudieron muy fácilmente hacerles el mismo favor, despreciando y rebajando así el servicio que se les ha hecho. Los bienhechores, por el contrario, pretenden que aquello que han dado era para ellos de la mayor importancia, que otros, que no hubieran sido ellos, no habrían prestado semejante servicio, sobre todo dadas las circunstancias peligrosas y ahogos insuperables en que se encontraba el agraciado. En vista de estas contradicciones es preciso reconocer que, cuando la relación se funda exclusivamente en el interés, el provecho del que recibe el servicio es la verdadera medida de lo que debe devolver. Él es el que ha reclamado el servicio, y el que se lo hizo tenía la convicción de que recibiría más tarde de él una cosa equivalente. Y así el auxilio que se le ha procurado es precisamente tan grande como el provecho que ha sacado de él, y debe devolver otro tanto como ha sacado, y si devolviera más, haría una cosa altamente honrosa.

Pero en las amistades que sólo están fundadas en la virtud no hay que temer recriminaciones, ni quejas. La intención del que presta el servicio es en este caso la única medida, puesto que en materia de virtud y en las cosas que tocan al corazón, la intención es siempre lo principal.

## De los disentimientos en las relaciones en que uno de los dos es superior

Pueden suscitarse también desavenencias en las relaciones en que uno de los dos es superior al otro. Cada cual por su parte puede creer que merece más de lo que se le da, y cuando nace esta desavenencia, la amistad se rompe bien pronto. El que es verdaderamente superior cree que debe percibir más, puesto que la porción mayor debe adjudicarse siempre al mérito y a la virtud. Por su parte, aquel de los dos que representa la utilidad hace la misma reflexión, porque sostiene con razón que, el hombre que no presta un servicio útil, no puede obtener una parte igual. Y se convierte en una carga y una servidumbre lo que debía ser una verdadera amistad, cuando las ventajas que proceden de ésta no son proporcionadas al valor de los servicios hechos. Así como en una asociación de capitales, los que contribuyen con más deben tener una parte mayor en los beneficios, lo mismo suponen ellos que debe suceder en la amistad. Pero el que está lleno de necesidades y es inferior hace un razonamiento contrario: a sus ojos, hacer un servicio al que se encuentra en una necesidad, es un deber en un bueno y verdadero amigo. ¡Magnífica ventaja, dicen ellos, proporcionaría el ser amigo de un hombre poderoso y probo si de ello no ha de resultar ningún provecho! Uno y otro, cada cual de su lado, tienen al parecer razón, y es preciso, en efecto, que cada uno saque de semejante relación una parte mayor. Sólo que no es una parte de la misma cosa; el superior sacará más honor, el que está necesitado sacará más provecho, porque el honor es el premio de la virtud y de la beneficencia, y el provecho es el auxilio que se presta al necesitado.

Lo mismo debe observarse en la administración de los estados. No hay honores para el que no hace ningún servicio al público. El bien del público sólo se concede al hombre de quien éste ha recibido servicios, y en este caso el bien del público es el honor, la consideración. De la cosa pública no es posible sacar a la vez provecho y honor; nadie consiente mucho tiempo en tener menos que lo que le corresponde bajo todas las relaciones. Se tributa honor y respeto al que no puede recibir dinero, y el cual en este concepto está menos retribuido que los demás. Se da dinero, por el contrario, al que puede recibir tales presentes, porque tratando siempre a cada uno en proporción de su mérito es como se los iguala y se sostiene la amistad, como antes he dicho. Tales son también las reacciones que deben existir entre los que son desiguales: se pagan con pruebas de respeto y deferencias los servicios de dinero y de virtud que se han recibido, y se pagan cuando se puede, porque la amistad exige más lo que se puede que lo que ella se merece. Hay muchos casos, en efecto, en que es imposible pagar todo lo que se debe: por ejemplo, en la veneración que debemos tener para con los dioses y para con nuestros padres. Nadie puede darles jamás lo que se les debe, pero el que los adora y los venera todo lo posible, ha cumplido su deber. Y así podrá tolerarse que un padre reniegue de su hijo, pero jamás será permitido que un hijo reniegue de su padre. Cuando se debe, es preciso pagar, pero como un hijo no ha podido ni puede dar jamás el equivalente de lo que ha recibido, queda siempre siendo deudor de su padre. Por el contrario, aquellos a quienes se debe son árbitros siempre de librar a su deudor, y de este derecho usa el padre respecto de su hijo. Por otra parte no hay un padre que quiera desprenderse de su hijo sino cuando el hijo es de una incurable perversidad, porque además de la afección natural que tiene por él, no permite el corazón humano retirar el apoyo al que lo necesita. En cuanto al hijo, es preciso que sea muy corrompido para que se desentienda del cuidado de sostener a su padre, o se limite a hacerlo con descuidada solicitud. Esto consiste en que la mayoría de los hombres sólo piensan en adquirir bienes, y el dispensarlos a los demás les parece cosa que debe evitarse por el ningún provecho que proporcionan.

# Teoría de la amistad

(Continuación)

## DE LAS CAUSAS DE DESAVENENCIA EN LAS RELACIONES EN QUE LOS AMIGOS NO SON IGUALES

En todas las amistades en que los dos amigos no son semejantes, la proporción es la que iguala y conserva la amistad, como ya he dicho. En esto sucede lo mismo que en la asociación civil. Un cambio de valor se verifica, por ejemplo, entre el zapatero que da el calzado y el tejedor que da su tela, y los mismos cambios tienen lugar entre todos los demás miembros de la asociación. Pero en este caso hay al menos una medida común, que es la moneda, consagrada por la ley. A ella se refiere todo lo demás, y por ella todo se mide y valora. Como no hay nada de esto en las relaciones de afección, el que ama se queja a veces de que no es correspondido su exceso de ternura, aunque quizá no tenga nada digno de ser amado, cosa que puede muy fácilmente suceder, y otras veces el que es amado se queja de que su amigo, después de haberle prometido mucho en otro tiempo, se desentiende completamente de sus magníficas promesas. Si estas quejas recíprocas se producen es porque, como el uno, el amado, sólo ama por interés, y el otro, el amante, por el placer, ambos se encuentran defraudados en sus esperanzas. Formada su amistad sólo por estos motivos, el rompimiento se ha hecho necesario desde que ni uno ni otro han podido obtener lo que motivó sus relaciones. No se aman por sí mismos, sólo aman en ellos cualidades que no son durables, y las amistades producidas por estas condiciones no son más durables que ellas. La única amistad que dura, lo repito, es la que, sacándolo todo de ella misma, subsiste por la conformidad de los caracteres y por la virtud.

Otra causa de desavenencia surge cuando, en lugar de encontrar lo que se deseaba, se encuentra otra cosa completamente diferente, porque lo mismo es no tener nada que tener aquello que no se desea. Es como la historia de aquel personaje que hizo magníficas promesas a un cantor, diciéndole que cuanto mejor cantara más le daría. Cuando a la mañana siguiente el cantor fue a reclamarle el cumplimiento de su promesa, el otro le respondió que le había pagado placer con placer. Si uno y otro se hubieran propuesto sólo esto, habría estado en su lugar esta respuesta, pero si el uno quería el placer y el otro la utilidad, y aquél tuvo lo que quería y éste no lo obtuvo, el fin de la asociación no fue religiosamente cumplido, porque desde el momento que se tiene necesidad de una cosa, se inclina uno a ella con pasión y se está dispuesto a dar por ella todo lo demás. Pero, ¿a quién de los dos pertenece fijar el precio del servicio? ¿Es al que ha comenzado por hacerlo o al que ha comenzado por recibirlo? El que ha sido primero en hacerlo parece haberse entregado con confianza a la generosidad del otro. Así dicen que hacía Protágoras cuando previamente enseñaba alguna cosa. Decía al discípulo que él mismo justipreciara lo que sabía, y Protágoras recibía el premio que fijaba su discípulo. En casos de esta clase es frecuente atenerse al proverbio:

«Sacad de vuestros amigos un provecho equitativo».

Los que comienzan por exigir dinero y, más tarde, a causa de la exageración misma de sus promesas, no hacen nada de lo que han ofrecido, se exponen a que se les hagan cargos legítimos, porque no cumplen sus compromisos. Ésta fue la precaución que los sofistas se vieron precisados a tomar, porque no habrían encontrado nadie que quisiera dar dinero por la ciencia que enseñaban, y como después de haber recibido su dinero no hacían nada para merecerlo, hubo razón para quejarse de ellos. Pero en todos los casos en que no hay convenio previo respecto del servicio que se hace, los que lo ofrecen natural y espontáneamente no pueden estar expuestos jamás a tales cargos, como ya he dicho. En la amistad fundada en la virtud no pueden tener lugar estas acriminaciones. Para pagar no hay aquí más regla que la intención, porque es la que constituye, propiamente hablando, la amistad y la virtud. Este sentimiento debe también inspirar recíprocamente a los que juntos han estudiado las enseñanzas de la filosofía. El dinero no puede medir el valor de este servicio la veneración que se tributa al maestro no puede ser jamás todo lo debido, y es preciso limitarse, como para con los dioses y los padres, a hacer todo lo que se puede.

Pero cuando el servicio no ha sido tan desinteresado, sino que se ha hecho con la mira de alguna utilidad, es preciso que el servicio que se vuelva en cambio parezca a las dos partes igualmente digno y conveniente. En el caso en que no resulten satisfechos, será no sólo necesario, sino perfectamente justo, que el que fue delante sea el que fije la remuneración, porque si lo que recibe equivale a la utilidad que ha conseguido el otro o al placer que el otro ha tenido, la remuneración recibida de este último será lo que debe ser. Esto es lo que pasa en las transacciones de todos géneros. Hay estados cuyas leyes prohíben llevar a los tribunales la discusión de los contratos voluntarios, fundados sin duda en el principio de que el demandante debe arreglarse con aquel que le inspiró confianza bajo el mismo pie y como ya lo había hecho al principio cuando contrató con él. En efecto, el que obtuvo esta prueba espontánea de confianza parece que debe ser más capaz aún de transigir con justicia el litigio que el otro que confió en él. Esto nace de que las más de las veces los que poseen las cosas y los que quieren adquirirlas no las dan un mismo valor. Lo que constituye nuestra propiedad y lo que se da a otros nos parece siempre de mucho valor, y, sin embargo, el cambio se hace, hasta respecto del valor, con las condiciones que determina el que recibe. Quizá el verdadero valor de las cosas es, no la estimación que les da el que las posee, sino la que les daba él mismo antes de poseerlas.

## Distinciones y límites de los deberes según las personas

He aquí otras cuestiones que se pueden presentar aún: ¿debe concederse todo a un padre? ¿Debe obedecérsele en todo? ¿O bien cuando está enfermo, por ejemplo, debe obedecerse más bien al médico? ¿Debe elegirse con preferencia general al hombre de guerra? Y estas otras análogas: ¿debe servirse al amigo antes que al hombre virtuoso? ¿Deberá pagarse la deuda a un bienhechor primero que hacer un regalo a un compañero, en el caso en que no puedan hacerse a la vez ambas cosas? ¿Pero no es muy difícil resolver todas estas cuestiones de una manera clara y precisa, mediante la que estos diversos casos presentan diferencias de magnitud y de pequeñez, de mérito moral y de necesidad?

Lo que se ve sin la menor dificultad es que no es posible concederlo todo a un mismo individuo. De otro lado, vale más, en general, saber reconocer los servicios que se han recibido que complacer a un camarada, y es preciso satisfacer la deuda a quien se debe antes que hacer un regalo a una persona querida. Pero quizá esta regla misma no puede tener siempre aplicación; por ejemplo, un hombre que ha sido rescatado de manos de los ladrones, ¿debe rescatar a su vez a su libertador cualquiera que él sea? Y aún admitiendo que este libertador no se halle prisionero, pero que reclame el precio del rescate pagado por él, ¿deberá entregársele éste antes que librar a su propio padre? Porque al parecer se debe dar la preferencia a su padre, no sólo sobre un extraño, sino sobre uno mismo. Me limito, pues, a repetir lo que ya he dicho: es preciso en general pagar sus deudas. Pero si dando a otro puede hacerse una acción mejor y más necesaria, es preciso, sin dudar, inclinarse de este lado, porque puede suceder a veces que no haya una igualdad verdadera pagando los servicios que otro os ha prestado; por ejemplo, si sabía este que servía a un hombre de bien, mientras que el otro habría de pagar en su día el beneficio a un hombre conocido por perverso. Hay también casos en que, en efecto, no debe prestarse a quien nos ha prestado antes. Uno ha prestado a otro porque sabía que era hombre de bien y en la seguridad de que lo devolvería, pero el otro no puede contar con ser desembolsado por un bribón. Si así sucede en realidad, la estimación no puede ser igual de una y otra parte, y si no es así realmente basta que se piense para que no sea un error obrar como se ha obrado. Por lo demás, como ya he dicho muchas veces, todas estas teorías sobre los sentimientos y las acciones de los hombres se modifican precisamente según los casos mismos a que se aplican. Y así es muy evidente que no debe tenerse la misma generosidad para con todo el mundo, ni concederse todo a su padre, así como no deben sacrificarse todas las víctimas a Júpiter.

Como hay deberes muy desemejantes para con los padres, los hermanos, los amigos, los bienhechores, es preciso dar con discernimiento a cada uno lo que le pertenece y le es debido. Es cierto que, en general, esto es lo que se hace, y así convida uno a los parientes a su boda, porque en efecto pertenecen a una familia común y todos los actos que les interesan deben ser igualmente comunes, y por la misma razón se mira como un deber estricto en los parientes asistir a los funerales. También los hijos deben ante todo asegurar la subsistencia a sus padres; es una deuda que pagan, y vale más proveer a las necesidades de los que nos han dado el ser que proveer a las propias. En cuanto al respeto, se les debe el mismo que se debe a los dioses, pero no se les debe toda clase de respetos; por ejemplo, no se tiene el mismo por el padre que por la madre, así como no se respeta al padre en el mismo concepto que se respeta a un sabio o a un general, sino que se tiene al padre la veneración debida a un padre, y a la madre la que se debe a una madre.

En todas ocasiones es preciso mostrar a los hombres más ancianos que nosotros el respeto debido a la edad. Debemos levantarnos en su presencia, cederles el puesto y tener con ellos todos los demás miramientos de este género. Entre camaradas y hermanos, por el contrario, debe reinar la franqueza y habría un desprendimiento que los haga partícipes de todo lo que poseemos. En una palabra, respecto de los parientes, los compañeros de tribu, los conciudadanos, y de todas las demás relaciones, es preciso esforzarse siempre en tributar a cada uno las consideraciones que le pertenecen, y discernir lo que debe dársele precisamente según el grado de parentesco, de mérito o de intimidad. Estas distinciones son de fácil ejecución cuando se trata de personas que son de la misma clase que nosotros, y presentan mayor dificultad cuando se trata de personas de clases diferentes, pero, como no es ésta razón para dejar de hacerlo, debe procurarse tener muy en cuenta todas estas gradaciones y diferencias en cuanto sea posible.

## Ruptura de la amistad

Cuestión espinosa es el saber si, las relaciones amistosas, deben romperse o conservarse cuando las personas no subsisten siendo lo que eran los unos respecto de los otros. ¿O es que no resulta ningún mal de un rompimiento desde el momento en que los que estaban ligados por interés o por placer no tienen nada que comunicarse? Como era éste el único objeto de su amistad, cuando este objeto desaparece parece llano que cesen de amarse. La única queja que podría tener lugar sería si alguno, llamado por interés y por placer, fingió que también amaba de corazón. En efecto, como dijimos al principio, la causa más ordinaria de desunión entre los amigos es que no se unen con las mismas intenciones y que no son amigos unos de otros por el mismo motivo. Cuando uno de los dos se ha equivocado creyéndose amado de corazón, siendo así que el otro nada ha hecho para dárselo a entender, sólo a sí mismo debe culparse. Pero si ha sido engañado por el disimulo de su pretendido amigo, tiene derecho a quejarse de la falsía de éste, y puede hacerlo con más razón que la que tenemos para censurar a los monederos falsos, porque el delito de tal pretendido amigo afecta a una cosa mucho más preciosa.

Pero supongamos el caso en que uno se ha unido a otro creyéndole hombre de bien, y que después se hace vicioso, o solamente lo parece; ¿puede continuar amándolo? ¿O será imposible amarlo ya, puesto que no se ama todo indiferentemente, sino exclusivamente lo que es bueno? Porque no es un hombre malo al que se quería amar ni tampoco a quien se debe amar. No se debe amar a los malos ni tampoco parecerse a ellos porque ya se sabe que lo que se parece se junta. He aquí pues la cuestión: ¿debe romperse sobre la marcha? ¿O bien deben hacerse distinciones y no romper con todos sino sólo con aquellos cuya perversidad sea ya incurable? Mientras haya esperanza de corregirlos, es preciso ayudarlos a salvar su virtud con más esmero que si se tratara de reparar su fortuna, por lo mismo que es uno de los servicios más nobles y más dignos de la verdadera amistad. Mas en otro caso no hay inconveniente en romper, porque no fue con este hombre, tal cual ahora aparece, de quien se hizo uno amigo, y desde el momento en que ha sufrido un cambio tan completo y no hay ya modo de salvarlo, trayéndole al verdadero camino, no hay otro partido que tomar que alejarse de él.

Supongamos otro caso. Uno de los dos amigos continúa siendo como era, y el otro, haciéndose mejor moralmente, llega a superarlo mucho en virtud. ¿Debe éste continuar en amistad con aquél? ¿O bien es ya imposible? La dificultad se hace perfectamente evidente cuando la distancia entre los dos amigos es muy grande, como sucede en las amistades contraídas desde la infancia. Si uno permanece niño por la razón, mientras que el otro se hace un hombre lleno de fuerza y de capacidad, ¿cómo podrán permanecer amigos, puesto que no gustan de los mismos objetos, ni tienen ya los mismos goces ni las mismas penas? No habrá ya entre ellos ese cambio de sentimientos sin los cuales no hay amistad posible, puesto que no pueden ya vivir juntos con intimidad, como más de una vez hemos manifestado. ¿Pero habrá razón para que lo tratéis con dureza, como si jamás hubiera sido vuestro amigo? ¿No deberá más bien conservarse el recuerdo de la antigua amistad? Así como el hombre se cree más obligado para con los amigos que para con los extraños, en igual forma debe concederse algo a ese pasado en que tuvo lugar la amistad, salvo que el rompimiento haya procedido de un exceso de imperdonable perversidad.

## EL AMIGO DE SÍ MISMO Y EL AMIGO DE LOS DEMÁS. RETRATO DEL HOMBRE BUENO Y DEL MALO

Los sentimientos de afección que se tiene a los amigos y que constituyen las verdaderas amistades tienen su origen, al parecer, en la que el hombre se tiene a sí mismo. Así se mira como amigo al que os quiere y os hace bien, aparente o real, únicamente por uno mismo, o también al que desea la vida o felicidad de su amigo sin otra consideración que la del amigo mismo. Ésta es la afección desinteresada que sienten las madres por sus hijos, y que experimentan los amigos que se reconcilian después de alguna desavenencia. También se dice a veces que el amigo es el que vive con vosotros, que tiene los mismos gustos, que se regocija con los mismos goces, que se aflige con vuestros pesares, simpatía que se hace notar principalmente en las madres. Veamos algunos de los caracteres por los que se define la verdadera amistad. Éstos son precisamente los sentimientos que el hombre de bien experimenta respecto de sí mismo, y que experimentan también los demás hombres en tanto que se creen probos y honrados, porque, como ya he dicho, la virtud y el hombre virtuoso pueden tomarse por medida de todas las cosas. Un hombre semejante está siempre de acuerdo consigo mismo, y desea las mismas cosas en todas las partes de su alma. No ve ni hace para sí más que el bien o lo que le parece serlo. Esto es lo propio del hombre honrado: hacer el bien exclusivamente, hacerlo por sí mismo, por la razón de que está en él y constituye la esencia misma del hombre en cada uno de nosotros. Sin duda quiere vivir y conservarse, pero ante todo quiere hacer vivir y salvar el principio mediante el cual piensa, porque para el hombre honrado la vida es un verdadero bien. Y así cada uno de nosotros quiere el bien para sí mismo. Pero si se hiciese distinto y cambiase de naturaleza, no se desearían para esta nueva persona todos los bienes que se deseaban para la otra, porque si Dios mismo posee actualmente el bien, es permaneciendo lo que es por esencia, y el principio inteligente es el que en el hombre constituye el fondo mismo del individuo, o por lo menos parece constituirlo más bien que cualquier otro principio. Por lo tanto, cuando el hombre está dotado verdaderamente de virtud, quiere continuar viviendo consigo mismo, porque encuentra en ello un verdadero placer. Los recuerdos de sus actos pasados están llenos de dulzura, y sus esperanzas respecto de sus acciones futuras son igualmente honestas. Ahora bien, todos estos son sentimientos agradables. Esta multitud de pensamientos llenan su espíritu de las más nobles emociones, y se complace en simpatizar sobre todo consigo mismo, con sus propios goces, con sus propios dolores, porque para él el placer y la pena se ligan siempre a los mismos objetos y no varían sin cesar de uno a otro. Jamás su corazón tiene motivo para arrepentirse, si es posible decirlo; como el hombre de bien está siempre respecto de sí mismo en estas disposiciones, y como se es para un amigo lo mismo que para sí propio, siendo el amigo uno mismo con él, se sigue que la amistad se aproxima mucho a lo que acabamos de decir, y que deben llamarse amigos a los que viven en estas relaciones recíprocas.

En cuanto a la cuestión de saber si hay o no hay realmente amor de sí mismo, la dejaremos por el momento aparte. Nos limitaremos a decir que hay ciertamente amistad siempre que se encuentran dos o más de estas condiciones que hemos indicado, y que, cuando la amistad es extrema, se parece mucho a la afección que se experimenta por sí mismo.

Estas condiciones, por lo demás, pueden encontrarse en el vulgo de los hombres y hasta entre los hombres malos, pero, ¿no es verdad que no se incluyen en ellos tales condiciones sino en cuanto se complacen a sí mismos y se creen hombres de bien? Porque estas afecciones jamás se producen ni tienen visos de producirse en hombres absolutamente perversos y criminales. Puede decirse que apenas se encuentran en los viciosos; ellos están siempre quejosos de sí mismos, desean una cosa y quieren otra. Absolutamente como los libertinos, que no saben dominarse. En lugar de las cosas que ellos mismos creen ser buenas, prefieren las que son para ellos agradables, pero funestas. Otros, por el contrario, se abstienen de hacer lo que les parece mejor para su propio interés, ya por cobardía, ya por pereza. Hay también otros que, después de haber cometido una multitud de fechorías, concluyen por detestarse a sí mismos a causa de su propia corrupción, miran la vida con horror y concluyen por el suicidio.

Los malos pueden buscar personas con quienes poder pasar la vida, pero ante todo huyen de sí mismos. Cuando están solos, su memoria no les presenta más que recuerdos dolorosos, y para el porvenir sueñan proyectos no menos horribles, mientras que, por el contrario, cuando están en compañía de otro, olvidan estas odiosas ideas. No teniendo en sí nada digno de ser amado, no experimentan ningún sentimiento de amor hacia sí mismos; seres semejantes no pueden simpatizar ni con sus mismos placeres ni con sus mismas penas. Su alma está constantemente en discordia, y mientras que por perversidad tal parte de ella se aflige de las privaciones que se ve forzada a sufrir, tal otra se regocija en sufrirlas. Tirando del ser uno de estos sentimientos por un lado y otro por otro, resulta, si puede decirse así, el ser hecho pedazos. Pero como no es posible sentir a la vez placer y dolor, no tarda en afligirse de haberse regocijado, y hubiera querido no haber gustado semejantes placeres, porque los hombres malos están siempre llenos de remordimientos por todo lo que hacen. Así el malo, lo repito, jamás está en disposición de amarse a sí mismo, porque no encuentra en sí nada que pueda ser amado. Si este estado del alma es profundamente triste y miserable, es preciso huir del vicio con todas sus fuerzas y aplicarse con ardor a hacerse virtuoso, porque sólo así se sentirá uno inclinado a amarse a sí mismo y hacerse amigo de los demás.

## De la benevolencia

La benevolencia se parece a la amistad, pero no es precisamente la amistad. Puede ejercerse sobre desconocidos, sin que sepan el sentimiento que se experimenta por ellos, lo cual no sucede con la amistad, como ya he dicho anteriormente. La benevolencia tampoco es la inclinación a amar, porque no tiene ni intensidad, ni deseo, síntomas que ordinariamente acompañan a la inclinación. Así, la inclinación se forma por el hábito, pero la benevolencia puede ser hasta casual; por ejemplo, el interés que se toma por los luchadores; los espectadores, al verlos combatir, se sienten benévolos respecto de ellos y los auxilian con sus aclamaciones, sin que por eso estén dispuestos a tomar parte personalmente en la lucha. En este caso la benevolencia es del todo eventual, y la afección que provoca no pasa de la superficie. Esto nace de que la amistad, como el amor, comienza al parecer por el placer de la vista, porque si al pronto no produce encanto el aspecto de la persona, no la puede amar. No quiere decir esto que, porque uno se sienta seducido por la forma, ya esté enamorado, pues sólo hay amor cuando se siente la ausencia de una persona y se desea su presencia Es cierto que no pueden dos hacerse amigos sin haber experimentado antes la benevolencia, pero tampoco basta ser benévolo para amar. Uno se contenta con desear el bien a aquellos que son objeto de nuestra benevolencia, pero sin que por otra parte esté uno dispuesto a hacer nada con ellos, ni a privarse por ellos de cosa alguna. Sólo metafóricamente puede decirse que la benevolencia es la amistad. Pero también puede afirmarse que la benevolencia, prolongándose con el tiempo y llegando a constituir un hábito, se convierte en una verdadera amistad, que no es la amistad por interés, ni la amistad por placer, porque la benevolencia no se inspira ni en uno ni en otro de estos motivos. En efecto, el que ha recibido un servicio corresponde con la benevolencia al bien que se le ha hecho, cumpliendo así un deber. Pero cuando se desea el triunfo de alguien, porque espera uno sacar también alguna ventaja, no es uno benévolo para esta persona, sino más bien para sí mismo, a la manera que no es amigo el que trata a otro con la mira del provecho que de él pueda sacar.

En general, la benevolencia nace a la vista de la virtud o de un mérito cualquiera siempre que una persona muestra a otra que es hombre de honor, de valor o que tiene cualquier cualidad de este género, como los combatientes de que hablamos antes.

## DE LA CONCORDIA

La concordia también parece tener algo de la amistad, y he aquí por qué no debe confundírsela con la conformidad de opiniones, porque esta puede existir hasta entre personas que mutuamente no se conocen. No puede decirse, porque piensen los hombres lo mismo sobre un objeto cualquiera, que están de acuerdo: por ejemplo, si es sobre astronomía. Estar de acuerdo sobre estos puntos no implica la menor afección. Por el contrario, se dice que hay concordia entre los estados cuando recae sobre intereses generales, cuando se toma parte en ellos, y cuando de concierto se ejecuta la resolución común. La concordia se aplica siempre a actos, y entre estos actos, a los que tienen importancia y que pueden ser igualmente útiles a las dos partes y hasta a todos los ciudadanos, cuando se trata de un estado, como cuando todo el mundo juzga unánimemente, por ejemplo, que todos los poderes deben ser electivos, o que es preciso hacerse aliados de los lacedemonios, o que Pittaco debe reconcentrar en sus manos toda la autoridad que por otra parte él acepta. Cuando, por el contrario, en un estado, cada uno de los partidos quiere el poder para sí solo, hay discordia como entre los pretendientes de las *Fenicias*, de Eurípides. Porque no basta para que haya concordia que los dos partidos piensen de la misma manera sobre un objeto dado, cualquiera que él sea. Es preciso además que tengan la misma opinión en las mismas circunstancias: por ejemplo, que el pueblo y las altas clases estén acordes en dar el poder a los más eminentes ciudadanos, porque entonces cada cual tiene precisamente lo que desea. La concordia comprendida así se convierte en cierta manera en una amistad civil, como ya he dicho, porque comprende entonces los intereses comunes y todas las necesidades de la vida social.

Pero esta concordia supone siempre corazones sanos. En efecto, los corazones de esta índole están por lo pronto de acuerdo consigo mismos, y lo están recíprocamente entre sí porque se ocupan, por decirlo así, de las mismas cosas. Las voluntades de estos espíritus rectos permanecen inquebrantables, no tienen el flujo y reflujo como el Euripe, solo quieren las cosas justas y útiles y las desean sinceramente guiados por el interés común. Por el contrario, entre los malos no es posible la concordia, y si reina alguna vez es por cortos instantes, y tampoco pueden ser por mucho tiempo amigos, porque reclaman una parte exagerada en los beneficios y se desentienden todo lo posible de las fatigas y gastos comunes. Queriendo cada cual las ventajas sólo para sí, espía y pone trabas a su vecino, y como del interés común nadie se cuida, se le sacrifica y perece. Entonces comienza la discordia, esforzándose los unos en hacer que los otros observen la justicia pero sin que nadie quiera practicarla.

## Del beneficio

Los bienhechores en general aman más a los que reciben el servicio que los que reciben el servicio los aman a ellos, y como esta diferencia parece contraria a toda razón, es preciso averiguar sus motivos. La opinión más común es que los unos son en cierta manera deudores y que los otros son acreedores, y así, como respecto a las deudas, los que deben querrían con gusto que los que les han dado el préstamo no existiesen, y los prestadores, por el contrario, hasta se ocupan con solicitud de sus deudores; en la misma forma los que han hecho el servicio quieren que los favorecidos vivan para que algún día reconozcan los favores que se les ha dispensado, mientras que los otros se ocupan muy poco de lo que les deben en cambio de lo recibido. Epicarmo diría que los que adoptan esta explicación «toman la cosa por mal lado». Pero es bastante conforme a la debilidad humana, porque los hombres ordinariamente tienen poca memoria para los beneficios, y prefieren recibir favores a hacerlos.

En cuanto a mí, la causa me parece mucho más natural, y creo que no tiene ninguna relación con lo que pasa en punto a deudas. Por lo pronto, los acreedores no tienen el menor afecto a sus deudores, y si desean verlos prósperos, es únicamente con la mira de la restitución que esperan. Por el contrario, los que han hecho un servicio aman y acarician a sus obligados, por más que éstos ni en la actualidad ni nunca los puedan servir en nada. Es exactamente lo mismo que los artistas experimentan respecto de sus obras; no hay uno que no ame su propia obra más que la obra lo amaría a él, si por casualidad pudiera animarse y vivir. Esta observación es patente en los poetas; aman con pasión sus propias obras y se encariñan con ellas como si fuesen sus propios hijos. Esto sucede precisamente con los bienhechores; la persona favorecida es su obra, y aman más que la obra ama al que la ha hecho. La causa es bien sencilla: es porque la vida, la existencia, es para todo el que goza de ella algo preferible a todo lo demás, algo que le es profundamente querido. Ahora bien, nosotros no somos sino mediante el acto, es decir, en tanto que vivimos y obramos. El que crea una cosa, existe en cierta manera mediante el acto mismo. Así ama su obra porque amaría igualmente la existencia, sentimiento que es muy natural, porque lo que sólo existe en potencia, la obra lo revela, lo muestra en acto. Añádase con respecto a la acción que hay en ella algo de noble y de bello de parte del bienhechor, de suerte que éste goza en el objeto de tal acción. Al mismo tiempo, nada hay de bello para el obligado en el servicio que recibe, a lo más sólo hay algo útil, lo cual es mucho menos agradable y menos digno de ser amado. En cuanto al presente, es el acto el que nos causa placer, es la esperanza para el porvenir, es el recuerdo para lo pasado. Pero el más vivo placer sin contradicción es el acto, lo actual, que, bien entendido, es digno de que se ame. Así pues, la obra es y sigue siendo del que la ha hecho, porque lo bello es durable, mientras que lo útil desaparece bien pronto para el que ha recibido el beneficio. El recuerdo de las cosas buenas que se han hecho causa un placer indecible, pero, el recuerdo de las cosas útiles que se han aprovechado, o no lo causan o, si lo causan, es mucho menor. Precisamente sucede todo el contrario con los bienes que se desean y que se espera poseer. Pero amar es casi obrar y producir; ser amado no es más que sufrir y permanecer pasivo. Por consiguiente el amor y todas las consecuencias que engendra están de parte de aquellos en quienes la acción es más poderosa.

Debe observarse además que se tiene siempre más cariño a lo que ha costado más trabajo, y así, por ejemplo, los que han adquirido su fortuna por sí mismos la estiman más que los que la han adquirido por herencia. Recibir un beneficio es una cosa en verdad que no reclama un esfuerzo penoso, mientras que muchas veces cuesta mucho dispensar servicios a otros. He aquí por qué las madres tienen más amor por sus hijos, ya que la parte que han tenido en la generación ha sido mucho más penosa, y saben bien que los hijos son suyos. Éste es sin duda también el sentimiento de los bienhechores respecto a sus favorecidos.

## Del egoísmo o amor propio

Se ha preguntado si conviene amarse a sí mismo con preferencia a todo lo demás o si vale más amar a otro, porque ordinariamente se censura a los que se aman excesivamente a sí propios, y se les llama egoístas, como para avergonzarlos por este exceso. Realmente el hombre malo sólo obra pensando en sí mismo, y cuanto más malo se hace, más se aumenta en él este vicio, y así se le echa en cara que nunca hace nada fuera de lo que interesa a su persona. El hombre de bien, por el contrario, sólo obra para hacer el bien; y cuanto más honrado se hace tanto más se consagra exclusivamente a hacer el bien, y tratándose de su amigo, hasta se olvida de su propio interés

Pero se dice que los hechos contradicen todas estas teorías sobre el egoísmo, y esto no es difícil de comprender. Se concede que debe amarse sobre todo al que es nuestro mejor amigo, siendo el mejor amigo el que quiere más sinceramente el bien de su amigo por este amigo mismo, aunque por otra parte nadie en el mundo deba saberlo. Pero estas son precisamente las condiciones que se cumplen cuando se trata de sí mismo, así como se dan igualmente bajo esta relación todas las demás condiciones, en vista de las que se define habitualmente el verdadero amigo, porque ya hemos sentado que todo sentimiento de amistad parte ante todo del individuo, para derramarse después sobre los demás. Los proverbios mismos están de acuerdo con nosotros, pudiendo citarse los siguientes: «una sola alma; entre amigos todo es común; la amistad es la igualdad; la rodilla está más cerca que la pierna». Pero todas estas expresiones manifiestan principalmente las relaciones del individuo consigo mismo. Y así, el individuo es su propio amigo más estrechamente que ninguno otro, y es a sí mismo a quien sobre todo deberá amar.

Se pregunta, y no sin razón, cuál de estas dos diversas soluciones debe seguirse, ya que ambas nos inspiran igual confianza.

Quizá baste distinguir estas aserciones y hacer ver la parte de verdad y la especie de verdad que cada una de ellas encierra. Si explicamos lo que se entiende por egoísmo en los dos sentidos en que alternativamente se toma esta palabra, veremos con la mayor claridad esta cuestión. Por una parte, queriendo convertir este término en un vocablo de censura y de injuria, se llama egoístas a los que se atribuyen a sí mismos la mejor parte en las riquezas, en los honores, en los placeres corporales, porque el vulgo siente por todo esto la más viva ansiedad, y como se buscan con empeño estos bienes considerados como los más preciosos de todos, son extremadamente disputados. Los que se los disputan con tanto calor sólo piensan en satisfacer sus deseos, sus pasiones, y en general la parte irracional de su alma. Así se conduce la generalidad de los hombres, y la denominación de egoístas viene de las costumbres del vulgo, que son deplorables. Con justa razón se censura en este sentido el egoísmo.

No puede negarse que las más de las veces se aplica este nombre de egoístas a los que se entregan a todos estos goces groseros, y que sólo piensan en sí mismos. Pero si un hombre se propusiese seguir constantemente la justicia con más exactitud que ninguna otra cosa, practicar la sabiduría o cualquier otra virtud en un grado superior, en una palabra, que no pretendiese reivindicar para él otra cosa que el obrar bien, sería imposible llamarle egoísta, ni censurarlo. Sin embargo, éste sería tenido por más egoísta que los demás, puesto que se adjudica las cosas más bellas y mejores, y goza tan sólo de la parte más elevada de su ser, obedeciendo dócilmente a sus órdenes. Así como en política la parte más importante en la sociedad parece ser el estado mismo, y así como en todos los demás órdenes de cosas semejante parte constituye el sistema entero, lo mismo sucede con el hombre, y quien debería pasar por egoísta en primer término es el que ama dentro de sí este principio dominante y sólo trata de satisfacerlo. Si se llama templado al hombre que se domina e intemperante al que no se domina, según que la razón manda o no manda en ellos, es porque la razón aparentemente está siempre identificada con el individuo mismo. He aquí por qué los actos que parecen ser los más personales y los más voluntarios, son los que se realizan bajo la dirección de la razón. Es perfectamente claro que este principio soberano es el que constituye esencialmente al individuo, y que el hombre de bien lo ama con preferencia a todo. En este concepto podría decirse que el hombre de bien es el más egoísta de todos los hombres, pero este egoísmo es muy distinto de aquel que se da en un hombre injurioso. Este egoísmo noble supera en tanto al egoísmo vulgar como vivir según la razón a vivir según la pasión, y tanto como desear el bien a desear lo que parece útil.

Así todo el mundo acoge bien y alaba a los que se proponen elevarse por encima de sus conciudadanos practicando el bien. Si todos los hombres luchasen únicamente por la virtud y dirigiesen siempre sus esfuerzos a practicarla, la comunidad entera vería en conjunto todas sus necesidades satisfechas y cada individuo en particular poseería el mayor de los bienes, puesto que la virtud es el más precioso de todos. Se llegaría a deducir esta doble consecuencia: de una parte, que el hombre de bien debe ser egoísta, porque haciendo el bien, le resultaría a la vez un gran provecho personal y servirá al mismo tiempo a los demás, y de otra, que el hombre malo no es egoísta, porque sólo conseguirá perjudicarse a sí y dañar al prójimo, siguiendo sus malas pasiones. Por consiguiente, en el hombre malo hay una discordia profunda entre lo que debe hacer y lo que hace, mientras que el hombre virtuoso sólo hace lo que debe hacer, porque toda inteligencia escoge siempre lo que es mejor para ella y el hombre de bien sólo obedece a la inteligencia y a la razón.

No es menos evidente y exacto que el hombre virtuoso hará muchas cosas en obsequio de sus amigos y de su patria, aunque al hacerlas comprometa su vida, y despreciará las riquezas, los honores, en una palabra, todos estos bienes que la multitud se disputa, reservándose sólo para sí el honor de hacer el bien. Gusta más de un goce vivo, aunque sólo dure algunos instantes, que un goce frío que dure un tiempo más largo. Quiere más vivir con gloria un solo año que vivir muchos oscuramente; prefiere una sola acción bella y grande a una multitud de actos vulgares. Ésta es indudablemente la causa porque estos hombres generosos ofrecen, cuando es preciso, el sacrificio de su vida. Se reservan para sí la más bella y noble parte, y hacen con gusto el sacrificio de su fortuna si su ruina puede enriquecer a los amigos. El amigo adquiere la riqueza, y él se reserva el honor, que es un bien cien veces mayor. Con mucha más razón hará lo mismo respecto a las distinciones y al poder. El hombre de bien abandonará todo esto a su amigo, porque a sus ojos el desinterés es lo más bello y digno de alabanza. Realmente no hay engaño en considerar como virtuoso al que escoge el honor y el bien con preferencia a todo lo demás. El hombre de bien puede llegar hasta reservar a su amigo la gloria de la ejecución, y hay casos en que es más digno dejar que haga una cosa un amigo que hacerla uno mismo.

Por lo tanto, en todas las acciones dignas de alabanza el hombre virtuoso toma a su cargo siempre la parte más grande del bien, y así es, repito, como debe un hombre saber ser egoísta. Pero es preciso librarse de serlo como se entiende y lo es el hombre generalmente.

## Sobre si hay necesidad de amigos en la prosperidad

Se suscita aún otra cuestión, y se pregunta si, cuando es uno dichoso, tiene necesidad o no de amigos. En efecto, se dice, los hombres absolutamente afortunados e independientes para nada necesitan la amistad, puesto que disfrutan de todos los bienes, y además, bastándose a sí mismos, no tienen necesidades que satisfacer, siendo así que el amigo, que es otro yo, debe procurarnos lo que no podamos conseguir por nosotros mismos.

Esto es lo que pensaba el poeta Eurípides cuando decía:

«Cuando el cielo os sostiene,
¿qué necesidad tenéis de amigos?»

Pero cuando se supone que tiene todos los bienes el hombre dichoso, es un absurdo evidentemente no concederle también los amigos, porque precisamente los amigos son el más precioso de los bienes exteriores. Pero más aún, si la amistad consiste más en dispensar beneficios que en recibirlos, si lo propio de la virtud y del hombre virtuoso es hacer el bien alrededor suyo, y su propósito debe de ser el servir mejor a los amigos que a los extraños, se sigue de aquí que el hombre de bien tendrá necesidad de gentes que puedan recibir de él beneficios.

He aquí por qué se pregunta también si es en la desgracia o en la fortuna cuando hay necesidad de amigos, porque si el hombre en desgracia tiene necesidad de personas que lo socorran, el hombre afortunado no tiene menos necesidad de personas a quienes poder dispensar el bien. A mi entender es el más solemne absurdo convertir al hombre dichoso en un solitario separado del resto de los hombres. ¿Quién accedería a poseer todos los bienes del mundo si se le pusiera por condición de que sólo pudiera usar de ellos para sí sólo? El hombre es un ser sociable, la naturaleza le ha hecho para vivir con sus semejantes, y esta ley se aplica igualmente al hombre dichoso, porque posee todos los bienes que puede producir la naturaleza, y como evidentemente vale más vivir con amigos y personas distinguidas que con extraños o con el vulgo, es claro que el hombre dichoso tiene precisamente necesidad de amigos.

¿Qué significa por lo tanto la primera opinión que hemos indicado? ¿Cómo es que tiene algo de verdad? ¿Será porque se cree vulgarmente que los amigos son gentes que nos prestan utilidad, y por consiguiente que el hombre dichoso no tiene necesidad de todos estos auxilios, puesto que se supone que posee todos los bienes? En este caso no tendrá necesidad de amigos y compañeros de placer, o por lo menos, será bien poca la necesidad que advierta, puesto que su vida, siendo perfectamente agradable, puede pasarse sin todos los otros placeres que los demás hombres nos proporcionan. Y si no tiene necesidad de amigos de este género, es claro que verdaderamente no tiene necesidad de amigos de ninguna otra clase. Este razonamiento no es quizá muy concluyente. Al principio de este tratado dijimos que la felicidad era una especie de acto, y se comprende sin dificultad que el acto llega a ser y se produce sucesivamente, pero que no existe, en cierta manera, como una propiedad que se posee. Y si la felicidad consiste en vivir y obrar, el acto de un hombre de bien es bueno y agradable en sí, como ya hemos visto precedentemente. Además, lo que nos es propio y familiar nos proporciona siempre los más dulces sentimientos, y nosotros podemos mejor ver a los demás y observar sus acciones que observar las nuestras y vernos a nosotros mismos. Por consiguiente, las acciones de los hombres virtuosos, cuando éstos son nuestros amigos, deben ser vivamente agradables para los pechos honrados, puesto que entonces los dos amigos disfrutan de un goce que es muy natural. Éstos son los amigos de que el hombre dichoso tendrá necesidad, puesto que desea contemplar las acciones bellas y para él familiares, y tales son las acciones del hombre virtuoso que es nuestro amigo.

Por otra parte se admite que el hombre dichoso debe vivir agradablemente, pero la vida del solitario es muy pesada. No es fácil obrar continuamente por sí y para sí, y es mucho más fácil obrar con otros y para otros. Entonces la acción, que ya es de suyo agradable, será más continua. Esto es lo que debe buscar el hombre dichoso. El hombre virtuoso, en tanto que virtuoso, goza con los actos de virtud y se indigna con los extravíos del vicio, a semejanza del músico a quien complacen las bellas armonías y disgustan las malas. Por otra parte, vivir con los hombres de bien es una manera de ejercitarse en la virtud, como lo ha observado Theognis en sus *Sentencias*. Y bien considerada la cosa, es claro que el amigo virtuoso es natural que sea el que el hombre virtuoso elija, porque, repito, lo que es bueno por naturaleza es en sí bueno y agradable para el hombre virtuoso. Y bien, la vida se define en los animales por la facultad o potencia que tienen de sentir, en el hombre se define a la vez por la facultad de sentir y por la de pensar, pero la potencia viene siempre a terminar en el acto, y lo principal está en el acto. Y así, parece que vivir consiste principalmente en sentir o en pensar, y vida es en sí una cosa buena y agradable, porque es una cosa limitada y definida, y todo lo que es definido pertenece ya a la naturaleza del bien. Además, lo que es bueno por naturaleza lo es igualmente para el hombre virtuoso, y he aquí por qué esto debe agradar igualmente al resto de los hombres. Pero no debe tomarse aquí por ejemplo una vida mala y corrompida ni tampoco una vida llena de dolores, porque semejante vida es indefinida, como lo son los elementos de que se compone, y esto se comprenderá más fácilmente cuando hablemos más tarde del dolor. La vida por sí sola es buena y agradable, y lo que lo prueba es que encuentran en ella encantos todos, y muy especialmente los hombres virtuosos y afortunados, porque la vida les es más apetecible y su existencia es la más dichosa sin duda alguna. Pero el que ve, siente que ve; el que oye, siente que oye; el que anda, siente que anda, y lo mismo en todos los demás casos, y es que en nosotros hay una cierta cosa que siente nuestra propia acción, de tal manera que podemos sentir que sentimos y pensar que pensamos. Pero sentir que sentimos o sentir que pensamos es sentir que existimos, puesto que hemos visto que existir es sentir o pensar. Ahora bien, sentir que se vive es una de estas cosas que son agradables en sí, porque la vida es naturalmente buena, y sentir en sí el bien que uno mismo posee es un verdadero placer. Así es como la vida es querida para todo el mundo y principalmente para los hombres de bien, porque la vida es para ellos a la par un bien y un placer, y por el hecho mismo de tener, como tienen, conciencia del bien en sí, es por lo que experimentan un placer profundo. Pero lo que el hombre virtuoso es para consigo mismo lo es para con su amigo, puesto que su amigo no es más que un otro él. Tanto como cada uno ama y desea su propia existencia, otro tanto desea la existencia de su amigo o poco menos. Pero ya hemos dicho que si se ama es porque se siente que el ser que está en nosotros es bueno, y este sentimiento está en sí rebosando dulzura. La misma conciencia, por tanto, debe tenerse de la existencia y del ser de su amigo, cosa que no es posible a no vivir con él cambiando en esta asociación palabras y pensamientos. Verdaderamente esto es lo que puede llamarse entre los hombres vida común, y no como la que existe entre los animales, reducida a vivir encerrados en un mismo cercado. Luego si el ser es en sí una cosa apetecible para el hombre afortunado, porque el ser es bueno por naturaleza y además agradable, se sigue que el ser de nuestro amigo está poco más o menos en el mismo caso, es decir, que el amigo es evidentemente un bien que debe desearse. Ahora bien, lo que se desea para sí es preciso llegar a poseerlo realmente, pues, en otro caso, la felicidad en este punto sería incompleta, de donde resulta, en conclusión, que el hombre, para ser absolutamente dichoso, debe tener amigos virtuosos.

## Del número de amigos

¿Debe uno procurar tener el mayor número posible de amigos? O acaso, así como con tan buen sentido de la hospitalidad ha dicho Exíodo:

> «En materia de huéspedes, no conviene
> tener muchos ni carecer de ellos».

¿es conveniente igualmente, respecto de la amistad, no estar sin amigos ni proporcionarse un número exagerado de ellos? Las palabras del poeta podrían aplicarse perfectamente a las relaciones de amistad que no tienen otra base que el interés. Es muy difícil pagar y reconocer todos los servicios cuando se reciben muchos, y la existencia entera no bastaría para satisfacerlos. Los amigos, cuando son más en número de lo que reclaman las necesidades ordinarias de la vida, son muy inútiles, y hasta llegan a ser un obstáculo para la felicidad. Por lo tanto no hay necesidad de tantos amigos de este género. En cuanto a los amigos por placer, bastan algunos; esto es como la sazón en las comidas. Resta hablar de los amigos por virtud. ¿Convendrá tener el mayor número posible de ellos? ¿O bien debe tener un límite el número de amigos, como lo tiene el de ciudadanos en el estado? No podría constituirse un estado con diez ciudadanos, como no podría constituirse con cien mil. No quiero decir que precisamente se haya de fijar el número de ciudadanos, sino que ha de ser un total que se mantenga dentro de ciertos límites determinados. Próximamente está en caso análogo el número de amigos; es igualmente determinado y puede reducirse, si se quiere, al mayor número de personas con quienes pueda vivirse en vida común, porque la vida común es la señal más cierta de la amistad. Mas, como puede observarse fácilmente, no es posible vivir con una multitud de personas, dividiéndose uno de esta manera. Añádase a esto que todas estas personas deben ser amigas entre sí, puesto que es preciso que pasen el tiempo reunidos unos con otros, y no es éste un pequeño embarazo cuando se trata de muchos. También es muy difícil en medio de tantas personas que pueda uno sentir los mismos goces y las mismas penas que todas ellas. Está expuesto a coincidencias desagradables, y podrá suceder que a la vez tenga que regocijarse con unos y entristecerse con otros. Así será muy bueno no buscar el mayor número posible de amigos, sino sólo el número de ellos con los que les sea posible vivir en intimidad. No es posible ser amigo decidido de un gran número de personas, y ésta es la causa porque el amor no se extiende a muchos a la vez. El amor es como el grado superior y el exceso de la afección, y nunca se dirige más que a un sólo ser. De igual modo los sentimientos muy vivos se concentran sobre algunos objetos, pocos en número. La realidad demuestra evidentemente que esto es lo que acontece. Jamás con muchos será posible tener una verdadera y ardiente amistad, y todas las amistades que se alaban y se admiran no han existido sino entre dos personas. Los que tienen muchos amigos y se muestran íntimos de todos, pasan por no ser amigos de nadie, si no es en las relaciones puramente sociales, y, cuando se habla de ellos, se dice que son gentes que sólo aspiran a agradar civil y políticamente. Puede uno ser amigo de un gran número de personas, sin hacer ningún esfuerzo exagerado por agradarlas y siendo sólo para ellas un hombre de bien en toda la extensión de la palabra. Pero ser amigo de uno porque es virtuoso y amarlo por sí mismo es un sentimiento que no puede extenderse nunca a muchas personas, y hasta es preferible tropezar con pocas que reúnan tales condiciones.

## ¿CUÁNDO SON MÁS NECESARIOS LOS AMIGOS, EN LA PROSPERIDAD O EN LA DESGRACIA?

Otra cuestión: ¿se necesitan más los amigos en la prosperidad o en el infortunio? En ambos casos se desean; los desgraciados tienen necesidad de que se les auxilie; los afortunados tienen necesidad de comunicar su felicidad y de que haya quien reciba sus beneficios, porque quieren hacer el bien alrededor suyo. Los amigos son ciertamente más necesarios en la desgracia, y entonces es cuando deben tenerse amigos útiles. Pero es más noble tenerlos en la fortuna, porque en este caso sólo se buscan gentes de mérito y de virtud, y vale más, cuando se puede elegir, hacer el bien a personas de este orden y pasar la vida con ellas. La presencia de los amigos es ya por sí sola un placer en medio de la desgracia, porque las penas son más ligeras cuando corazones amigos toman parte en ellas. Y podría preguntarse si este alivio que sentimos procede de que los amigos nos quitan una parte del peso que nos oprime, o si, sin disminuir en nada este peso, su presencia, que nos encanta, y la idea de que participan de nuestros dolores, atenúan nuestra pena. Pero sea por esta causa o por cualquier otra, la atenuación de nuestros gustos importa poco; lo que no puede ponerse en duda es que, el efecto dichoso de que acabo de hablar, se produce en nosotros. Su presencia tiene sin duda un resultado mixto. Sólo el ver a los amigos es ya un verdadero placer; lo es sobre todo cuando es uno desgraciado. Pero además es como un auxilio que nos prestan contra la aflicción; el amigo consuela con su presencia y con sus palabras por poco que valga, porque conoce el corazón de su amigo y sabe precisamente lo que le agrada y lo que le aflige. Pero podrá decirse que es duro tener que sentir que un amigo se aflija con nuestros propios sinsabores, y todo el mundo evita el ser objeto de pena para sus amigos. Además, los hombres de un valor a prueba tienen gran cuidado en no hacer partícipes de sus dolores a los que aman, y salvo el que sea completamente insensible, no se transije fácilmente con la idea de causar pena a los amigos. Un hombre de corazón no sufre jamás que sus amigos lloren con él, porque él no está dispuesto a llorar. Sólo las mujerzuelas y los hombres de su carácter se complacen en ver que otros mezclan sus lágrimas con las suyas, y aman a las gentes a la vez porque son sus amigos y porque lloran con ellos. Es evidente que en todas las circunstancias el ejemplo más noble es el que debemos imitar.

Pero cuando se está en la prosperidad, la presencia de los amigos nos agrada doblemente. Por lo pronto la relación amistosa nos complace y nos inspira este pensamiento no menos dulce: que ellos gozan con nosotros de los bienes que poseemos. Cuando uno vive en la prosperidad es cuando principalmente nuestro corazón debe complacerse en convidar a nuestros amigos, porque es muy satisfactorio hacer el bien. Por el contrario se duda, se tarda en decidirse a hacerlos venir cuando uno es desgraciado, porque es preciso que participen lo menos posible de las propias penas y de aquí esta máxima anónima:

«Basta con que yo sea desgraciado».

Verdaderamente sólo debe llamárseles cuando sin gran sacrificio suyo pueden hacer un gran servicio. Por opuestos motivos los amigos deben ir en busca de sus amigos desgraciados, sin necesidad de que se los llame, y siguiendo sólo el impulso del corazón, porque es un deber en el amigo pagar este tributo a sus amigos, sobre todo cuando tienen necesidad de él y no lo reclaman; es a la par lo más bello y lo más dulce para ambos. Cuando se puede cooperar en algo a la fortuna de los amigos es preciso ponerse a la obra con firme resolución, porque pueden tener necesidad de auxilio. Pero es preciso abstenerse de tomar parte personal en los beneficios que ellos obtengan, porque es poco digno reclamar con ardor provecho alguno para sí mismo. Por otra parte, se debe procurar no desagradar a los amigos con negativas, ni manifestar poca condescendencia cuando nos hacen ofrecimientos, lo cual sucedc algunas veces.

En resumen, pues, la presencia de los amigos es una cosa agradable en todas las circunstancias de la vida, cualesquiera que éstas sean.

## Dulzuras de la intimidad

¿Puede decirse que la amistad sea como el amor? ¿Y que así como los amantes se complacen apasionadamente en ver el objeto amado y prefieren esta sensación a todas las demás, porque en ella, sobre todo, consiste y se produce el amor, de igual modo los amigos aspiran sobre todas las demás cosas a vivir juntos? La amistad es una asociación, y lo que uno es para sí mismo, lo es para su amigo. Ahora bien, lo que uno ama en sí mismo es sentir que se existe, y se complace en la misma idea respecto del amigo, pero este sentimiento no obra ni se realiza sino en la vida común, y he aquí por qué los amigos tienen tanta razón para desearla. La ocupación que constituye propiamente la vida, y en la cual se encuentran más encantos, es también aquella en la que quiere cada cual que participen sus amigos viviendo juntos. Y así, unos beben y comen juntos; otros juegan juntos; otros cazan juntos; otros se entregan juntos a los ejercicios de la gimnasia; otros se consagran juntos al estudio de la filosofía; en una palabra, todos pasan el tiempo haciendo juntos lo que más les encanta en la vida. Como quieren vivir siempre con amigos, buscan y distribuyen todas las ocupaciones de manera que puedan aumentar esta intimidad y esta vida común. Esto es precisamente lo que hace tan perjudicial la amistad de los hombres depravados. Inconstantes en sus afectos, sólo se comunican los malos sentimientos y se pervierten tanto más cuanto más se imitan mutuamente. Por el contrario, la amistad de los hombres de bien, siendo como es honrada, se acrecienta con la intimidad, y hasta parece que los amigos se mejoran continuándola y corrigiéndose recíprocamente. Y así fácilmente se sirven mutuamente de modelo cuando gustan unos de otros, y de aquí el proverbio de Theognis:

«Siempre de los buenos se saca el bien».

Demos aquí por terminada la teoría de la amistad y pasemos ahora a la del placer.

# Teoría del placer y de la verdadera felicidad

## Del placer

Después de lo que precede parece natural tratar del placer. De todos los sentimientos que podemos experimentar es quizá el más apropiado a nuestra especie. Por esta razón se forma la educación de la juventud, valiéndonos del placer y del dolor, como quien se sirve de un poderoso timón, ya que lo más esencial para la moralidad del corazón consiste en amar lo que debe amarse y aborrecer lo que se debe aborrecer. Estas influencias persisten durante toda la vida, y tienen un gran peso y una gran importancia para la virtud y la felicidad, puesto que el hombre busca siempre las cosas que le agradan y huye de las cosas penosas. No es posible pasar en silencio materia de tanta gravedad, y tanto más se está en el caso de no despreciarla cuanto que las opiniones sobre la misma pueden ser diversas. Unos pretenden que el placer es el bien; otros, por lo contrario, resueltamente lo llaman un mal. Entre los que sostienen esta última opinión, unos quizá están persuadidos íntimamente de que así es, y otros creen que, para ordenar nuestra conducta en la vida, es conveniente clasificar el placer entre las cosas malas, aun cuando esta aseveración no sea completamente verdadera. Los más de los hombres, dicen éstos, se precipitan en busca de los placeres y se convierten en esclavos de la voluptuosidad. Éste es un motivo para llamarles la atención en sentido opuesto, único medio de que vengan a caer al justo medio. No encuentro que esto sea muy exacto, porque los discursos de que se valen los hombres en todo lo relativo a las pasiones y a la conducta humana son menos dignos de fe que sus acciones mismas. Cuando se observa que estos discursos están en desacuerdo con lo que cada uno de nosotros vemos, arrastran en su descrédito la verdad y hasta la destruyen. Desde el momento en que se ve a uno de estos hombres que proscriben el placer, gozar aunque sea de uno sólo, se cree que su ejemplo debe llevarnos a gozar de los placeres en general, y que todos ellos sin excepción son aceptables como aquel de que él ha gozado, porque no es el vulgo a quien toca distinguir y definir bien las cosas. Por el contrario, cuando las teorías son verdaderas, no sólo son muy útiles bajo el punto de vista de la ciencia, sino que lo son también para el régimen de la vida. Se tiene fe cuando los actos están de acuerdo con las máximas, y éstas invitan por lo mismo a los que las comprenden bien a vivir conforme a las reglas que ellas dictan. Pero no quiero apurar más esta materia, y pasemos al examen de las teorías sobre el placer.

## Examen de las teorías antes indicadas sobre la naturaleza del placer

Eudoxio sostenía que el placer es el soberano bien, porque vemos que todos los seres sin excepción, racionales e irracionales, lo desean y lo buscan. «En todas las cosas, decía él, lo que se prefiere, lo preferible, es bueno, y lo que se prefiere por encima de toda las cosas es lo mejor de todo. Este hecho incontestable de sentirse todos los seres arrastrados hacia el mismo objeto, prueba claramente que este objeto es soberanamente bueno para todos, porque cada cual encuentra lo que es bueno para sí precisamente como encuentra su alimento. Por consiguiente, lo que es bueno para todos y para todos es objeto de deseo, necesariamente es el soberano bien.» Se creía en estas teorías a causa del carácter y de la virtud del autor más que por la verdad que ellas contengan. Pasaba aquél por un personaje de consumada sabiduría, y al parecer sostenía sus opiniones, no porque fuera amigo del placer, sino porque estaba sinceramente convencido de que sostenía la verdad. La exactitud de estas teorías le parecía no menos demostrada por la naturaleza del principio contrario al placer: «El dolor, añadía, es de suyo de lo que huyen todos los seres, y por consiguiente el contrario del dolor debe buscarse con tanto empeño como se huye del dolor. Es digna de buscarse una cosa, con preferencia a todas las demás, cuando no la buscamos por medio de otra, ni con la mira de otra, y todo el mundo conviene en que la única cosa que reúne estas condiciones es el placer. Nadie pregunta a otro por qué encuentra placer en aquello que le encanta, porque se considera que el placer es por sí mismo una cosa digna de buscarse. Además, cuando el placer se une a otro bien cualquiera, hace que se lo apetezca más, como por ejemplo, si va acompañado de la probidad y de la prudencia, porque el bien no puede aumentarse sino mediante el bien mismo».

En nuestra opinión, todo lo que prueba este último argumento es que el placer puede ocupar un lugar y ser incluido entre los bienes. Pero no prueba que el placer esté en este concepto por encima de todos los demás bienes. Un bien, cualquiera que él sea, es más apetecible cuando va unido a otro que cuando va solo. Precisamente éste es el razonamiento de que se vale Platón para demostrar que el placer no es el soberano bien: «La vida de placer, dice Platón, es más apetecible con la prudencia que sin la prudencia, y si la unión de la prudencia y del placer es mejor que el placer, se sigue de aquí que el placer sólo no es el verdadero bien, porque no hay necesidad de añadir nada al bien para que sea por sí mismo más apetecible que todo lo demás. Por consiguiente, es también de toda evidencia que, el soberano bien, no puede ser nunca una cosa que se haga más apetecible cuando va unida a uno de los otros bienes que lo son por sí mismos».

¿Cuál es entre los bienes el que llena esta condición y del cual podemos los hombres gozar? Ésta es precisamente la cuestión. Sostener, como se hace, que el objeto que excita el deseo de todos los seres no es un bien, es decir, una cosa que no es seria, porque, lo que todo el mundo piensa, debe en nuestra opinión ser verdad, y el que rechaza esta creencia general no puede sustituirla con otra que sea más creíble. Si los seres privados de razón fuesen los únicos que desearan el placer, no se incurriría en error al sostener que el placer no es un bien, pero como los seres racionales lo desean tanto como los demás, ¿a qué se reduce entonces esta opinión? No niego por otra parte que no haya en los seres, hasta en los más degradados, un buen instinto físico, más poderoso que ellos, que se dirija irresistiblemente hacia el bien que le sea especialmente propio. Tampoco me parece que se pueda aprobar por completo la objeción que se opone al argumento sacado de lo contrario: «Porque, se puede responder a Eudoxio: de que el dolor sea un mal no se sigue precisamente que el placer sea un bien, porque el mal es también el contrario del mal, y además, ambos, el placer y el dolor, pueden ser los contrarios de lo que no es ni lo uno ni lo otro». Esta respuesta no es mala, mas sin embargo no es absolutamente verdadera en lo que concierne precisamente a la cuestión. En efecto, si el placer y el dolor son igualmente males, sería preciso huir igualmente de ambos, o bien si son indiferentes, sería preciso no buscarlos, ni huir de ellos, o por lo menos, evitarlos o buscarlos con la misma razón. Pero lo que realmente se ve es que todos los seres huyen del uno como un mal y buscan el otro como un bien, y en este sentido aparecen ambos como opuestos. Pero el que el placer no esté comprendido en la categoría de las cualidades no es razón para que no pueda estarlo entre los bienes, porque los actos de la virtud tampoco son cualidades permanentes, ni lo es tampoco la felicidad misma. Además, se dice que el bien es una cosa finita y determinada, mientras que el placer es indeterminado, puesto que es susceptible de más y de menos, pero a esto se puede responder que si con este criterio se ha de juzgar el placer, la misma diferencia resulta respecto de la justicia y de todas las demás virtudes, con relación a las cuales se dice también, según los casos, que los hombres poseen más o menos tal o cual cualidad, tal o cual mérito. Así se ve prácticamente que uno es más justo o más valiente que otro, que se puede obrar más o menos justamente, y conducirse con más o menos prudencia. Si se quiere aplicar esta doctrina exactamente a los placeres, ¿cómo llegar así a la verdadera causa, ni cómo dejar de decir que entre los placeres unos no tienen mezcla y otros aparecen mezclados? ¿Qué obsta que, así como la salud, cosa finita y bien determinada, es susceptible de más y de menos, no lo sea también el placer mismo? El equilibrio de la salud no es idéntico en todos los seres; más aún, no es siempre igual en un mismo individuo; la salud puede alterarse y subsistir también alterada hasta cierto punto, y puede muy bien diferir en más o en menos. ¿Por qué no ha de suceder lo mismo con el placer?

Aun suponiendo que el soberano bien sea una cosa perfecta y aun admitiendo que los movimientos y las generaciones son siempre cosas imperfectas, se intenta sin embargo demostrar que el placer es un movimiento y una generación. Pero no hay razón para ello a lo que parece. Por lo pronto, el placer tampoco es un movimiento, como se asegura. Puede decirse que todo movimiento tiene por cualidades propias la velocidad y la lentitud, y si el movimiento en sí no las tiene, por ejemplo, el movimiento del mundo las tiene por lo menos con relación a otro movimiento. Pero nada de esto, ni en un sentido puede ni en otro, se puede aplicar al placer. Se puede muy bien haber gozado del placer, como puede uno haber montado en cólera súbitamente, pero no se goza pronto del placer actual, ni en sí, ni con relación a otro placer, a la manera que se anda más pronto se crece más pronto, o como se realizan más pronto todos los demás movimientos de este género. Puede muy bien experimentarse un cambio rápido o un cambio lento para pasar al placer, pero el acto del placer mismo no puede ser rápido, quiero decir que no se puede gozar en el acto mismo más o menos rápidamente. Ni, ¿cómo el placer podrá ser tampoco una generación? Una cosa cualquiera no puede nacer al azar de otra cualquiera cosa; ella se resuelve siempre en los elementos de donde procede. Ahora bien, en general lo que el placer engendra y hace nacer es el dolor que lo destruye.

También se añade que el dolor es la privación de lo que exige nuestra naturaleza y que el placer es su satisfacción, pero éstas no son más que afecciones puramente corporales. Si el placer no es más que la satisfacción de una necesidad de la naturaleza, la parte sobre la que debería recaer la satisfacción sería también la que debería gozar del placer; sería por consiguiente el cuerpo. Pero no resulta que sea el cuerpo el que goce realmente. El placer no es por tanto una satisfacción, como se pretende. Pero cuando la satisfacción tiene lugar, es posible que se sienta placer, así como se siente dolor cuando uno se corta. Esta teoría, por lo demás, parece formada en vista de los placeres y de los dolores que experimentamos en todo lo que se refiere a los alimentos.

Cuando uno está privado de alimento y ha sufrido a consecuencia de la privación, se siente un vivo goce cuando se satisface esta necesidad. Pero está muy distante de suceder lo mismo con todos los placeres. Así, los placeres que proporciona el cultivo de las ciencias jamás van acompañados de dolores; ni aún entre los de los sentidos, los del olor, del oído y de la vista van acompañados de ellos, y en cuanto a los de la memoria y de la esperanza hay muchos a los cuales tampoco va unido el dolor. ¿En qué concepto pueden, pues, estos placeres ser generaciones, puesto que no corresponden a ninguna necesidad cuya satisfacción natural puedan ellos procurar? En cuanto a los que citan los placeres vergonzosos como una objeción a la teoría de Eudoxio, se les podría responder que éstos no son verdaderamente placeres. De que estos deleites degradantes encanten a gentes mal organizadas no se sigue que sean placeres, absolutamente hablando, para naturalezas distintas de las de tales hombres, a la manera, por ejemplo, que no se tiene por sano, dulce o amargo todo lo que es amargo, dulce y sano a gusto de los enfermos, y que no se tiene por color blanco todo lo que aparece de este color a los ojos atacados de oftalmia.

¿No podría acaso decirse que los placeres son en efecto cosas apetecibles, pero no los que proceden de estos orígenes impuros? Por ejemplo, la fortuna es apetecible, pero no conseguida a costa de una traición, como la salud es apetecible, pero no a condición de ponerla sobre todo sin discernimiento. ¿O bien, no se puede también sostener que los placeres difieren en especie? Los placeres que proceden de actos honrosos son distintos que los que tienen su origen en actos infames, y no se puede gustar el placer de lo justo si el mismo que lo gusta no es justo, a la manera que no se gusta de la música si no se es músico, y así en todas las demás cosas.

En un orden de ideas diferente, la conducta del verdadero amigo, que difiere tanto de la del adulador, demuestra claramente que el placer no es el soberano bien, o, por lo menos, que los placeres difieren mucho entre sí. Así, uno busca vuestro trato con la mira del bien, otro, con la mira del placer; si se rechaza al uno a la par que se estima al otro, es porque ellos buscan también ese trato con fines completamente desemejantes. Nadie se conformaría con tener durante toda la vida la inteligencia de un niño, aunque encontrara en las pequeñeces pueriles los placeres más vivos que sea posible imaginar. Nadie se avendría tampoco a conseguir el placer a costa de las acciones más bajas, aun cuando por ello no llegara nunca a sentir el menor dolor. Añadid a todo esto que hay una multitud de cosas que buscaríamos con empeño, aun cuando en ello no encontráramos ningún placer; por ejemplo, ver, acordarse, aprender, tener virtudes y talentos. Pero si se dice que el placer es necesariamente consecuencia de todos estos actos, respondo que esto importa muy poco, puesto que apeteceríamos estas sensaciones aun cuando no nos resultara de ellas ni el más pequeño placer.

Debe por lo tanto reconocerse, a mi parecer, que el placer no es el soberano bien, que todo placer no es apetecible, y que hay unos placeres apetecibles en sí y otros que difieren o por la especie a que pertenecen o por los objetos en que tienen su origen. Pero basta lo dicho sobre las teorías que intentan explicar el placer y el dolor.

## Nueva teoría del placer

¿Qué es en el fondo el placer? ¿Cuál es su carácter propio? Esto es lo que pondremos en claro, tomando la cuestión desde su principio.

La visión, en cualquier momento que se la observe, es siempre al parecer completa en cuanto no tiene necesidad de que venga después de ella a completar su naturaleza particular. Bajo este punto de vista, el placer se parece a la visión. Es como un todo indivisible, y no se podrá en ningún tiempo encontrar un placer que por subsistir un tiempo más largo se haga en su especie más completo de lo que era al principio. Ésta es también una nueva prueba de que el placer no es un movimiento, porque todo movimiento se realiza en un tiempo dado y se dirige siempre a un cierto fin, como el movimiento de la arquitectura, que sólo es completo cuando ha hecho la construcción que desea, sea que este movimiento de la arquitectura se realice en todo el tiempo de que se trata o en tal porción determinada de este tiempo. Pero todos los movimientos son incompletos en las partes sucesivas del tiempo, y difieren todos en especie del movimiento entero y los unos de los otros. Así el corte y labrado de las piedras es un movimiento distinto que el que hacen las baquetillas de una columna, y estos dos movimientos difieren de la distribución general del templo que se construye. Sólo la construcción del templo es completa, porque nada falta para que quede realizado el propósito formado desde el principio. Pero el movimiento que se aplica a la base y el que se aplica al triglifo del arquitrabe son incompletos, porque uno y otro no son sino movimientos relativos a una parte del todo, y así difieren en especie. No es posible en un tiempo dado encontrar un movimiento que sea completo en su especie, y, si se quiere encontrar uno de este género, únicamente se halla en este caso el que corresponde al tiempo entero. El mismo razonamiento se puede aplicar a la marcha y a todos los demás movimientos. Por ejemplo, si la traslación en general es el movimiento de un paraje a otro, son también diferentes especies del mismo el vuelo, la marcha, el salto y otros análogos. Pero las especies no sólo difieren dentro de la traslación total, sino que en la marcha misma hay igualmente especies diversas, y así al marchar de un paraje a otro no es lo mismo hacerlo en el estadio entero o en una parte del mismo, en tal parte del estadio o en tal otra. Tampoco es lo mismo describir marchando esta línea o aquella otra, respecto a que no sólo se recorre la línea, sino que se la recorre en el determinado lugar en que ella está, y la una está colocada en un lugar distinto del en que está la otra. Por lo demás, en otra parte he tratado profundamente el movimiento y he demostrado que no es siempre completo en todos los instantes de su duración, que los más de los movimientos son incompletos, y que difieren específicamente, puesto que la dirección sola de un punto a otro basta para constituir una especie nueva del mismo.

Pero el placer, por el contrario, es una cosa completa en cualquier tiempo que se lo considere. Se ve evidentemente que el placer y el movimiento difieren absolutamente uno de otro y que el placer puede ser incluido entre las cosas enteras y completas. Otra prueba de ello es también que el movimiento no puede producirse de otra manera que con el tiempo y en el tiempo, mientras que esta condición no se puede imponer al placer, porque lo que existe en el instante indivisible y presente puede decirse que es un todo completo. En fin, todo esto demuestra claramente que no hay razón para decir que el placer es un movimiento o una generación. Estos dos términos no son aplicables a todo indistintamente, sólo se aplican a cosas divisibles y que no forman un todo. Así es, por ejemplo, como no puede tener lugar la generación en la visión ni en el punto matemático, ni en la mónade o unidad. En ninguna de estas cosas hay generación ni movimiento, ni tampoco en el placer, porque el placer es una cosa completa e indivisible.

## Continuación de la teoría del placer

Cada uno de nuestros sentidos sólo está en acto con relación al objeto que él pueda sentir, y el sentido, para obrar completamente, debe estar en buen estado con relación al más excelente de todos los objetos que pueden caer bajo este sentido particular. A mi parecer, ésta es la mejor definición que se puede dar del acto completo. Y poco importa, por lo demás, que se diga que es el sentido mismo el que obra o el ser en quien este sentido está colocado. En todas las circunstancias el mejor acto es el del ser que mejor dispuesto está con relación al más perfecto de los objetos que están sometidos a este acto especial. Y este acto no sólo es el acto más completo, sino que es también el más agradable, porque en toda especie de sensación puede haber placer, así como lo hay igualmente en el pensamiento y en la simple contemplación. La sensación más completa es la más agradable, y la más completa es la del ser que está bien dispuesto, lo repito, con relación a la mejor de todas las cosas que son accesibles a esta sensación. El placer acaba el acto y lo completa, pero no lo completa de la misma manera que lo completan el objeto sensible y la sensación cuando ambos están en buen estado, ni más ni menos que la salud y el médico no son de igual modo causas de que nos conservemos sanos. Que hay placer en toda especie de sensación es cosa que se comprende sin dificultad, porque se dice ordinariamente que se tiene placer en ver tal o cual cosa o en oír tal o cual otra, y es evidente que allí donde el placer es más grande, allí también la sensación es más viva y obra sobre un objeto de su género especial. Siempre que el ser sentido y el ser que siente se encuentren en estas condiciones, habrá placer, puesto que habrá a la vez lo que debe producirlo y lo que debe experimentarlo. Si el placer completa el acto, no es como podría hacerlo una cualidad que existiese en el acto con anterioridad, sino que es más bien como un fin que viene a unirse a lo demás, a la manera que la flor de la juventud se une a la edad por ella animada. Mientras el objeto sensible o el objeto de la inteligencia subsiste siendo todo lo que debe ser, y por otra parte el ser que lo percibe o que se comprende subsiste igualmente en buen estado, el placer se producirá en el acto, porque permaneciendo el ser que es pasivo y el que obra en la misma relación el uno con el otro, y no mudando su condición, el mismo resultado deberá naturalmente producirse.

Pero si esto es así, ¿cómo es que el placer que se experimenta no es continuo? ¿O cómo también no es la pena más continua que el placer? Es que todas las facultades humanas son incapaces de obrar continuamente, y el placer no tiene tampoco este privilegio, porque no es más que consecuencia del acto. Ciertas cosas nos causan placer únicamente porque son nuevas, y por esta misma razón más tarde no nos lo causan tanto. En el primer momento, el pensamiento se fija y obra sobre estas cosas con intensidad, como en el acto de la vista cuando se mira de cerca alguna cosa, pero después este acto ya no es tan vivo, se debilita, y por esto el placer también se debilita y pasa. Pero puede suponerse que si todos los hombres aman el placer, es porque todos aman también la vida. La vida es una especie de acto, y cada cual obra sobre las cosas y para las cosas que más ama, como el músico obra mediante el órgano del oído sobre la música que tiene gusto en oír, como obra el hombre apasionado por la ciencia mediante el esfuerzo de su espíritu que aplica a las especulaciones, y como cada cual obra en su esfera. Pero el placer completa los actos, y por consiguiente, completa la vida que todos los seres desean conservar, y esto es lo que justifica que busquen el placer, puesto que él completa en cada uno de ellos la vida, que todos aman con ardor. En cuanto a saber si se ama la vida por el placer o el placer por la vida, dejaremos por el momento esta cuestión a un lado. Estas dos cosas nos parecen de tal manera ligadas entre sí que no es posible separarlas, porque sin acto no hay placer, y el placer es siempre necesario para completar el acto.

## Diferentes clases de placeres

Estas consideraciones deben hacernos comprender por qué los placeres difieren y los hay de distintas especies. Es porque las cosas que no son de especies diferentes no pueden ser completadas sino por cosas que son igualmente diferentes en especie. Pueden tomarse, por ejemplo, todas las cosas de la naturaleza y las obras de arte, los animales y los árboles, los cuadros y las estatuas, las casas y los muebles. Hasta los actos que son específicamente diferentes sólo pueden completarse por placeres diferentes en especie. Y así los actos del pensamiento difieren de los actos de los sentidos, y éstos no difieren menos de especie entre sí. Los placeres que los completan deberán por consiguiente diferir también. La prueba es que cada placer es propio exclusivamente del acto que completa, y que este placer especial aumenta también la energía del acto mismo. Se juzga tanto mejor de las cosas y se las practica con tanta más precisión cuanto mayor es el placer con que se hacen, como lo muestran, por ejemplo, los progresos que alcanzan en geometría los que gustan de estudiar la ciencia geométrica y la facilidad particular que tienen para comprender todos sus pormenores; los que gustan de la música o de la arquitectura, o todos los que tienen otro cualquier gusto, y que adelantan maravillosamente, cada uno en su género, porque lo hacen con placer. Así el placer contribuye siempre a aumentar el acto y el talento. Todo lo que tiende a fortificar las cosas es propio para ellas y conveniente, y, cuando las cosas son de especies diferentes, son también cosas de especies diversas las que convienen para completarlas. Una prueba más patente de esto es que en semejantes casos los placeres que proceden de otro origen son obstáculos a los actos especiales. Así, el músico es incapaz de prestar atención a los discursos que se le dirigen si está oyendo un instrumento que se toque cerca de él. Se complace mil veces más en la música que en el acto presente a que se le invita, y el placer que tiene escuchando la flauta destruye en él el acto relativo a la conversación que él debería seguir. La misma distracción tiene lugar en todos los demás casos en que se intenta hacer dos cosas a la vez; el acto más agradable turba necesariamente al otro. Si hay entre los dos actos una gran diferencia de placer, la turbación es tanto más profunda, y llega hasta el punto de que el acto más enérgico impide absolutamente que se pueda realizar el otro. Esto es lo que explica por qué, cuando se tiene un placer muy vivo en una cosa, se siente uno enteramente incapaz de experimentar otro, mientras que, cuando se pueden tener otros, es prueba clara de que en el primero tenemos escaso gusto. Observad lo que pasa en los teatros; los que se toman la libertad de comer golosinas lo hacen principalmente en el momento en que los malos actores están en escena. El placer especial que acompaña a los actos les da más precisión y los hace a la vez más durables y más perfectos, mientras que el placer extraño a estos actos los entorpece y los corrompe, siguiéndose de aquí que estas dos clases de placeres son profundamente diferentes. Los placeres extraños causan poco más o menos el mismo efecto que las penas que son especiales a los actos. Así las penas especiales de ciertos actos los destruyen y los traban: por ejemplo, si a tal persona no gusta y hasta le repugna escribir y si a tal otra le disgusta calcular, la una no escribe y la otra no calcula, porque este acto les es penoso. Por esto los actos son afectados de una manera completamente contraria por los placeres y por las penas que les son propias. Entiendo por propios los placeres o las penas que proceden del acto mismo tomado en sí. Los placeres extraños, repito, producen un efecto análogo al que produciría la pena especial. Destruyen como ésta el acto, si bien esto sucede por medios que no se parecen.

Así como los actos difieren en cuanto son buenos o malos, y ciertos actos deben buscarse, otros deben evitarse y otros son indiferentes, lo mismo sucede con los placeres que van unidos a estos actos. Hay un placer propio de cada uno de nuestros actos en particular. El placer propio de un acto virtuoso es un placer honesto, así como es un placer culpable el correspondiente a un mal acto, porque las pasiones que recaen sobre las cosas buenas son dignas de alabanza, lo mismo que son dignas de censura las que se refieren a las cosas vergonzosas. Los placeres que se encuentran en los actos mismos son aún más particularmente propios de ellos que los deseos de estos actos. Los deseos están separados de los actos por el tiempo en que se producen y por su naturaleza especial, mientras que los placeres, por lo contrario, se ligan íntimamente a los actos y son tan poco distintos que se puede preguntar, no sin alguna incertidumbre, si el acto y el placer no son por completo una sola y misma cosa.

El placer ciertamente no es el pensamiento, ni la sensación; sería un absurdo tomarlo por el uno o por la otra, y si parece ser idéntico con ellos, es porque no es posible separarlos. Pero así como los actos de los sentidos son diferentes, también lo son sus placeres. La vista difiere del tacto por su pureza y su exactitud; el oído y el olfato difieren del paladar. Los placeres de cada uno de estos sentidos difieren igualmente. Los placeres del pensamiento no son menos diferentes de todos éstos, y todos los placeres de cada uno de estos dos órdenes difieren específicamente entre sí. También parece que hay para cada animal un placer que sólo es propio de él, como hay para él un género especial de acción, y este placer es el que se aplica especialmente a un acto. De esto se puede convencer cualquiera observando cada uno de los animales. El placer del perro es distinto del caballo o del hombre, como lo observa Heráclito cuando dice:

«Un asno escogería la paja y dejaría el oro».

Y es que el heno es un alimento más agradable que el oro para los asnos. Y así, para los seres de especie diversa los placeres difieren también específicamente, y es natural creer que los placeres de los seres de especies idénticas no son desemejantes en especie. Sin embargo, respecto de los hombres, la diferencia es enorme de un individuo a otro. Unos mismos objetos causan tristeza a unos y encanto a otros; lo que es penoso y odioso para estos, es dulce y agradable para aquellos. La misma diferencia se produce físicamente en las cosas de sabor dulce y que gustan al paladar. Un mismo sabor no causa la misma impresión en el que tiene fiebre que en el hombre sano; el calor no obra de igual modo sobre el enfermo que sobre el hombre en plena salud, y lo mismo sucede en una multitud de cosas. En todos estos casos, la cualidad real verdadera de las cosas es, a mi parecer, lo que encuentra en ellas el hombre bien organizado, y si este principio es exacto, como lo creo, la virtud es la verdadera medida de cada cosa. El hombre de bien, en tanto que tal, es el único juez, y los verdaderos placeres son los que él considera tales, y los goces a que él se entregue serán los verdaderos goces. Por otra parte, el que a él parezca penoso lo que para otro sea agradable, no hay por qué extrañarlo. Entre los hombres hay una multitud de corrupciones y de vicios, y los placeres que se crean estos seres degradados no son placeres, lo son sólo para ellos y para seres como ellos organizados. En cuanto a los placeres que según juicio unánime de todo el mundo son vergonzosos, es claro que no se les debe llamar placeres, y sólo pueden darles esta denominación los hombres depravados. Pero entre los placeres que parecen honestos, ¿cuál es el placer particular del hombre? ¿Cual es su naturaleza? ¿No es evidente que es el placer que resulta de los actos que el hombre realiza? Porque los placeres siguen a los actos y los acompañan. Y aparte de que haya un solo acto humano o que haya muchos, es claro que los placeres, que en el hombre completo y verdaderamente dichoso vienen a completar estos actos, deben pasar propiamente por los verdaderos placeres del hombre. Los demás sólo vienen en segunda línea y son susceptibles de muchos grados, como los actos mismos a que se aplican.

## Recapitulación de la teoría de la felicidad

Después de haber estudiado las diversas especies de virtudes, de amistades y de placeres, sólo falta que tracemos un rápido bosquejo de la felicidad, puesto que reconocemos que es el fin de todos los actos del hombre. Recapitulando lo que he dicho, podremos abreviar nuestro trabajo.

Hemos sentado que la felicidad no es una simple manera de ser puramente pasiva, porque entonces la encontraríamos en el hombre que pasase durmiendo toda la vida, viviendo la vida vegetativa de una planta y experimentando las mayores desgracias. Si esta idea de felicidad es inaceptable, es preciso suponerla más bien en un acto de cierta especie, como he hecho ya anteriormente. Pero entre los actos, hay unos que son necesarios y hay otros que pueden ser objeto de una libre elección, ya en vista de otros objetos, ya en vista de ellos mismos. Es harto claro que es preciso colocar la felicidad entre los actos que se eligen y que se desean por sí mismos y no entre los que se buscan en vista de otros. La felicidad no debe tener necesidad de otra cosa y debe bastarse a sí misma por completo. Los actos apetecibles en sí son aquellos en que no hay nada que buscar más allá del acto mismo, y en mi opinión, éstos son los actos conformes a la virtud, porque hacer cosas buenas y bellas constituye precisamente uno de los actos que se deben buscar por sí mismos. Entre la clase de cosas apetecibles por sí mismas pueden incluirse también las simples diversiones, porque en general sólo se las busca por sí mismas, por divertirse y nada más. Pero muchas veces estas diversiones nos perjudican más que nos aprovechan si por ellas abandonamos el cuidado de nuestra salud y el de nuestra fortuna. Y esto, no obstante, la mayoría de los hombres, cuya felicidad es objeto de envidia, sólo piensan en entregarse a estas diversiones. También se observa que los tiranos hacen gran aprecio de los que gustan mucho de esta clase de placeres, porque los aduladores se muestran complacientes en todas las cosas que los tiranos desean, y los tiranos, a su vez, tienen necesidad de gentes que los adulen. El vulgo se imagina que estas diversiones son una parte de la felicidad, porque los que ocupan el poder son los primeros a perder el tiempo en ellas, pero la vida de estos hombres no puede servir de ejemplo ni de prueba. La virtud y la inteligencia, origen único de todas las acciones buenas, no son las compañeras obligadas del poder, y el que semejantes gentes, incapaces como son de gustar un placer delicado y verdaderamente libre, se entreguen a los placeres del cuerpo, su único refugio, no es razón para que nosotros tengamos estos placeres groseros por los más apetecibles. También los niños creen que aquello que más aprecian es lo más precioso que existe en el mundo. Pero es cosa bien clara que lo mismo que los hombres formales y los niños dan su estimación a cosas muy diferentes, así también los malos y los buenos la dan a cosas enteramente opuestas. Lo repito, aunque ya lo haya dicho muchas veces: las cosas verdaderamente buenas y dignas de ser amadas son las que tienen este carácter a los ojos del hombre virtuoso, y como para cada individuo el acto que merece su preferencia es el que es conforme a su propia manera de ser, el acto para el hombre virtuoso es el acto conforme a la virtud.

La felicidad no consiste en divertirse; sería un absurdo que la diversión fuera el fin de la vida; sería también absurdo trabajar y sufrir durante toda la vida sin otra mira que la de divertirse. Puede decirse, realmente, de todas las cosas del mundo, que sólo se las desea en vista de otra cosa, excepto sin embargo la felicidad, porque ella es en sí misma fin. Pero esforzarse y trabajar, repito, únicamente para conseguir el divertirse, es una idea insensata y sobrado pueril. Según Anacarsis, es preciso divertirse para dedicarse después a asuntos serios, y tiene mucha razón. La diversión es una especie de reposo, y como no se puede trabajar sin descanso, el ocio es una necesidad. Pero este ocio ciertamente no es el fin de la vida, porque sólo tiene lugar en vista del acto que se ha de realizar más tarde. La vida dichosa es la vida conforme a la virtud, y esta vida es seria y laboriosa, no la constituyen las vanas diversiones. Las cosas serias están en general muy por encima de las gracias de las burlas, y el acto de la mejor parte de nosotros, o de lo mejor del hombre, se considera siempre como el acto más serio. Ahora bien, el acto de lo mejor vale más por lo mismo que es el mejor y proporciona más felicidad. El ser más rebajado puede gozar de los bienes del cuerpo como el más distinguido de los hombres. Sin embargo, no puede reconocerse la felicidad en un ser envilecido por la esclavitud si no es en la forma que se reconoce en él la vida. La felicidad no consiste en estos miserables pasatiempos; consiste en los actos que son conformes a la virtud, como se ha dicho anteriormente.

## Continuación de la recapitulación de la teoría de la felicidad

Si la felicidad sólo consiste en el acto que es conforme con la virtud, es natural que este acto sea el conforme con la virtud más elevada, es decir, la virtud de la parte mejor de nuestro ser. Y ya sea ésta el entendimiento u otra parte, que según las leyes de la naturaleza parezca hecha para mandar y dirigir y para tener conocimiento de las cosas verdaderamente bellas y divinas, o ya sea algo divino que hay en nosotros, o por lo menos lo que haya más divino en todo lo que existe en el interior del hombre, siempre resulta que el acto de esta parte conforme a su virtud propia debe ser la felicidad perfecta, y ya hemos dicho que este acto es el del pensamiento y de la contemplación.

Esta teoría concuerda exactamente con los principios que anteriormente hemos sentado y con la verdad. Por lo pronto este acto es sin contradicción el mejor acto, puesto que el entendimiento es lo más precioso que existe en nosotros y la cosa más preciosa entre todas las que son accesibles al conocimiento del entendimiento mismo. Además, este acto es aquel cuya continuidad podemos sostener mejor, porque podemos pensar por muchísimo más tiempo que podemos hacer ninguna otra cosa cualquiera que ella sea. Por otra parte, creemos que el placer debe mezclarse con la felicidad, y de todos los actos que son conformes con la virtud, el que nos encanta y nos agrada más, según opinión de todo el mundo, es el ejercicio de la sabiduría y de la ciencia. Los placeres que proporciona la filosofía son al parecer admirables por su pureza y por su certidumbre, y ésta es la causa por la cual procura mil veces más felicidad el saber que el buscar la ciencia. Esta independencia de que tanto se habla se encuentra principalmente en la vida intelectual y contemplativa. Sin duda el sabio tiene necesidad de las cosas indispensables para la existencia, como la tiene el hombre justo y como la tienen los demás hombres, pero partiendo del supuesto de que todos tengan igualmente satisfecha esta primera necesidad, el justo necesita además de gentes para ejercitar en ellas y por ellas su justicia. En el mismo caso están el hombre templado, el valiente y todos los demás, puesto que necesitan estar en relación con otros hombres. El sabio, el verdadero sabio, puede, aun estando sólo consigo mismo, entregarse al estudio y a la contemplación, y cuanto más sabio sea más se entrega a él. No quiero decir que no le viniera bien tener colaboradores, pero no por eso deja de ser el sabio el más independiente de los hombres y el más capaz de bastarse a sí mismo. Y aún puede añadirse que esta vida del pensamiento es la única que se ama por sí misma, porque de esta vida no resulta otra cosa que la ciencia y la contemplación, mientras que en todas aquellas en que es necesario obrar, se va siempre en busca de un resultado que es más o menos extraño a la acción.

También se puede sostener que la felicidad consiste en el reposo y la tranquilidad; no se trabaja sino para llegar a descansar, como se hace la guerra para obtener la paz. Ahora bien, todas las virtudes prácticas tienen lugar y se ejercitan en la política o en la guerra, pero los actos que ellas exigen al parecer no dejan al hombre ni un instante de tregua, especialmente los de la guerra, en la que el reposo es cosa absolutamente desconocida. Y así nadie quiere la guerra ni la prepara por la guerra misma. Sería preciso ser un verdadero asesino para convertir en enemigos a sus amigos, y provocar por capricho combates y matanzas. En cuanto a la vida del hombre político, es tan poco tranquila como la del hombre de guerra. Además de la dirección de los negocios del estado, es preciso que se ocupe incesantemente en conquistar el poder y los honores, o por lo menos en asegurar su felicidad personal y la de sus conciudadanos individualmente, porque esta felicidad es muy diferente, casi no es menester decirlo, de la felicidad general de la sociedad, y en nuestras indagaciones hemos procurado distinguirlas cuidadosamente. Así pues, entre los actos conformes con la virtud, los de la política y la guerra podrán superar a los demás en brillantez e importancia, pero tienen lugar en medio de la agitación y se llevan a cabo en vista de un fin extraño, pues no se los busca por sí mismos. Por el contrario, el acto del pensamiento y del entendimiento, siendo como es comtemplativo, supone una aplicación mucho más seria; no tiene otro fin que él mismo, y lleva consigo el placer que le es exclusivamente propio y que se ve aumentado por la intensidad de la acción. Por lo tanto, así la independencia que se basta a sí misma, como la tranquilidad y la calma, toda la que el hombre puede disfrutar, y todas las ventajas análogas que se atribuyen de ordinario a la felicidad, todas estas cosas se encuentran en el acto del pensamiento contemplativo. Sólo esta vida es la que ciertamente constituye la felicidad perfecta del hombre, con tal que, añado yo, sea tan extensa como la vida, porque ninguna de las condiciones que se refiere a la felicidad puede ser incompleta.

Quizá esta vida tan digna sea superior a las fuerzas del hombre, o por lo menos si puede el hombre vivir de esta suerte, no es como hombre, sino en tanto que hay en él un algo divino. Y en tanto en cuanto este principio divino está por encima del compuesto a que él está unido, otro tanto del acto de este principio es superior a cualquier otro acto, sea el que fuere, conforme a la virtud. Pero si el entendimiento es algo divino con relación al resto del hombre, la vida propia del entendimiento es una vida divina con relación a la vida ordinaria de la humanidad. Por lo tanto no hay que dar oídas a los que aconsejan al hombre que piense tan sólo en las cosas humanas, y al ser mortal que sólo piense en las cosas que son mortales como él. Lejos de esto, es preciso que el hombre se inmortalice tanto cuanto sea posible, y que haga un esfuerzo por vivir conforme al principio más noble de todos los que lo constituyen. Aunque este principio no es nada, si se considera el pequeño espacio que ocupa, no por eso deja de ser infinitamente superior a todo lo demás del hombre en poder y en dignidad. En mi opinión, él es el que nos constituye a cada uno de nosotros y forma de cada cual un individuo, puesto que es la parte dominante y superior, y sería un absurdo en el hombre no adoptar su propia vida e ir a adoptar en cierta manera la de otro. El principio que antes dejamos sentado concuerda perfectamente con lo que decimos aquí: lo que es propio de un ser y conforme con su naturaleza es por encima de todo lo mejor y lo más agradable para él. Ahora bien, lo más propio del hombre es la vida del entendimiento, puesto que el entendimiento es verdaderamente todo el hombre, y por consiguiente, la vida del entendimiento es también la vida más dichosa a que el hombre puede aspirar.

## Superioridad de la felicidad intelectual

La vida, que puede colocarse en segunda línea después de esta superior, es la que conforma con cualquiera otra virtud que no sean la sabiduría y la ciencia, porque, los actos que se refieren a nuestras facultades secundarias, son actos puramente humanos. De esta manera hacemos actos de justicia y de valor, practicamos otras virtudes en el comercio ordinario de la vida, cambiamos con nuestros semejantes mutuos servicios, y sostenemos con ellos relaciones de mil géneros, así como, en materia de sentimientos, procuramos dar a cada uno lo que le es debido, pero todos estos actos no salen de la esfera humana. Hay algunos que sólo afectan a cualidades del cuerpo, y en muchos casos la virtud moral del corazón se liga estrechamente a las pasiones. Por lo demás, la prudencia se une muy bien igualmente con la virtud moral, así como esta virtud se liga recíprocamente con la prudencia, porque los principios de la prudencia se relacionan íntimamente con las virtudes morales, y la regla de estas virtudes se encuentra completamente conforme con las de la prudencia. Pero las virtudes morales, como están entremezcladas con las pasiones, afectan, a decir verdad, al compuesto que constituye el hombre. Las virtudes del compuesto son simplemente humanas, por consiguiente, la vida, que practica estas virtudes, y la felicidad, que estas virtudes proporciona, son puramente humanas. En cuanto a la felicidad de la inteligencia, ésta está completamente aparte. Pero no quiero volver a tocar este punto, porque ir más lejos y precisar pormenores sería traspasar el fin que nos hemos propuesto.

Añádase solamente que la felicidad de la inteligencia no exige casi bienes exteriores, o más bien que los necesita mucho menos que la felicidad que resulta de la virtud moral. Las cosas absolutamente necesarias a la vida son condiciones indispensables para ambas, y en este punto están en una misma línea. Sin duda, el hombre que se consagra a la vida civil y política tiene que ocuparse más del cuerpo y de todo lo que al cuerpo se refiere, sin embargo, sobre este punto hay siempre muy poca diferencia. Por el contrario, con respecto a los actos, la diferencia es enorme. Así el hombre liberal y generoso tendrá necesidad de cierto grado de fortuna para ejercer su liberalidad, y el hombre justo no advertirá menos la necesidad de ella para corresponder dignamente a los demás en razón de lo que ha recibido, porque las intenciones no se ven y los hombres inicuos fingen con facilidad tener la intención de ser justos. El hombre de valor, por su parte, tiene también necesidad de un cierto poder para realizar los actos conformes a la virtud que lo distingue. El mismo hombre templado tiene necesidad de algún bienestar, porque si no tuviera medios de satisfacer sus necesidades, ¿cómo podría saber si era templado o si era otra cosa? Una cuestión que importa resolver es si el punto capital en la virtud es la intención o es el acto, pudiendo la virtud encontrarse a la vez en los actos y en la intención. En mi opinión, evidentemente no hay virtud completa si no aparecen reunidas ambas condiciones. Mas para las acciones se necesitan muchas cosas, y cuanto más bellas y grandes son, tanto más las necesitan.

Por el contrario, cuando se trata de la felicidad que proporcionan la inteligencia y la reflexión, no hay necesidad, en razón del acto del que se entrega a ella, de todo esto, y hasta puede decirse que serían otros tantos obstáculos, por lo menos respecto a la contemplación y al pensamiento. Pero como en tanto que hombre y en tanto que se vive con los demás se siente uno inclinado a practicar la virtud, habrá necesidad, precisamente de todos estos recursos inmateriales, para desempeñar el papel de hombre en la sociedad.

He aquí otra prueba de que la perfecta felicidad es un acto de pura contemplación. Suponemos siempre como incontestable que los dioses son los más dichosos y los más afortunados de todos los seres. Pues bien; ¿qué actos pueden propiamente atribuirse a los dioses? ¿Es la justicia? ¿Y no nos formaríamos una idea bien ridícula de los dioses si creyéramos que entre ellos se llevan a cabo convenios y se restituyen depósitos, y que mantienen otras mil relaciones de este género? ¿No se les puede tampoco atribuir actos de valor, el desprecio de los peligros, la constancia en afrontarlos, haciéndolo sólo por exigirlo el honor? ¿O acaso les atribuiremos actos de liberalidad? Pero en este caso, ¿a quién habrían de hacer sus donativos? Y entonces sería preciso incurrir en el absurdo de suponer que se valen de la moneda y de otros expedientes del mismo género. Por otra parte, si son templados, ¿cuál es el mérito que en ello contraen? ¿No será una alabanza grosera decir que no tienen pasiones vergonzosas? Si se recorren al por menor todas las acciones que el hombre puede ejecutar, son todas verdaderamente bien mezquinas para atribuirlas a los dioses y completamente indignas de su majestad. Sin embargo, el mundo entero cree en su existencia; por consiguiente se cree también que obran, porque al parecer no duermen siempre como Endimion. Pero si en el ser vivo se suprime la idea del obrar, y con más razón la idea de hacer algún acto exterior, ¿qué otra cosa le queda más que la contemplación? Así pues, el acto de Dios, que supera en felicidad a todos los demás, es puramente contemplativo, y de los actos humanos, el que se aproxima más íntimamente a éste, es también el acto que proporciona mayor grado de felicidad.

Añádase aún otra consideración, y es que el resto de los animales no participan de la felicidad, porque son absolutamente incapaces de este acto de que están privados. La existencia en los dioses es toda dichosa; en cuanto a los hombres, sólo es dichosa en cuanto es una imitación de este acto divino, y para los demás animales, ni uno solo es partícipe de la felicidad, porque ninguno participa de esta facultad del pensamiento y de la contemplación. Tan lejos como va la contemplación, otro tanto avanza la felicidad, y los seres más capaces de reflexionar y de contemplar son igualmente los más dichosos, no indirectamente, sino por efecto de la contemplación misma, que tiene en sí un precio infinito, y por fin, en conclusión, la felicidad puede ser considerada como una especie de contemplación.

## Relación de la felicidad con el bienestar exterior

Sin embargo, en el hecho mismo de ser hombre es necesario para ser dichoso cierto bienestar exterior. La naturaleza del hombre, tomada en sí misma, no basta para el acto de la contemplación. Es preciso además que el cuerpo se mantenga sano, que tome los alimentos indispensables y que se tengan con él todos los cuidados que de suyo exige. Sin embargo, no se crea que el hombre, para ser dichoso, tenga necesidad de muchas cosas ni de grandes recursos, aunque realmente no pueda ser completamente dichoso sin estos bienes exteriores. La suficiencia del hombre está muy lejos de exigir un exceso, ni en el uso de los bienes que posee, ni respecto a su actividad. Se pueden hacer las acciones más bellas sin ser el dominador de la tierra y de los mares, puesto que puede el hombre obrar según pide la virtud por muy modesta que sea su condición. Esto se ve claramente observando que los simples particulares se conducen tan virtuosamente como los hombres más poderosos, y en general mucho mejor. Basta tener los recursos médicos de que acabamos de hablar para que la vida sea siempre dichosa, si se toma la virtud por guía en su conducta. Solon quizá definió muy bien al hombre dichoso, diciendo que «es el que, medianamente provisto de bienes exteriores, sabe ejecutar acciones nobles y vivir con templanza y modestia». Así es en efecto; se puede con una mediana fortuna cumplir todos los deberes. Anaxágoras tampoco creía que el hombre feliz fuese el hombre rico y poderoso, puesto que decía «que no le sorprendería pasar por extravagante a los ojos del vulgo, porque éste sólo juzga por las cosas exteriores, únicas que comprende».

Así las opiniones de los sabios están de acuerdo con nuestras teorías, con lo cual reciben éstas indudablemente un nuevo grado de probabilidad, pero cuando se trata de la práctica, la verdad se juzga y se reconoce solamente en vista de los actos y atendiendo a la vida real, porque éste es el punto decisivo. Al estudiar todas las teorías que acabo de exponer, deberán por lo mismo confrontarse con los hechos mismos y con la vida práctica. Cuando se conforman con la realidad, pueden adoptarse; si no concuerdan con ella, debe sospecharse que no son más que vanos razonamientos. El hombre que vive y obra mediante su inteligencia, y la cultiva con cuidado, me parece a la vez el mejor organizado de los hombres y el más querido de los dioses, porque si los dioses toman algún cuidado en los negocios humanos, como yo creo, es muy natural que se complazcan en ver sobre todo en el hombre lo que hay en él de mejor y lo que más se aproxima a su propia naturaleza, es decir, la inteligencia y el entendimiento. También es muy natural que, en cambio, los dioses colmen con sus beneficios a los que estiman y honran con mayor celo este divino principio, pues que cuidan lo que los dioses aman, y se conducen con rectitud y nobleza. Que entre éstos se encuentra el sabio es cosa que no puede negarse; el sabio es particularmente querido por los dioses, y a mi juicio es consiguientemente el más dichoso de los hombres, de donde concluyo que el sabio es el único que en este sentido es todo lo completamente dichoso que se puede ser.

## IMPORTANCIA DE LA TEORÍA Y DE LA PRÁCTICA

Si es que hemos explicado suficientemente en estos bosquejos las teorías que acabamos de ver, la de las virtudes, la de la amistad y la del placer, ¿deberemos dar aquí por terminada nuestra tarea? ¿O deberemos más bien creer, como he dicho más de una vez, que en las cosas que tocan a la práctica, el fin verdadero no es contemplar y conocer teóricamente las reglas al por menor, y sí el aplicarlas realmente? Con respecto a la virtud, no basta saber lo que es; es preciso además esforzarse en poseerla y ponerla en práctica, o encontrar cualquier otro medio para hacerse realmente virtuoso y bueno. Si los discursos y los escritos fuesen capaces por sí solos de hacernos hombres de bien, merecerían justamente, como decía Theognis, que se los buscara por todo el mundo y se pagara por ellos un alto precio, y no habría que hacer otra cosa que adquirirlos. Por desgracia, todo lo que en esta materia pueden hacer lo preceptos es determinar y obligar a algunos jóvenes generosos a perseverar en el bien, y convertir un corazón bien nacido y espontáneamente bondadoso en amigo inquebrantable de la virtud. Pero, con relación a la multitud, los preceptos son absolutamente impotentes para dirigirla hacia el bien. Jamás obedece por respeto, sino por temor; no se abstiene del mal por un sentimiento de pundonor, sino por el terror de los castigos. Como sólo vive para las pasiones, sólo va en pos de los placeres que le son propios y de los medios que proporcionan estos placeres, apresurándose a evitar las penas contrarias. Pero en cuanto a lo bello y al verdadero placer, no tiene de ellos ni una simple idea, porque jamás los ha gustado. Y pregunto, ¿qué discursos, qué razonamientos pueden corregir estas naturalezas groseras? No es posible, o por lo menos no es fácil, mudar por el simple poder de la palabra hábitos de muy atrás sancionados por las pasiones, y no debe estar el hombre poco satisfecho cuando, utilizando todos los recursos que pueden ayudarle a ser hombre de bien, llega a poseer la virtud.

Los hombres, según se dice, se hacen y son virtuosos, ya por naturaleza, ya por hábito, ya mediante la educación. En cuanto a la disposición natural, no depende de nosotros, evidentemente; por una especie de influencia divina se encuentra en ciertos hombres que tienen verdaderamente, si puede decirse así, una suerte dichosa. Por otra parte, la razón y la educación no ejercen influencia sobre todos los caracteres, siendo preciso que se haya preparado muy de antemano el alma del discípulo, para que sepa ordenar bien sus placeres y sus resentimientos, como se prepara la tierra que debe suministrar el jugo a la semilla que en ella se deposite. El ser que vive sólo para la pasión, no puede escuchar la voz de la razón para separarse de lo que él desea, ni puede siquiera comprenderla. ¿Cómo se contiene y se disuade un hombre que está en tal disposición? La pasión en general no obedece a la razón, sólo cede a la fuerza. Y así la primera condición es que el corazón se incline naturalmente a la virtud, amando lo bello y detestando lo feo. Pero es muy difícil que se pueda dirigir convenientemente hacia la virtud a un hombre desde su infancia, si no tiene la fortuna de ser educado bajo la égida de buenas leyes. Una vida modesta y arreglada no es agradable a la mayoría de los hombres, y menos a la juventud. Además, la educación de los jóvenes y sus trabajos es preciso arreglarlos mediante la ley, porque estas prescripciones no serán tan penosas para ellos cuando se hayan convertido en hábitos. No basta que los hombres reciban en su juventud una buena educación y una cultura convenientes, sino que, como es indispensable que cuando lleguen a la edad viril continúen en esta vida y hagan de ella un hábito constante, tendremos necesidad de pedir de nuevo auxilio a las leyes para conseguir este resultado. En una palabra, es preciso que la ley siga al hombre durante toda su existencia, porque los más de ellos obedecen más a la necesidad que a la razón, más a los castigos que al honor.

Con razón se ha creído que los legisladores deben atraer a los hombres a la virtud por la persuasión, y comprometerlos en este sentido simplemente en nombre del bien, en la seguridad de que el corazón de los hombres honrados, preparados por buenos hábitos, escuchará su voz, pero que, sin embargo, deben decretar además represiones y castigos contra los rebeldes y corrompidos, y hasta desembarazar completamente al estado de los que son moralmente incurables. También añaden con mucho acierto que el hombre que es probo y que sólo vive para el bien se rendirá sin dificultad a la razón, mientras que será preciso castigar por medio del dolor al hombre perverso que sólo piensa en el placer, como se castiga a una bestia feroz que está uncida. Por esto se recomienda que se escoja entre los castigos los que sean más opuestos a los placeres que el culpable busca con tanta obcecación.

Por lo tanto, si, como acabamos de decir, es preciso que el hombre, para que sea un día virtuoso, haya sido al principio bien educado, y haya contraído buenos hábitos, si es preciso que después continúe viviendo y ocupándose en cosas dignas de alabanza sin causar nunca mal ni por su voluntad ni por fuerza, no se pueden alcanzar nunca estos resultados admirables si los hombres no son obligados por una cierta dirección de la inteligencia o por cierto orden regular que tenga el poder de hacerse obedecer. El mandato de un padre no tiene este caracter de fuerza, ni de necesidad, como en general no lo tiene el de ningún hombre solo, a menos que no sea un rey o tenga alguna dignidad semejante. Únicamente la ley posee una fuerza coercitiva igual a la de la necesidad, porque es, hasta cierto punto, la expresion de la sabiduría y de la inteligencia. Cuando son los hombres los que se oponen a nuestras pasiones, se los detesta, aunque tengan mil razones para hacerlo, pero la ley no se hace odiosa ordenando lo que es equitativo y justo. Puede decirse que Lacedemonia es el único estado en el cual el legislador, poco imitado en esto, parece haberse cuidado mucho de la educación de los ciudadanos y de sus trabajos. En la mayor parte de los demás estados se ha despreciado este punto esencial, y cada uno vive como le acomoda «gobernando su mujer y sus hijos», a la manera de los cíclopes. Lo mejor sería que el sistema de educación fuese público, al mismo tiempo que sabiamente concebido y que se encontrase ya en estado de ser aplicado.

Allí donde se desprecia este cuidado común, cada ciudadano debe considerar como un deber personal encaminar en el sentido de la virtud a sus hijos y a sus amigos, o por lo menos debe tener la firme intención de hacerlo. El verdadero medio de ponerse en estado de cumplir este deber, conforme a lo que acabo de decir, es hacerse uno mismo legislador. Cuando el cuidado de la educación es público y común, evidentemente las leyes son las que solamente pueden proveer a esta necesidad, y la educación es lo que debe de ser, cuando está arreglada por buenas leyes, sean escritas o no escritas. Importa poco que estatuyan sobre la educación de un solo individuo o sobre la de muchos, a la manera que tampoco se hace esta distincion en la música, ni en la gimnástica, ni en todos los demás estudios a que se consagran los jóvenes. Y si en los estados son las instituciones legales y las costumbres las que tienen este poder, son las palabras y las costumbres de los padres las que deben ejercerlo en el seno de las familias, y su autoridad debe ser todavía mucho mayor, puesto que tiene su origen en los vínculos de la sangre y en los beneficios hechos, así que el primer sentimiento que la naturaleza inspira a los hijos es el amor y la obediencia.

También hay un punto en que la educación particular se halla por encima de la común, como nos lo hará comprender un ejemplo tomado de la medicina. En general, cuando uno tiene fiebre, la dieta y el reposo son un excelente remedio, pero puede suceder que el enfermo tenga un temperamento tal que no le convenga tal remedio, a la manera que un luchador no tira los mismos golpes ni se vale de la misma astucia con todos sus adversarios. En igual forma, cuando la educación es particular, el cuidado que se aplica entonces especialmente a cada individuo parece ser más acabado, puesto que cada niño recibe personalmente la clase de cuidados que más le conviene. Pero los mejores cuidados, aun en los casos individuales, serán siempre los que prestan el médico o el gimnasta, o cualquier otro maestro que conozca todas estas reglas generales, y que sepa que tal cosa conviene a todo el mundo o, por lo menos, a los que se hallan en tales o cuales condiciones, porque las ciencias toman su nombre de lo general, de lo universal, y sólo de lo universal se ocupan. No niego que, aun siendo muy ignorante, se pueda tratar con buen éxito tal o cual caso particular, y que con el sólo auxilio de la experiencia no se logre perfectamente este propósito. Basta para esto haber observado con exactitud los fenómenos que cada caso presenta; y así, hay hombres que son para sí mismos excelentes médicos pero que no podrían hacer nada para aliviar los sufrimientos de otro. Sin embargo, cuando seriamente se quiere llegar a ser hombre entendido en la práctica y en la teoría, es preciso caminar hasta lo general, hasta lo universal, y conocerlo tan profundamente cuanto sea posible, porque, como ya hemos dicho, lo universal es a lo que se refieren todas las ciencias.

Cuando se quiere mejorar a los hombres cuidándose de ellos, ya se trate de una multitud o de un corto número, es preciso procurar hacerse legislador, puesto que sólo por medio de las leyes se perfecciona la humanidad. Pero no es una obra vulgar dirigir bien al ser confiado a vuestros cuidados, cualquiera que sea su naturaleza, y si hay alguien que puede realizar esta tarea difícil, es sólo el que posee la ciencia, como en la medicina, por ejemplo, y en todas las demás artes que exigen a la par cuidado y reflexión.

Como consecuencia de esto, ¿deberemos indagar cómo y por qué medio podrá adquirirse el talento del legislador? ¿Podré responder que obrando como en cualquier otra ciencia, es decir, dirigiéndose a los hombres políticos, puesto que este talento legislativo, al parecer, es una parte de la política? ¿O deberemos acaso decir que con la política no sucede lo que con las demás ciencias y estudios? En las demás ciencias, son las mismas personas las que enseñan las reglas para obrar bien y las aplican; por ejemplo, los médicos y los pintores. En cuanto a la política, los sofistas son los que se alaban de enseñarla bien, pero ni uno sólo, entre todos ellos, sabe hacerlo, quedando reservada a los hombres de estado, que al parecer se consagran a ella movidos por una especie de poder natural y que la tratan bajo el punto de vista de la experiencia más bien que por el de la reflexión. La prueba es que nunca se ve que los hombres de estado escriban ni hablen de esta materia, por más que por ello les redundaría más honor que el que procuran las arengas ante los tribunales y ante el pueblo. Tampoco se ve que estos personajes hagan de sus propios hijos ni de sus amigos hombres políticos. Y es bien seguro, sin embargo, que no habrían dejado de hacerlo si hubieran podido, porque no era posible dejar una herencia más útil que ésta a los estados que gobiernan, ni hubieran podido encontrar ni para sí mismos ni para las personas para ellos más queridas nada que fuera superior a este talento de la política. Por otra parte reconozco que la experiencia en esta ciencia es de grande utilidad, pues de no ser así no se harían los hombres de estado más capaces de gobernar bien sólo por el largo hábito de gobierno. Así pues, para poseer la ciencia política hay necesidad de unir la práctica a la teoría. Pero los sofistas, que tanto ruido hacen con su pretendida ciencia, están muy distantes de enseñar la política porque no saben con precisión ni lo que es, ni de qué se ocupa; si lo supieran, no la habrían confundido con la retórica, ni la habrían puesto por bajo de ella. Tampoco podrían comprender la facilidad de formar un buen código de leyes reuniendo todas las de más nombradía y eligiendo las mejores. Al oírles, podría decirse que la elección no es por sí misma un acto de alta inteligencia, y que juzgar bien no es en este caso el punto capital, lo mismo que en la música. Los hombres dotados de experiencia especial son los únicos que en cada género juzgan perfectamente las cosas y que comprenden por qué medios y cómo se llega a producirlas, como que conocen sus combinaciones y armonías secretas. En cuanto a los que carecen de esta experiencia personal, tienen que contentarse con no ignorar si la obra tomada en conjunto es buena o mala, como pasa con la pintura.

Pero las leyes son la obra y el resultado de la política. ¿Cómo, pues, con el auxilio de ésta podrá hacerse un hombre legislador, o por lo menos juzgar cuáles de aquéllas son las mejores? Los médicos no se forman únicamente con el estudio de los libros, por más que éstos no sólo indican los remedios, sino que llegan hasta detallar los medios curativos y la naturaleza de los diversos cuidados que exige cada enfermo en particular, conforme a los temperamentos, cuyas diferencias se analizan en ellos. Los libros que son quiza útiles cuando se tiene ya experiencia, son de una inutilidad completa para los que todo lo ignoran. Las compilaciones de leyes y de constituciones están quizá en el mismo caso; me parecen muy útiles cuando ya es uno capaz de especular sobre estas materias, de juzgar lo que es bueno y lo que es malo, y de discernir las instituciones que puedan convenir en los distintos casos; pero si careciendo de esta facultad que nos permite comprenderlas bien, nos ponemos a estudiar estas compilaciones, no se encontrará el hombre en estado de juzgar sanamente de las cosas, a no ser por una rara casualidad, si bien no niego que semejante lectura puede dar más pronto un mayor conocimiento de estas materias.

Por lo tanto, habiendo dejado nuestros antepasados sin explorar el campo de la legislacion, alguna ventaja habrá quizá en que nosotros estudiemos y tratemos a fondo la política, para completar de esta manera y hasta el punto que podamos alcanzar la filosofía de las cosas humanas. Por lo pronto, cuando en nuestros predecesores encontremos algún pormenor de este vasto asunto perfectamente tratado, no dejaremos de adoptarlo haciendo las correspondientes citas, y después determinaremos, en vista de las constituciones que hemos recogido, cuáles son los principios que salvan o que pierden a los estados en general y en particular a cada uno de ellos. Indagaremos las causas de que unos estados estén bien gobernados y otros lo estén mal porque así, cuando hayamos terminado todos estos estudios, veremos de una ojeada más completa y más segura cuál es el estado por excelencia y cuáles son para cada especie de gobierno la constitución, las leyes y las costumbres especiales que debe tener para ser en su género el mejor posible.